Gwyddoniaeth Ddwb

Ffiseg

Y Llyfr Adolygu

CANOLFAN ASTUDIAETHAU ADDYSG ABERYSTWYTH

Addasiad Cymraeg gan
Dafydd Kirkman a Janice Williams
Golygwyd gan Richard Parsons

Y fersiwn Saesneg:
Testun, dylunio, gosodiad ac arlunwaith © Richard Parsons 1997, 1998, 1999.
Cedwir y cyfan o'r hawliau.
Arlunwaith gan: Sandy Gardner illustrations@sandygardner.co.uk
Cyhoeddwyd gan Coordination Group Publications

Y fersiwn Gymraeg:
ⓗ Awdurdod Cymwysterau, Cwricwlwm ac Asesu Cymru 2000

Cyhoeddwyd y fersiwn Gymraeg gan:
Y Ganolfan Astudiaethau Addysg, Prifysgol Cymru Aberystwyth.

ISBN 1 85644 540 2

Addasiad Cymraeg gan Dafydd Kirkman a Janice Williams
Golygwyd a pharatowyd ar gyfer y wasg gan Janice Williams a Glyn Saunders Jones

Dyluniwyd gan Ceri Jones, Richard Huw Pritchard a Matthew Webster

Aelodau'r Pwyllgor Monitro: Gwen Aaron, Helen Baker, Ian Morris Jones

Argraffwyd gan Argraffwyr Cambria, Aberystwyth, Ceredigion

Cynnwys

Adran 1 — Trydan a Magnetedd

Adran 2 — Grymoedd a Mudiant

Adran 3— Tonnau

Adran 4 — Y Gofod Pell

Adran 5 — Egni

Adran 6 — Ymbelydredd

Dyma'r Wyddor ar gyfer Ffiseg – dysgwch hi

Os na fyddwch yn ei gwybod, nid ewch ymhell mewn Ffiseg.
Hebddi bydd popeth yn anodd.

	Mesur	Symbol	Uned Safonol	Fformiwla
1	Gwahaniaeth Potensial	V	Folt, V	$V = I \times R$
2	Cerrynt	I	Amper, A	$I = V/R$
3	Gwrthiant	R	Ohm, Ω	$R = V/I$
4	Gwefr	Q	Coulomb, C	$Q = I \times t$
5	Pŵer	P	Wat, W	$P = V \times I$ neu $P = I^2R$
6	Egni	E	Joule, J	$E = QV$ neu $V = E/Q$
7	Amser	t	Eiliad, s	$E = P \times t$ neu $E = IVt$
8	Grym	F	Newton, N	$F = ma$
9	Màs	m	Cilogram, kg	
10	Pwysau (grym)	W	Newton, N	$W = mg$
11	Dwysedd	D	kg y m^3, kg/m^3	$D = m/V$
12	Moment	M	Newton-metr, Nm	$M = F \times r$
13	Cyflymder neu Buanedd	v neu b	metr/eiliad, m/s	$v = p/t$ neu $b = p/t$
14	Cyflymiad	a	metr/eiliad^2, m/s^2	$a = \Delta v/t$ neu $a = F/m$
15	Gwasgedd	P	Pascal, Pa (N/m^2)	$P = F/A$
16	Arwynebedd	A	metr^2, m^2	
17	Cyfaint	V	metr^3, m^3	$P_1V_1 = P_2V_2$
18	Amledd	f	Hertz, Hz	$f = 1/T$ (T = cyfnod amser)
19	Tonfedd	λ	metr, m	$v = f \times \lambda$ (fformiwla ton)
20	Gwaith a wneir	Wd	Joule J	$Wd = F \times d$
21	Egni Potensial	EP	Joule, J	$EP = m \times g \times h$
22	Egni Cinetig	EC	Joule, J	$EC = \frac{1}{2}mv^2$

Effeithlonedd (dim unedau):

$$\text{Effeithlonedd} = \frac{\text{Gwaith defnyddiol a allbynnir}}{\text{Egni cyflawn a fewnbynnir}}$$

Hafaliad y newidydd:

$$\frac{\text{Foltedd Coil Cynradd}}{\text{Foltedd Coil Eilaidd}} = \frac{\text{Nifer troeon y Coil Cynradd}}{\text{Nifer troeon y Coil Eilaidd}}$$

Mae hwn yn waith sylfaenol pwysig, a rhaid i chi wneud ymdrech i'w ddysgu i gyd.
Os nad ydych yn siŵr beth yw "Jouleau", neu os nad ydych yn gwybod beth yw'r gwahaniaeth rhwng "amledd" a "Hertz", neu os na allwch ysgrifennu'r fformiwlâu am "grym, màs a chyflymiad" etc, yna ni allwch ddisgwyl gwneud synnwyr o unrhyw beth sy'n dilyn ohonynt.

ADRAN 1 — TRYDAN A MAGNETEDD

Cerrynt, Foltedd a Gwrthiant

Tydi trydan yn grêt! Gwae chi, serch hynny, os yw'r termau canlynol yn golygu dim i chi... Ewch ati i'w dysgu nhw'n awr!

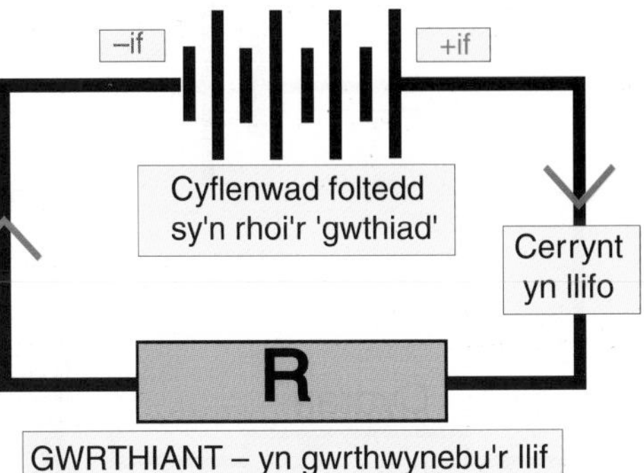

1) *CERRYNT* Cerrynt yw'r *llif electronau* o amgylch y gylched.

2) *FOLTEDD* Foltedd yw'r *grym gyrru* sy'n gwthio'r cerrynt o amgylch. Math o "*wasgedd trydanol*".

3) *GWRTHIANT* Gwrthiant yw unrhyw beth yn y gylched sy'n *arafu'r llif*.

4) *CYDBWYSEDD* Mewn cydbwysedd mae'r *foltedd* yn ceisio *gwthio'r* cerrynt o amgylch y gylched, a'r *gwrthiant* yn ei *wrthwynebu* — *meintiau cymharol* y foltedd a'r gwrthiant sy'n penderfynu *pa mor fawr* fydd y cerrynt:

> Wrth *gynyddu'r FOLTEDD* — bydd *MWY O GERRYNT* yn llifo.
> Wrth *gynyddu'r GWRTHIANT*— bydd *LLAI O GERRYNT* yn llifo.

Mae'n Union fel Dŵr yn Llifo o Amgylch Set o Bibellau

1) Yn syml, mae *cerrynt* fel *dŵr yn llifo*.
2) Mae'r *foltedd* fel y *gwasgedd* a gynhyrchir gan *bwmp* sy'n gwthio'r dŵr o amgylch.
3) *Gwrthiant* yw unrhyw beth sy'n *cyfyngu* ar y llif y mae'n rhaid i'r gwasgedd *weithio yn ei erbyn*.
4) Os byddwch *yn troi'r pwmp i fyny* ac yn creu *gwasgedd* (neu *"foltedd"*) mwy, bydd y llif yn *cynyddu*.
5) Os rhowch ragor o *gyfyngiadau* (*"gwrthiant"*), bydd y llif (cerrynt) *yn lleihau*.

Gwasgedd Isel — Pwmp — Gwasgedd Uchel — Dŵr yn llifo — Cyfyngiad

Mewn Metelau caiff y Cerrynt Trydanol ei Gludo gan Electronau

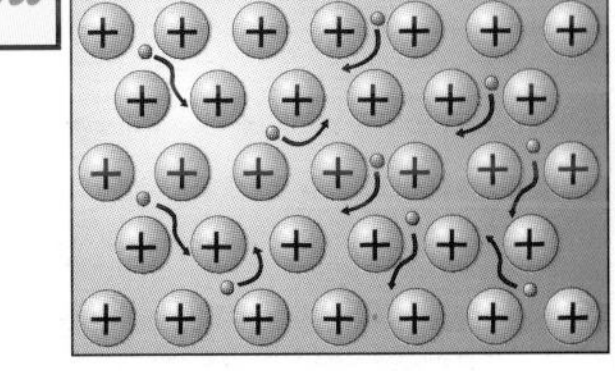

1) Dim ond os oes *gwefrau* sy'n gallu *symud yn rhydd* y bydd y cerrynt yn llifo.
2) Mae metelau yn cynnwys *"môr" o electronau rhydd* (wedi'u gwefru'n negatif) sydd yn *llifo trwy'r holl fetel*.
3) Hyn sy'n caniatáu i *gerrynt trydanol* lifo mor dda *ym mhob metel*.

Ond mae Electronau yn Llifo'n Groes i'r Cerrynt Confensiynol

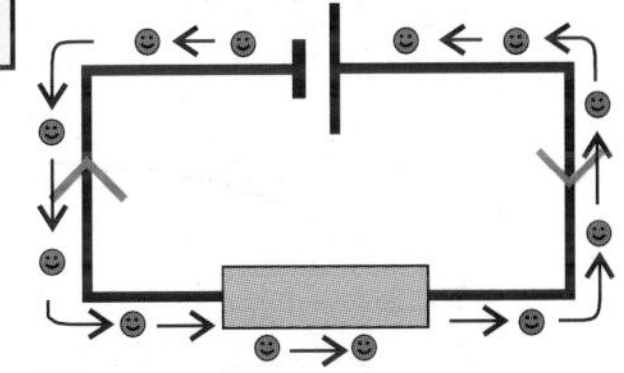

Yn *arferol* dywedwn fod y cerrynt mewn cylched yn llifo o'r *positif i'r negatif*. Ond darganfuwyd electronau ymhell ar ôl penderfynu hyn a chafwyd eu bod wedi'u *gwefru'n negatif — yn anffodus*. Mae hyn yn golygu eu bod *yn llifo* o'r –if i'r +if, *yn groes* i lif y *"cerrynt confensiynol"*.

Mewn Electrolytau, caiff Cerrynt ei Gludo gan Wefrau +if a –if ill Dau

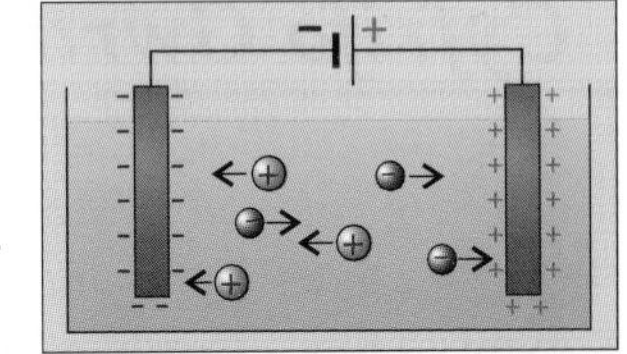

1) *Electrolytau* yw *hylifau* yn cynnwys gwefrau sy'n gallu *symud yn rhydd*.
2) Maent naill ai'n *ïonau wedi'u hydoddi mewn dŵr* fel hydoddiant halen, neu'n *hylifau ïonig tawdd* fel sodiwm clorid tawdd.
3) Pan gaiff foltedd ei weithredu mae'r gwefrau *positif* yn symud tuag at y *–if*, a'r gwefrau *negatif* yn symud tuag at y *+if*. Dyma yw *cerrynt trydanol*.

Deall ceryntau — hawdd...

Mae'r dudalen yma yn ymwneud â cherrynt trydanol — beth ydyw, beth sy'n gwneud iddo symud, a beth sy'n ceisio ei atal. Dyma'r wybodaeth fwyaf elfennol am drydan. Ddysgwch chi ddim byd am drydan oni bai y gwyddoch chi beth sydd ar y dudalen yma.

Y Gylched Brofi Safonol

Hon, heb amheuaeth, yw'r gylched fwyaf safonol a luniwyd erioed. Gwnewch yn siŵr eich bod yn ei gwybod.

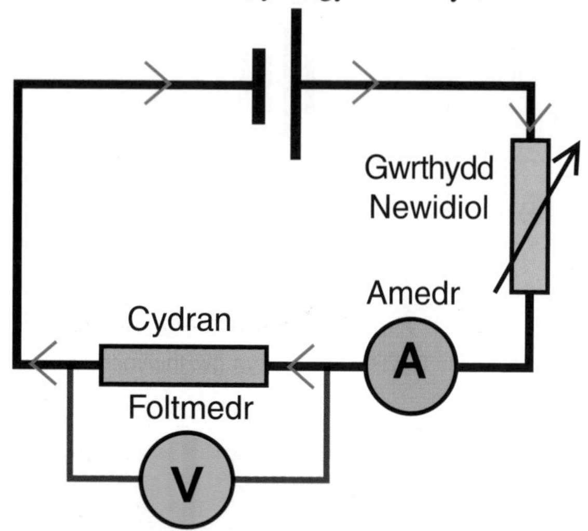

Yr Amedr

1) Mae'n mesur y *cerrynt* (mewn *Amperau*) sy'n llifo trwy gydran.
2) Rhaid ei osod *mewn cyfres*.
3) Gellir ei osod *yn unrhyw le* mewn cyfres yn y *brif gylched*, ond *byth yn baralel* fel y foltmedr.

Y Foltmedr

1) Mae'n mesur y *foltedd* (mewn *Foltiau*) ar draws cydran.
2) Rhaid ei osod *yn baralel* ar draws y *gydran sy'n cael ei phrofi — NID* ar draws y gwrthydd newidiol neu'r batri!
3) Yr enw *priodol* am "*foltedd*" yw *"gwahaniaeth potensial"* neu *"GP"*.

Pum **Pwynt Pwysig**

1) Defnyddir y *gylched sylfaenol hon* i *brofi cydrannau*, ac i gael *graffiau V-I* ar eu cyfer.
2) Mae'r *gydran*, yr *amedr* a'r *gwrthydd newidiol* i gyd *mewn cyfres*, sy'n golygu y gellir eu gosod *mewn unrhyw drefn* yn y brif gylched. Rhaid gosod y *foltmedr*, ar y llaw arall, *yn baralel* ar draws y *gydran sy'n cael ei phrofi*, fel y dangosir.
3) Wrth i chi *amrywio'r gwrthydd newidiol* mae newid yn y *cerrynt* sy'n llifo trwy'r gylched.
4) Mae hyn yn eich galluogi i gymryd *PARAU O DDARLLENIADAU* o'r *amedr* a'r *foltmedr*.
5) Yna gallwch *blotio'r* gwerthoedd hyn ar gyfer *cerrynt* a *foltedd* ar *graff V-I*, fel y rhai isod.

Pedwar Graff Foltedd-Cerrynt **Pwysig**

Graffiau V-I yn dangos sut mae'r cerrynt yn amrywio wrth newid y foltedd. Dysgwch y pedwar hyn:

Gwrthydd

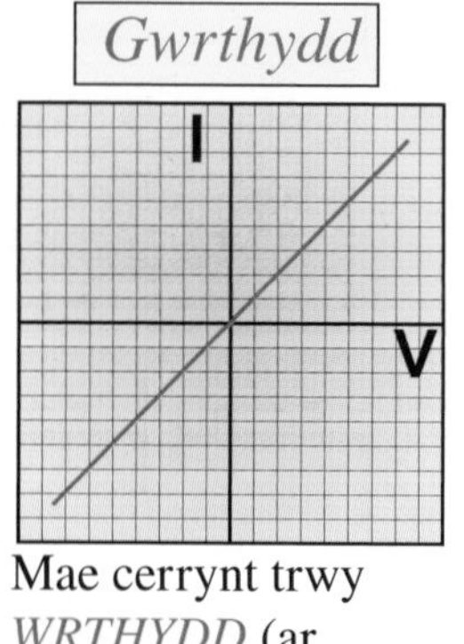

Mae cerrynt trwy *WRTHYDD* (ar dymheredd cyson) yn *gyfrannol â'r foltedd*.

Gwifrau Gwahanol

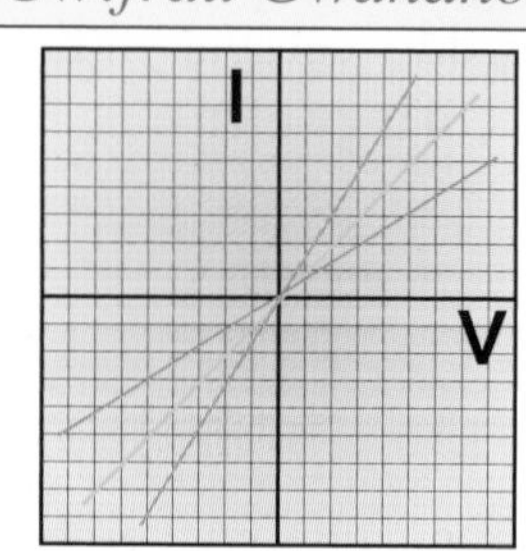

Mae gan *wifrau gwahanol wrthiannau* gwahanol, felly ceir *goleddau* gwahanol.

Lamp Ffilament

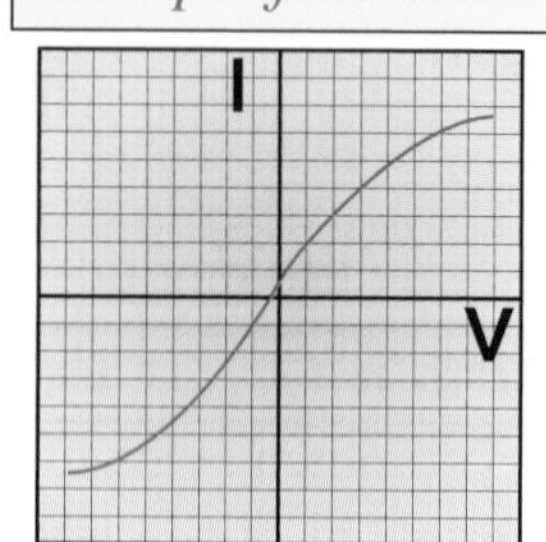

Wrth i *dymheredd* y ffilament *gynyddu*, mae'r *gwrthiant* yn *cynyddu*, felly ceir *cromlin*.

Deuod

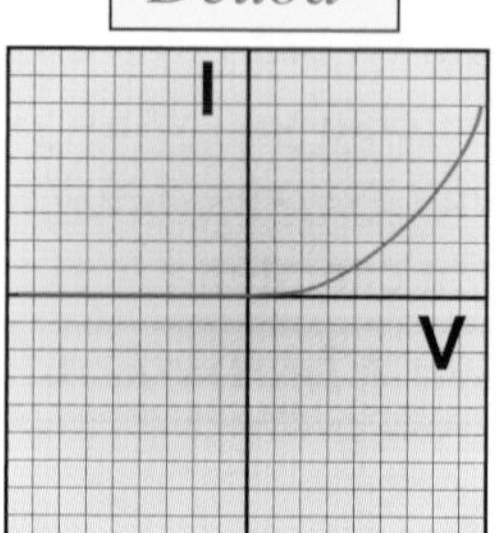

Mae cerrynt yn llifo trwy ddeuod *i un cyfeiriad* yn unig, fel y dangosir.

Cyfrifo Gwrthiant: R = V/I, (neu R = "1/graddiant")

Ar gyfer *graffiau llinell syth* mae gwrthiant y gydran yn *gyson* ac yn hafal i *wrthdro graddiant* y llinell, neu *"1/graddiant"*. Mewn geiriau eraill, y *MWYAF SERTH* yw'r graff y *LLEIAF* yw'r gwrthiant.
Os yw'r graff yn *crymu*, mae'r gwrthiant yn *newid*. Gellir darganfod R felly ar gyfer unrhyw bwynt trwy gymryd *pâr o werthoedd* (V, I) o'r graff a'u rhoi yn y fformiwla $R = V/I$ (Gweler t. 8). Hawdd.

Rhaid i chi ddysgu'r gwaith — a dyna fo...

Mae llawer o fanylion pwysig ar y dudalen yma ac mae angen i chi *eu dysgu i gyd*.
Yr unig ffordd o wneud yn siŵr eich bod yn eu gwybod yw *cuddio'r dudalen* a gweld faint allwch chi ei *ysgrifennu* oddi ar eich *cof*. Nid yw'n hawdd — ond dyma'r unig ffordd. Mwynhewch.

Symbolau Cylchedau a Dyfeisiau

Rhaid i chi wybod yr holl symbolau hyn ar gyfer cylchedau at yr Arholiad. Dysgwch nhw'n awr!

Symbolau Cylchedau y Dylech eu Gwybod:

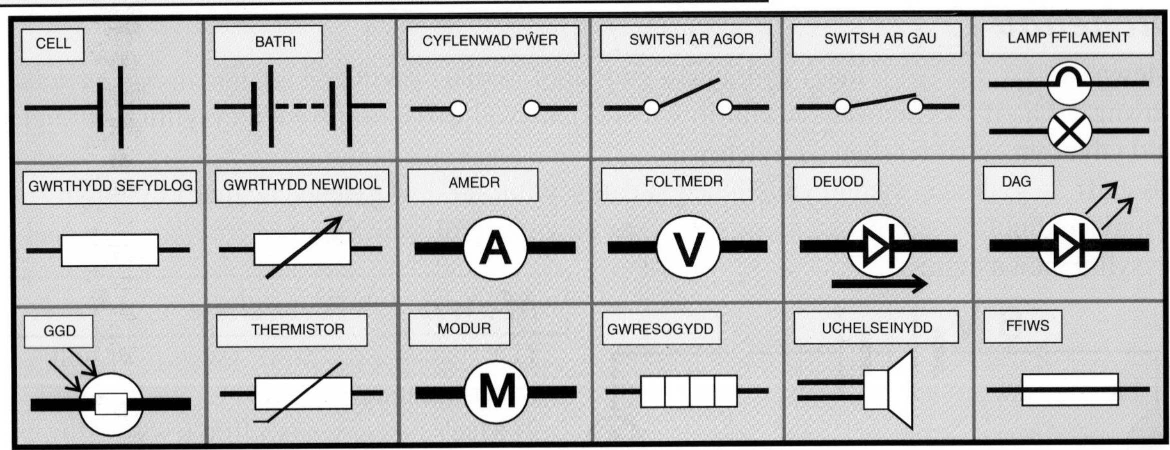

1) Gwrthydd Newidiol

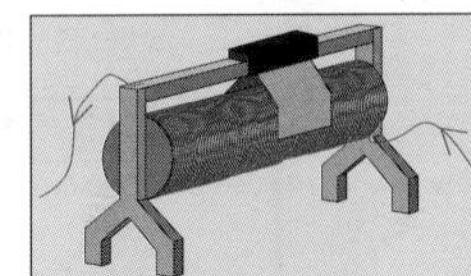

1) *Gwrthydd* y gellir *newid* ei wrthiant trwy droi nobyn neu rywbeth tebyg.
2) Y rhai hen ffasiwn yw *coiliau mawr o wifren* â *llithrydd* arnynt.
3) Maen nhw'n dda i *newid y cerrynt* sy'n llifo mewn cylched. Trowch y gwrthiant *i fyny*, ac mae'r cerrynt *yn gostwng*. Trowch y gwrthiant *i lawr*, ac mae'r cerrynt yn mynd *i fyny*.

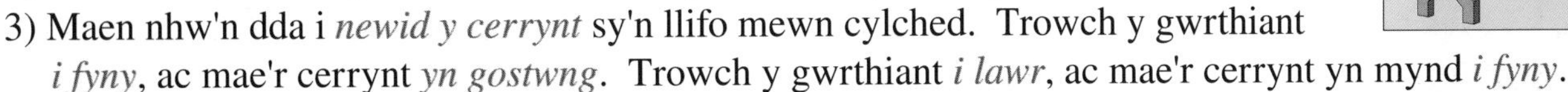

2) "Deuod Lled-ddargludol" neu "Deuod"

Dyfais arbennig wedi'i gwneud o ddefnydd *lled-ddargludol* megis *silicon*.
Mae'n caniatáu i gerrynt lifo trwyddo *i un cyfeiriad*, ond *nid* i'r cyfeiriad arall (h.y. mae ganddo wrthiant uchel i'r cyfeiriad *gwrthdro*). Mae'n ddefnyddiol iawn mewn amrywiol *gylchedau electronig*.

3) Deuod sy'n Allyrru Golau neu "DAG" i chi

1) Deuod sy'n *gyrru golau allan*. Mae'n caniatáu i gerrynt fynd trwyddo i *un cyfeiriad* yn unig.
2) Pan fo cerrynt yn mynd trwyddo, mae'n gyrru golau *coch* neu *wyrdd* neu *felyn*.
3) Fel arfer mae gan stereos lawer o DAGau bychain sy'n *goleuo* i sain cerddoriaeth.

4) Gwrthydd Golau-ddibynnol neu "GGD" i chi

1) Mewn *golau llachar*, mae'r gwrthiant yn *gostwng*.
2) Mewn *tywyllwch*, mae'r gwrthiant ar ei *uchaf*.
3) Oherwydd hyn mae'n ddefnyddiol ar gyfer amrywiol *gylchedau electronig* e.e. *goleuadau nos awtomatig*; *canfodyddion lladron*.

Gwrthiant mewn Ω — GGD — Tywyll — Golau — Arddwysedd golau

5) Thermistor (Gwrthydd Tymheredd-ddibynnol)

1) O dan amodau *poeth*, mae'r gwrthiant yn *gostwng*.
2) O dan amodau *claear*, mae'r gwrthiant yn mynd *i fyny*.
3) Mae thermistorau yn ddefnyddiol fel *canfodyddion tymheredd*. e.e. sensorau tymheredd *injan car* a *thermostatau* electronig.

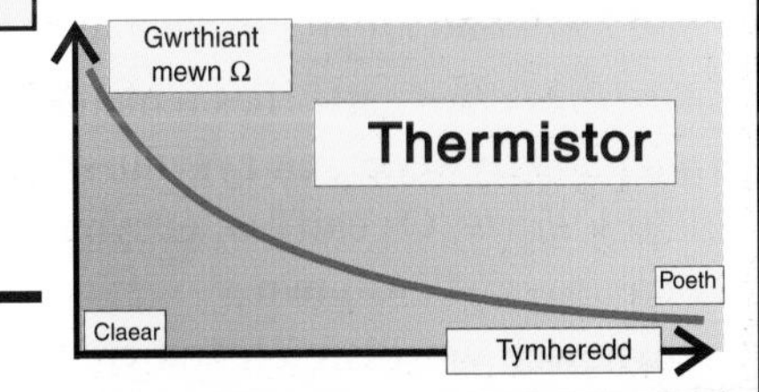

"Deuod" — nid Dau Od!

Tudalen arall o fanylion elfennol a phwysig am gylchedau electronig. Rhaid i chi wybod yr holl symbolau ar gyfer cylchedau yn ogystal â'r manylion ychwanegol am y pum dyfais arbennig. Pan gredwch chi eich bod yn eu gwybod i gyd *cuddiwch y dudalen* ac *ysgrifennwch* y cyfan. Os oes angen *triwch eto*.

Cylchedau Cyfres

Mae angen i chi fedru dweud y gwahaniaeth rhwng cylchedau cyfres a chylchedau paralel *wrth edrych arnynt*. Mae angen i chi wybod y *rheolau* ar gyfer beth sy'n digwydd ym mhob math. Darllenwch ymlaen.

Cylchedau Cyfres — y cyfan neu ddim

1) Mewn *cylchedau cyfres*, mae'r cydrannau gwahanol wedi'u cysylltu *mewn llinell, ben wrth ben*, rhwng +if a –if y cyflenwad (ac eithrio *foltmedrau*, sydd bob amser wedi'u cysylltu'n *baralel*, ond nid ydynt yn cyfrif fel rhan o'r gylched).
2) Os caiff *un* gydran ei symud ymaith neu ei datgysylltu, *torrir* y gylched ac mae'r cyfan yn *stopio*.
3) Yn gyffredinol *nid yw hyn yn hwylus iawn*, ac yn ymarferol, *ychydig iawn o bethau* sy'n cael eu cysylltu mewn cyfres.

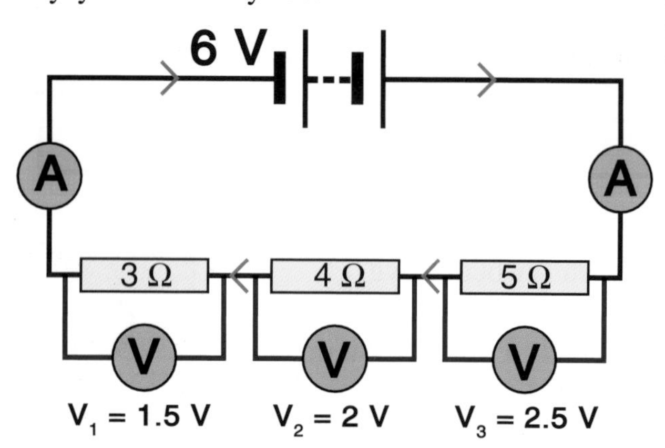

Folteddau yn adio i faint y *cyflenwad*: 1.5+2+2.5=6 V
Gwrthiant cyflawn = 3 + 4 + 5 = 12 Ohm
Cerrynt =V/R = 6/12 = 0.5 A

Mewn Cylchedau Cyfres:

1) Y *gwrthiant cyflawn* yw *swm* yr holl wrthiannau.
2) Mae'r *un cerrynt* yn llifo trwy *holl rannau'r* gylched.
3) Penderfynir *maint y cerrynt* gan *GP cyflawn yr holl gelloedd* a *gwrthiant cyflawn* y gylched: h.y. I = V/R
4) Caiff *GP cyflawn* y *cyflenwad* ei *rannu* rhwng yr amrywiol *gydrannau*, fel bo'r *folteddau* o amgylch cylched gyfres *bob amser yn adio* i faint y *foltedd ffynhonnell*.
5) Po *fwyaf* yw *gwrthiant* cydran, y mwyaf yw ei *rhan* o'r *GP cyflawn*.

Cysylltu Foltmedrau ac Amedrau

1) Caiff *foltmedrau* bob amser eu cysylltu'n *baralel* ar draws cydrannau. Mewn *cylched gyfres*, gellir rhoi foltmedrau *ar draws pob cydran*. Bydd y darlleniadau o'r holl gydrannau yn *adio* i ddarlleniad *foltedd y ffynhonnell*. Mae'n hawdd, felly dysgwch hyn.
2) Gellir rhoi *amedrau* mewn *unrhyw fan* mewn *cylched gyfres*. Bydd *YR HOLL DDARLLENIADAU YR UN PETH*.

Mae Goleuadau Nadolig Wedi'u Gwifro Mewn Cyfres

Goleuadau Nadolig yw bron yr *unig enghraifft o fywyd bob dydd* o bethau wedi'u cysylltu mewn *cyfres*, a gwyddom i gyd pa mor *drafferthus* y gallant fod pan fydd y *cyfan yn methu* am fod nam ar *un* o'r bylbiau.

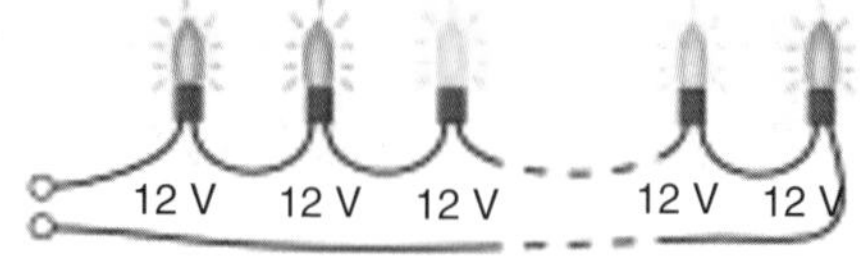

Yr unig *fantais* yw y gall y bylbiau fod yn *fach iawn* gan fod y cyfanswm o 230 V yn *cael ei rannu rhyngddynt*, ac felly nid oes gan *bob bwlb* ond *foltedd bychan* ar ei draws.

Yn groes i hyn caiff rhes o oleuadau, fel y rhai a defnyddir ar *safle adeiladu* dyweder, eu cysylltu'n *baralel* fel bo pob bwlb yn derbyn *230 V llawn*. Os caiff *un* ei symud ymaith, *bydd y gweddill yn parhau i oleuo – Cyfleus* iawn.

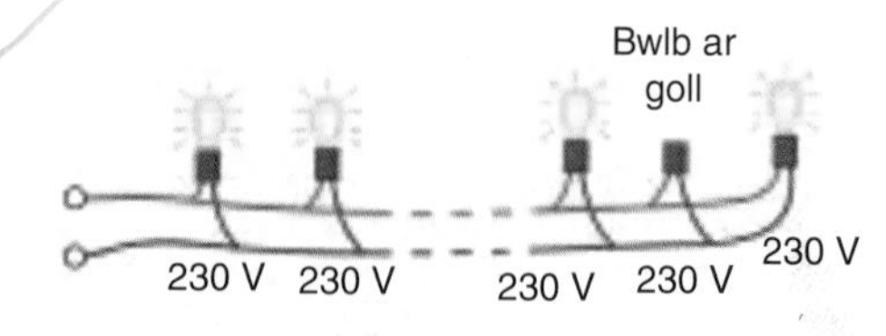

Gwnewch yn siŵr eich bod yn gwybod y *gwahaniaeth* rhwng y ddau ddiagram gwifro hyn.

Cylchedau Cyfres — un peth ar ôl y llall...

Mae angen i chi wybod y gwahaniaeth rhwng cylchedau cyfres a chylchedau paralel. Nid yw mor anodd â hynny ond i chi *ddysgu'r holl fanylion*. Dyma bwrpas y dudalen hon. Dysgwch yr holl fanylion, yna *cuddiwch y dudalen* a'u *hysgrifennu*. Yna gwnewch hyn eto...

Cylchedau Paralel

Mae *cylchedau paralel* yn fwy *synhwyrol* na chylchedau cyfres ac felly maent *yn fwy cyffredin*.

Cylchedau Paralel — Annibyniaeth ac Arwahanrwydd

1) Mewn *cylchedau paralel*, mae pob cydran *wedi'i chysylltu ar wahân* i +if a –if y *cyflenwad*.
2) Os ydych yn symud ymaith neu'n datgysylltu *un* ohonynt, *prin iawn fydd yr effaith ar y gweddill*.
3) Mae'n *amlwg* mai fel hyn y dylid cysylltu'r *rhan fwyaf o bethau*, er enghraifft mewn *ceir* ac yn y *cartref*. Dylech fedru switsio popeth ymlaen ac i ffwrdd *ar wahân*.

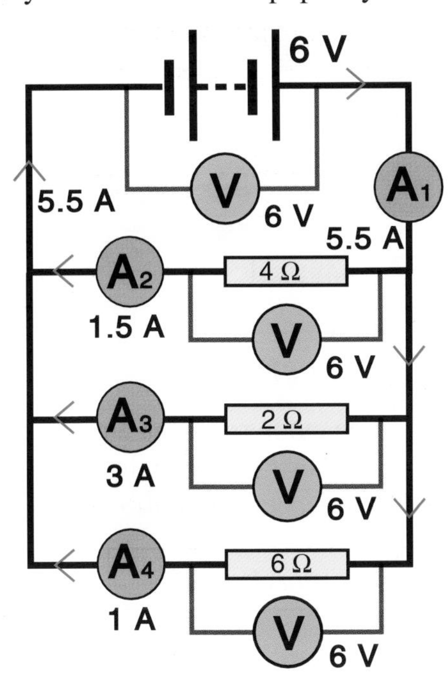

Mewn Cylchedau Paralel:

1) Mae'r *holl gydrannau* yn cael *GP llawn y cyflenwad*, felly mae'r foltedd yr *un faint* ar draws pob cydran.
2) Mae'r *cerrynt* trwy bob cydran *yn dibynnu ar wrthiant* y gydran.
   Po *leiaf* yw gwrthiant y gydran, y *mwyaf* yw'r cerrynt sy'n llifo drwyddi.
3) Mae'r *cerrynt cyflawn* sy'n llifo trwy'r gylched yn hafal i *swm* yr holl geryntau yn y *gwahanol ganghennau*.
4) Mewn cylched baralel mae *cysylltleoedd* lle mae'r cerrynt naill ai'n *hollti* neu'n *uno*. Mae'r cerrynt cyflawn sy'n mynd *i mewn* i gysylltle *bob amser yn hafal* i'r cerrynt cyflawn *sy'n ei adael* — amlwg braidd.
5) Mae *gwrthiant cyflawn* cylched yn *anodd i'w gyfrifo*, ond mae *bob amser yn LLAI* na gwrthiant y gangen sydd â'r *gwrthiant lleiaf*.

Mae'r *folteddau* i gyd yn hafal i *foltedd y cyflenwad*: = 6 V
Mae *R cyflawn* yn *llai* na'r gwrthiant *lleiaf*, h.y. yn *llai na* 2 Ω
Cerrynt cyflawn (A_1) = *swm* ceryntau'r holl ganghennau = $A_2+A_3+A_4$

Cysylltu Foltmedrau ac Amedrau

1) Unwaith eto caiff y *foltmedrau* bob amser eu cysylltu *yn baralel* ar draws cydrannau.
2) Gellir gosod *amedr ym mhob cangen* i fesur y *gwahanol geryntau* sy'n llifo trwy bob cangen, a hefyd gellir gosod amedr *yn agos i'r cyflenwad* i fesur y *cerrynt cyflawn* sy'n llifo allan ohono.

Mae popeth Trydanol mewn Car wedi'u Cysylltu'n Baralel

Mae *cysylltiad paralel* yn *hanfodol* mewn car i gael y *ddwy nodwedd* hyn:

> 1) Gellir *troi popeth ymlaen ac i ffwrdd ar wahân.*
> 2) Caiff popeth *foltedd llawn* o'r batri.

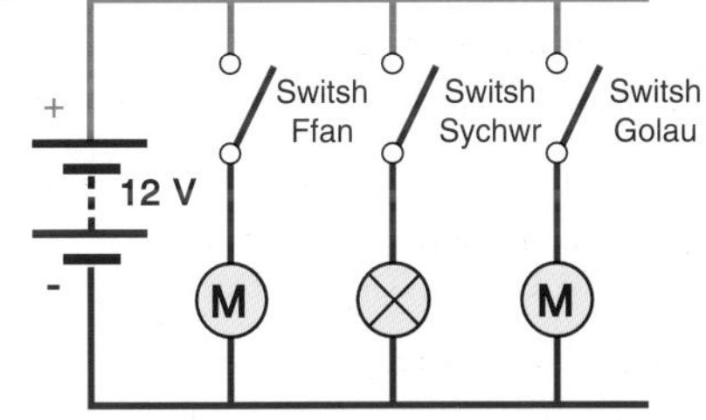

Yr unig *effaith bychan* yw pan fyddwch yn troi *llawer o bethau ymlaen*, bydd y golau'n *pylu* am na all y batri roi *foltedd llawn* ar gyfer *llwyth trwm*.
Fel arfer mae'r effaith *yn fychan*. Gallwch weld yr un peth yn digwydd yn y cartref pan fyddwch yn troi'r tegell ymlaen.

Cylchedau Trydanol

Gwnewch yn siŵr eich bod yn gallu darlunio cylched baralel ac yn gwybod ei manteision. Dysgwch y pum pwynt sydd wedi'u rhifo a'r manylion ar gyfer cysylltu amedrau a foltmedrau, a hefyd pa ddwy nodwedd sy'n gwneud cysylltiad paralel yn hanfodol mewn car. Yna *cuddiwch y dudalen* a *dechrau ysgrifennu.*

Trydan Statig

Mae trydan statig yn ymwneud â gwefrau *NAD YDYNT* yn rhydd i symud. Mae hyn yn achosi iddynt grynhoi mewn un man ac yn aml ceir *gwreichionen* neu *sioc* pan symudant yn y diwedd.

1) Mae Ffrithiant yn Achosi i Statig grynhoi

1) Pan gaiff dau ddefnydd *ynysu* eu *rhwbio yn erbyn ei gilydd*, caiff electronau *eu crafu oddi ar un* a'u *rhoi ar y llall*.
2) Bydd hyn yn gadael *gwefr statig bositif* ar y naill a gwefr statig *negatif* ar y llall.
3) *Mae'r ffordd* y mae'r electronau yn cael eu trosglwyddo yn *dibynnu* ar y *ddau ddefnydd* a ddefnyddir.
4) Enghreifftiau clasurol yw rhodenni *polythen* ac *asetad* yn cael eu rhwbio â *chadach o ddefnydd*, fel y dangosir yn y diagramau:

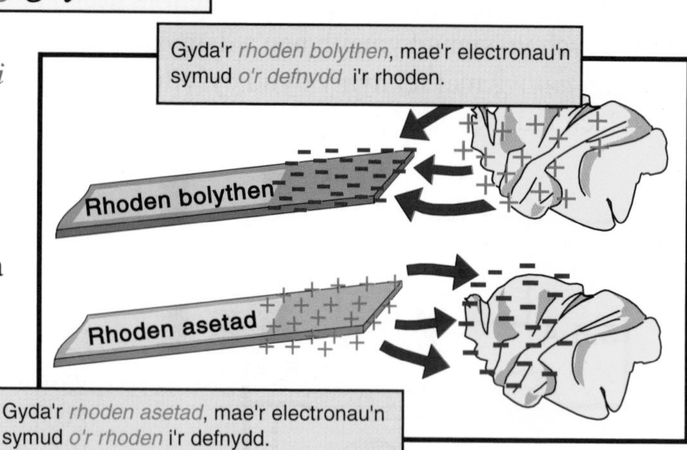

2) Dim ond Electronau sy'n symud — Nid y Gwefrau Positif

Byddwch yn ofalus yn yr Arholiad. Caiff gwefrau electrostatig +if a –if eu cynhyrchu bob amser oherwydd *symudiad electronau*. Dydy gwefrau positif *byth yn symud*! Achosir gwefr statig bositif bob amser gan electronau *yn symud i fan arall*, fel y dangosir uchod. Peidiwch ag anghofio hyn!

3) Gwefrau Tebyg yn Gwrthyrru, Gwefrau Annhebyg yn Atynnu

Mae hyn yn *hawdd* ac *yn amlwg*.
Mae dau beth â *gwefrau trydan annhebyg* yn *atynnu* ei gilydd.
Mae dau beth â *gwefrau trydan tebyg* yn *gwrthyrru* ei gilydd.
Daw'r *grymoedd hyn yn wannach* y *pellaf* yw'r ddau beth *o'i gilydd* — amlwg.

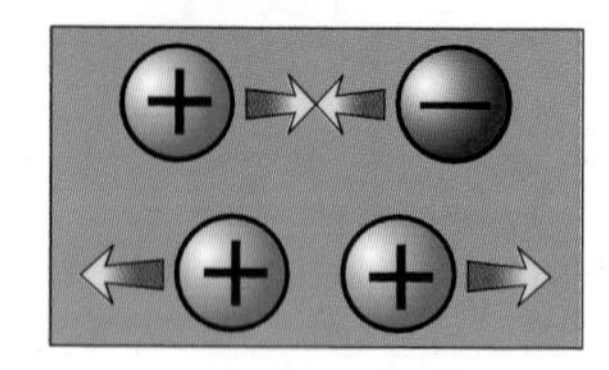

4) Mae Gwefru trwy Anwythiad braidd yn Anodd

Pan ddaw rhywbeth sydd *wedi'i wefru* yn agos at rywbeth *sydd heb ei wefru*, mae'n tueddu i *anwytho gwefr*, oherwydd bod electronau yn y gwrthrych *sydd heb ei wefru* yn *symud tuag at neu i ffwrdd* o'r gwrthrych sydd wedi'i wefru. Mae'r *canlyniad* bob amser yr un fath — trefniant newydd y gwefrau bob amser yn gwneud i'r ddau wrthrych *atynnu ei gilydd* oherwydd bod y *gwefrau sy'n gwrthyrru* yn awr *ymhellach o'i gilydd* na'r *gwefrau sy'n atynnu*. *Dysgwch* hyn.

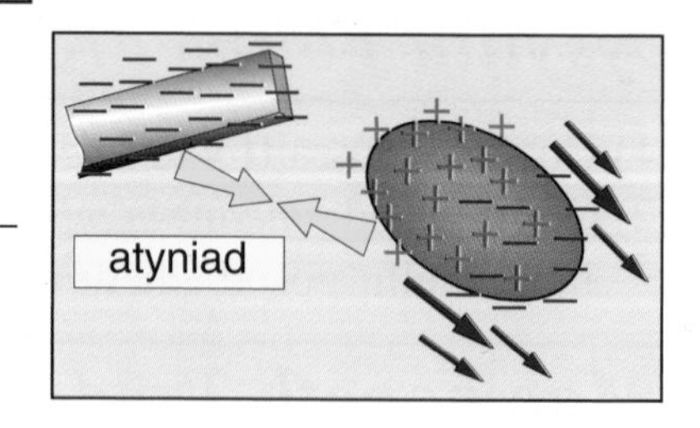

5) Wrth i Wefr Adeiladu, Felly Hefyd y Foltedd — Gan achosi Gwreichion

Po *fwyaf y WEFR* ar wrthrych *arunig*, y *mwyaf yw'r FOLTEDD* rhyngddo a'r Ddaear. Os bydd y foltedd yn *ddigon mawr* bydd *gwreichionen* yn *neidio ar draws* y bwlch. Oherwydd hyn gall ceblau foltedd uchel fod yn *beryglus*. Mae'n wybyddus bod gwreichion mawr wedi *neidio* o *geblau uwchben* i lawr i'r ddaear. Ond nid yn aml.
Gellir *dadwefru* gwrthrych gwefredig *yn ddiogel* trwy ei gysylltu â'r ddaear â *strap metel*.

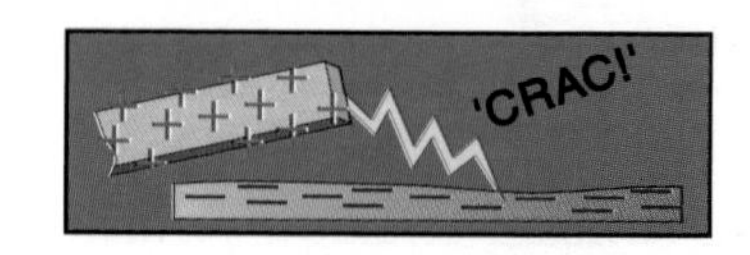

Mae'n ddigon i godi gwallt eich pen...

Yn gyntaf *dysgwch y pum pennawd* nes gallwch eu *hysgrifennu i gyd*. Yna dysgwch fanylion pob un, a daliwch ati i *guddio'r tudalen* ac ysgrifennu pob pennawd a chymaint o fanylion ag y gallwch eu cofio ar gyfer pob un. *Daliwch ati*...

Trydan Statig — Enghreifftiau

Efallai y gofynnir i chi roi *enghreifftiau manwl* yn yr Arholiad. Gwnewch yn siŵr eich bod *yn dysgu'r holl fanylion hyn.*

Trydan Statig yn Gymorth:

1) Chwistrellu Paent:

1) Caiff *ffroenell chwistrell* ei chysylltu i *derfynell +if* .
2) Bydd y diferion o'r chwistrell wedi'u *gwefru'n bositif.*
3) Byddant yn *gwrthyrru ei gilydd* ac yn *gwasgaru.*
4) Caiff y car sy'n cael ei chwistrellu ei gysylltu â'r *ddaear* (neu -if), felly caiff y diferion eu *atynnu* ato.
5) Canlyniad hyn yw gwaith paent da.

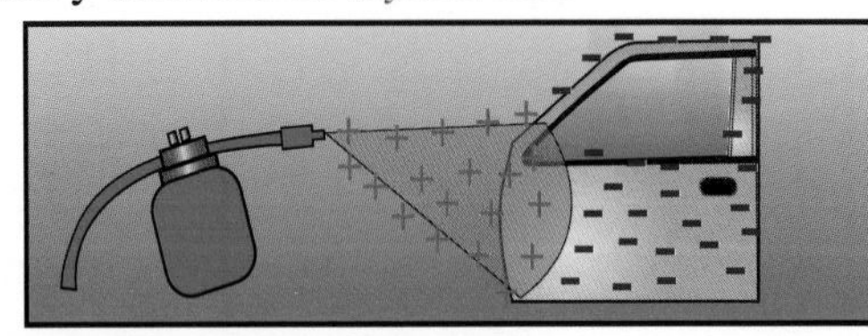

2) Symud llwch o Simneiau:

1) Wrth roi set o *blatiau wedi'u gwerfu* mewn *simne* neu wyntyll echdynnu caiff y gronynnau mwg neu lwch eu *hatynnu* atynt.
2) Nawr ac yn y man caiff y trydan ei *droi i ffwrdd* a'r *llwch ei ysgwyd i fag* — hawdd. Gelwir y rhain yn *waddodwyr mwg electrostatig.*

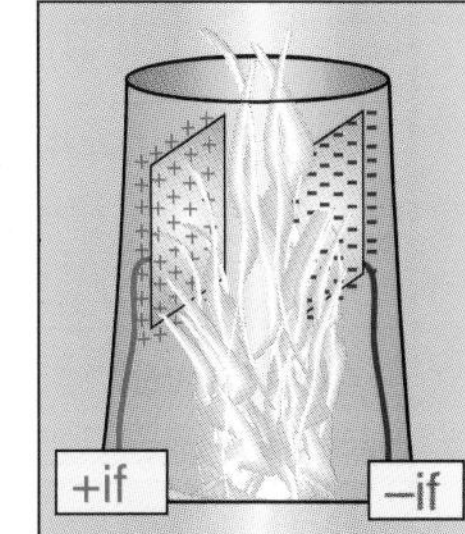

3) Mae peiriannau ffotogopïo...

yn defnyddio gwefr statig i *atynnu arlliw du* i'r man y mae ei angen.

Trydan Statig yn creu Syndod:

1) Siociau Car

Gall *aer yn rhuthro heibio* eich car roi *gwefr +if* ar eich car. Pan ewch allan a chyffwrdd â'r *drws* cewch sioc — yn yr Arholiad cofiwch ddweud bod "llif *electronau* o'r ddaear, trwyddoch chi, i *niwtraleiddio'r* wefr +if ar y car". Mae gan rai ceir *stribedi rwber dargludol* sy'n hongian y tu ôl i'r car. Mae hyn yn rhoi *dadwefriad diogel* i'r ddaear, ond mae'n difetha'r hwyl.

2) Dillad yn craclo

Pan gaiff *dillad synthetig* eu *llusgo* dros ei gilydd (fel mewn *peiriant sychu dillad*) neu dros eich *pen*, caiff electronau eu crafu i ffwrdd, gan adael *gwefrau statig* ar y ddwy ran, a hynny yn arwain at yr anochel: — *grymoedd atynnu* (h.y. maent yn cydio yn ei gilydd) a *gwreichion/siociau* wrth i'r gwefrau *aildrefnu eu hunain.*

Trydan Statig yn creu Terfysg:

1) Mellt

Diferion glaw yn disgyn i'r Ddaear â *gwefr bositif.*
Bydd hyn yn creu *foltedd mawr* a *gwreichion mawr.*

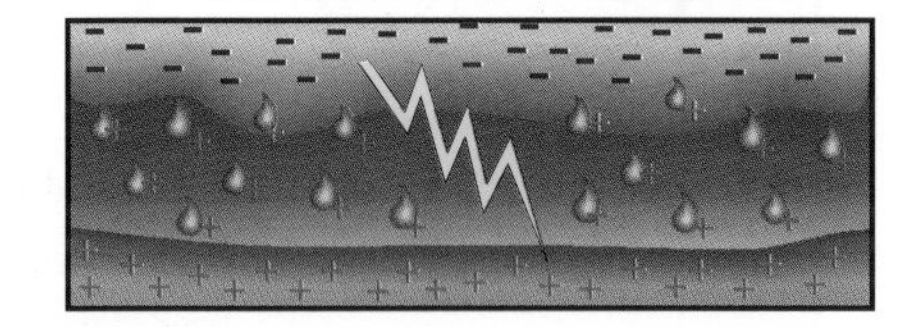

2) Cafnau Grawn, Rholeri Papur a Llenwi â Thanwydd:

1) Wrth i *danwydd* lifo allan o *bibelli llenwi*, neu i *bapur* lusgo dros *roleri*, neu i *rawn* saethu allan o *gafn*, yna *gall statig grynhoi.*
2) Gall hyn arwain yn hawdd at *WREICHIONEN* a *CHLEC!* mewn llefydd *llychlyd* neu *fygdarthol.*
3) *Yr ateb*: gwneud y ffroenellau neu'r rholeri o *FETEL* fel y caiff y wefr ei *dargludo ymaith*, yn hytrach na chrynhoi.
4) Da o beth hefyd yw cael *strapiau daearu* rhwng y *tanc tanwydd* a'r *bibell danwydd*, fel y dangosir yn y diagram:

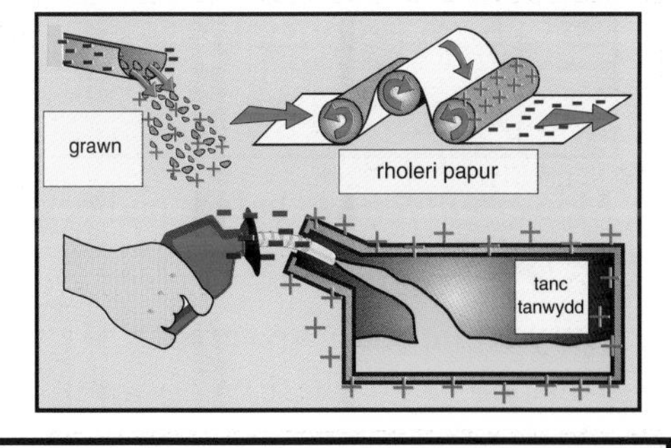

Trydan Statig

Mae'r dudalen hon wedi'i rhannu yn dair prif adran â dwy is-adran ym mhob un. Mae hyn yn hwyluso'r dysgu. Yn gyntaf dysgwch y prif benawdau, yna'r is-benawdau a'r holl fanylion sydd yn mynd gyda phob un. *Crynhowch y cyfan* yn araf yn eich pen nes gallwch *eu hysgrifennu i gyd.*

Symbolau, Unedau a Fformiwlâu

Mae'r holl wybodaeth sydd yn y siart isod yn elfennol iawn. Mae hefyd yn hanfodol er mwyn i chi ddeall Ffiseg. Ewch ati felly i'w dysgu'n drylwyr. Os na fyddwch yn ei gwybod, byddwch yn union fel rhywun yn ceisio ysgrifennu storïau heb wybod yr wyddor.
Dyma'r wyddor ar gyfer Ffiseg – hebddi bydd popeth yn anodd.

	Mesur	Symbol	Uned Safonol	Fformiwla
1	Gwahaniaeth Potensial	V	Folt, V	$V = I \times R$
2	Cerrynt	I	Amper, A	$I = V/R$
3	Gwrthiant	R	Ohm, Ω	$R = V/I$
4	Gwefr	Q	Coulomb, C	$Q = I \times t$
5	Pŵer	P	Wat, W	$P = V \times I$ neu $P = I^2R$
6	Egni	E	Joule, J	$E = QV$ neu $V = E/Q$
7	Amser	t	Eiliad, s	$E = P \times t$ neu $E = IVt$
8	Grym	F	Newton, N	$F = ma$
9	Màs	m	Cilogram, kg	
10	Pwysau (grym)	W	Newton, N	$W = mg$
11	Dwysedd	D	kg y m^3, kg/m^3	$D = m/V$
12	Moment	M	Newton-metr, Nm	$M = F \times r$
13	Cyflymder neu Buanedd	v neu b	metr/eiliad, m/s	$v = p/t$ neu $b = p/t$
14	Cyflymiad	a	metr/eiliad^2, m/s^2	$a = \Delta v/t$ neu $a = F/m$
15	Gwasgedd	P	Pascal, Pa (N/m^2)	$P = F/A$
16	Arwynebedd	A	metr^2, m^2	
17	Cyfaint	V	metr^3, m^3	$P_1V_1 = P_2V_2$
18	Amledd	f	Hertz, Hz	$f = 1/T$ (T = cyfnod amser)
19	Tonfedd	λ	metr, m	$v = f \times \lambda$ (fformiwla ton)
20	Gwaith a wneir	Wd	Joule J	$Wd = F \times d$
21	Egni Potensial	EP	Joule, J	$EP = m \times g \times h$
22	Egni Cinetig	EC	Joule, J	$EC = \frac{1}{2}mv^2$

Mae *effeithlonedd* hefyd, nad oes iddo unedau:

$$\text{Effeithlonedd} = \frac{\text{Gwaith defnyddiol a allbynnir}}{\text{Egni cyflawn a fewnbynnir}}$$

Hefyd *hafaliad y newidydd*:

$$\frac{\text{Foltedd Coil Cynradd}}{\text{Foltedd Coil Eilaidd}} = \frac{\text{Nifer troeon y Coil Cynradd}}{\text{Nifer troeon y Coil Eilaidd}}$$

Ffiseg — mae'n hawdd...

Mae'r gwaith *yn hawdd*. Peidiwch â chuddio'r golofn "Mesur" ond cuddiwch y tair colofn arall. Yna *llanwch y tair colofn* ar gyfer pob mesur: "Symbol", "Uned", "Fformiwla". Yna *ewch ati i ymarfer nes gallwch wneud y cyfan.*

Defnyddio Fformiwlâu

Mae'r weithdrefn bob amser yr un fath

Er mwyn defnyddio fformiwlâu mewn Ffiseg gellir dweud fod *y weithdrefn bob amser yr un fath*. Wedi i chi ddysgu sut i ddefnyddio *un* fformiwla, gallwch ddefnyddio *unrhyw un arall*. Mae hyn yn gwneud yr holl waith yn *hawdd iawn* — ond mae llawer o bobl yn ei weld yn anodd. Dyma'r camau...

Mae Trionglau Ffromiwla yn ddefnyddiol iawn i gael Cywirdeb

Gellir rhoi *POB* fformiwla sydd ar y dudalen gyferbyn (ac eithrio "$P_1V_1 = P_2V_2$") ar ffurf *triongl fformiwla*. Mae'n *bwysig* dysgu sut i roi fformiwla mewn triongl. Dyma *ddwy reol hawdd*:

1) Os y fformiwla yw "A = B × C" yna bydd *A ar y top* a *B × C ar y gwaelod.*
2) Os y fformiwla yw "A = B/C" yna *rhaid i B fynd ar y top* (gan mai dyma'r unig ffordd i gael "B wedi'i rannu â rhywbeth") — ac mae'n amlwg felly y bydd yn *rhaid i A ac C fynd ar y gwaelod.*

Tair enghraifft:

V = I × R yn rhoi: V / I × R

P = I^2 × R yn rhoi: P / I^2 × R

V = E/Q yn rhoi:

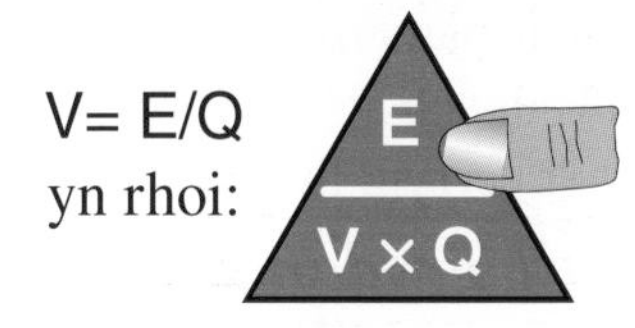

SUT I'W DEFNYDDIO: Cuddiwch yr hyn rydych ei angen ac ysgrifennwch yr hyn sydd ar ôl i'w weld.
ENGHRAIFFT: I gael Q o'r un olaf, cuddiwch Q a bydd E/V i'w weld, felly "Q = E/V"

Defnyddio Ffromiwlâu — Y Tair Rheol

1) *DARGANFYDDWCH FFORMIWLA* sy'n cynnwys *Y PETH RYDYCH AM EI GAEL* ynghyd â'r *PETHAU ERAILL* y mae gennych *WERTHOEDD* ar eu cyfer. Newidiwch y ffformiwla yn driongl fformiwla.
2) Rhowch y rhifau *I MEWN* ac yna *CYFRIFWCH* yr ateb.
3) *MEDDYLIWCH YN OFALUS* am yr holl *UNEDAU* — a gwiriwch fod yr ateb yn *SYNHWYROL.*

ENGHRAIFFT: Mae sychwr gwallt 700 W yn defnyddio cerrynt o 3 A. Darganfyddwch ei wrthiant.
ATEB: Y tri mesur a nodir yw pŵer (700 W), cerrynt (3 A) a gwrthiant.

1) Y fformiwla sy'n cynnwys y tri hyn yw "$P=I^2R$", ac mae'r triongl fformiwla yn rhoi $R=P/I^2$
2) Rhoi'r gwerthoedd i mewn: $R = 700/3^2 = 700/9 = 77.78 = 78\ \Omega$
3) Mae'r pŵer a'r cerrynt yn barod yn eu hunedau priodol sef Watiau ac Amperau, felly mae popeth yn iawn. Rhaid rhoi R yn ei unedau priodol hefyd, sef Ω, fel rydym wedi'i wneud.
Mae'r gwerth 78 Ω yn dderbyniol. Pe byddai'n 1,000,000 Ω neu 0.00034 Ω byddai angen ei wirio.

Cofiwch am yr Unedau

Unwaith rydych wedi arfer â thrionglau fformiwla, dim ond un peth all fynd yn anghywir — *UNEDAU*. Mae *dau beth* am unedau y dylech eu gwylio:

1) Rhaid i'r unedau a *rowch i mewn* i fformiwla fod mewn *UNEDAU SAFONOL (SI).*
2) Wrth ysgrifennu'r ateb, gwnewch yn siŵr fod yr *unedau cywir* yn eich *ateb*.

ENGHREIFFTIAU PWYSIG: Rhaid newid 500 g yn 0.5 kg, 2 funud yn 120 eiliad, 700 kJ yn 700,000 J, 145 cm yn 1.45 m, etc. cyn eu rhoi mewn fformiwla. Os na rowch unedau SI *i mewn* ni ddaw eich ateb *allan* mewn unedau SI, a gall hyn fod yn anodd os nad ydych yn gwybod beth rydych yn ei wneud.

Fformiwlâu... gwych!

Mae fformiwlâu Ffiseg *yn ailadroddus*. Rhaid i chi gofio eu bod *i gyd yn eu hanfod yr un peth*. Ar y dudalen yma mae *rheolau syml* fyddai'n helpu i *unrhyw un* gael yr atebion heb wybod rhyw lawer am Ffiseg. Mae'n hawdd.

Egni mewn Cylchedau

Gallwch edrych ar *gylchedau trydanol* mewn *dwy ffordd*. Yn gyntaf, yn nhermau *foltedd yn gwthio cerrynt o amgylch* a'r gwrthiannau yn rhwystro'r llif, fel ar t. 1. Y *ffordd arall* o edrych ar gylchedau yw yn nhermau *trosglwyddiad egni*. Dysgwch *y ddwy* a byddwch yn barod i ateb cwestiynau ar *y naill a'r llall*.

Caiff Egni ei Drosglwyddo o Gelloedd a Ffynonellau Eraill

1) Mae unrhyw beth sy'n *cyflenwi trydan* yn cyflenwi *egni* hefyd. Mae *pedair ffynhonnell* sydd angen i chi eu *DYSGU*: *CELLOEDD*, *BATRÏAU*, *GENERADURON* a *CHELLOEDD SOLAR*.
2) Caiff yr egni ei *drosglwyddo* gan y *gylched drydanol* i *gydrannau* megis lampau, gwrthyddion, clychau, moduron, DAGau, suyddion, etc.
3) Mae'r cydrannau hyn yn cyflawni eu *trosglwyddiad egni* eu hunain ac yn *trawsnewid* yr *egni trydanol* yn y gylched i ffurfiau *eraill* o egni: *gwres*, *golau*, *sain* neu *fudiant*.
4) Pediwch ag anghofio fod rhaid cael *cylched gyfan* er mwyn i'r cerrynt lifo. Os caiff y gylched ei *thorri* yna *ni bydd llif cerrynt* ac *ni bydd trosglwyddiad egni*.

Mae'r gylched yn TROSGWYDDO'r egni

Y gell sy'n rhoi'r egni

Egni Sŵn — Egni Gwres — Egni Golau — Egni Cinetig — R — M

Gall Trydan gynhyrchu Pedwar Effaith:

Dysgwch yr enghreifftiau penodol hyn:

GWRES: Sychyddion gwallt/tegellau — *GOLAU:* bylbiau golau — *SAIN:* seinyddion — *MUDIANT:* moduron

Mae'r holl Wrthyddion yn cynhyrchu Gwres pan fo Cerrynt yn llifo drwyddynt

1) Mae hyn yn bwysig. Pryd bynnag y mae *cerrynt* yn llifo trwy unrhyw beth ac iddo *wrthiant trydanol* (sef bron *popeth*) yna caiff *egni trydanol* ei drawsnewid yn *egni gwres*.
2) Po *fwyaf o gerrynt* sy'n llifo, y *mwyaf o wres* gaiff ei gynhyrchu.
3) Hefyd, mae *foltedd mwy* yn golygu *mwy o wresogi*: caiff *mwy o gerrynt* ei wthio drwodd.
4) Fodd bynnag, po *fwyaf* yw'r *gwrthiant*, y *lleiaf o wres* a gynhyrchir. Digwydd hyn oherwydd bod gwrthiant uwch yn golygu bod *llai o gerrynt* yn llifo, a hyn *yn lleihau'r* gwresogi.
5) Mae *maint y gwres* a gynhyrchir yn cael ei *fesur* trwy roi gwrthydd mewn mesur hysbys o ddŵr, neu y tu mewn i flocyn solid, a mesur y *cynnydd yn y tymheredd*.

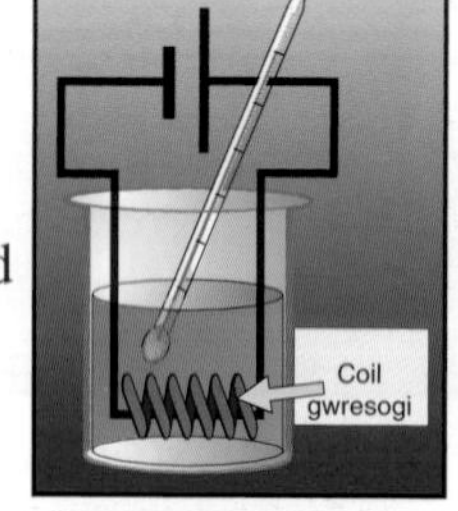

Gwefr, Foltedd a *Newid yn yr Egni*

1) Pan fo *gwefr drydanol* (Q) yn goddef *newid yn y foltedd* (V), yna caiff *egni* (E) ei *drosglwyddo*.
2) Caiff egni *ei gyflenwi i'r wefr* yn y *ffynhonnell bŵer* trwy godi foltedd y wefr.
3) Bydd y wefr *yn rhoi i fyny* yr egni hwn pan yw'n *goddef lleihad foltedd* mewn *cydrannau* eraill yn y gylched.
4) Mae'r fformiwla yn hawdd: $E = QV$

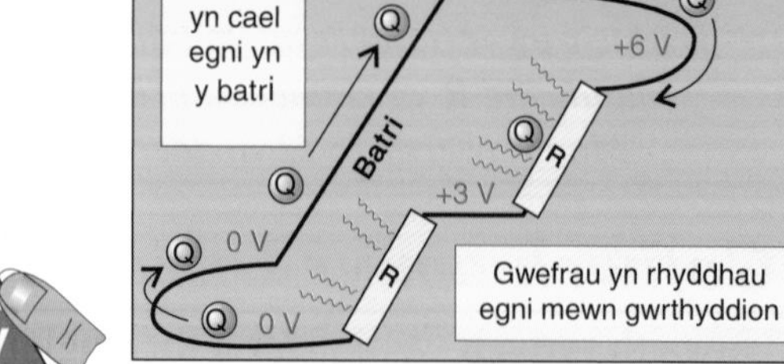

Po *fwyaf* yw'r *newid yn y foltedd* (neu'r GP), y *mwyaf o egni* a drosglwyddir ar gyfer *maint penodol o wefr* sy'n mynd trwy'r gylched. Ystyr hyn yw y bydd batri sydd â *foltedd mwy* yn cyflenwi *mwy o egni* i'r gylched am *bob Coulomb o wefr* sy'n llifo ynddi, gan y caiff y wefr ei chodi'n *"uwch"* ar y cychwyn (gweler y diagram uchod) — ac fel y dengys y diagram, *caiff mwy o egni ei afradloni* yn y gylched hefyd.
Mae hyn yn arwain at *ddau ddiffiniad* y dylech eu gwybod:

> 1) *UN FOLT* yw *UN JOULE Y COULOMB*
> 2) *FOLTEDD* yw'r *EGNI A DROSGLWYDDIR AM BOB UNED O WEFR* sy'n mynd heibio

Trydan — efallai ei fod yn edrych yn ddiflas...

Ond mae trydan yn ddefnyddiol iawn yn ein bywyd bob dydd.
Mae'r gwaith yn werth ei ddysgu ac nid yw mor ddiflas ag y tybiwch chi.
Gwnewch ymdrech. Rhaid i chi *ei ddysgu i gyd*.

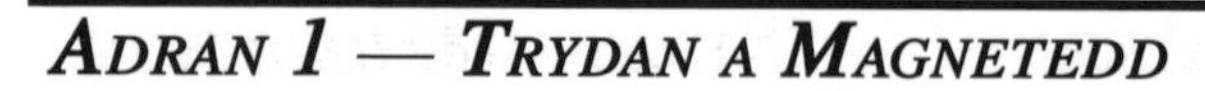

Pris Trydan yn y Cartref

Trydan yw'r ffurf *fwyaf defnyddiol* o egni. O'i gymharu â nwy neu olew neu lo etc. mae'n *llawer haws* ei drawsnewid i'r *pedwar prif fath* o egni defnyddiol: *Gwres, golau, sain* a *mudiant*.

Darllen Eich Mesurydd Trydan a Chyfri'r Bil

Mae hyn yn y maes llafur. Peidiwch â gofyn pam, mae'n annhebyg y bydd angen i chi ei wneud byth eto!

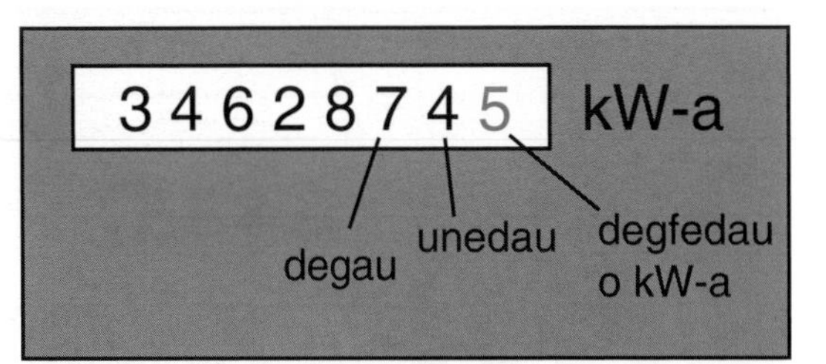

Mae'r darlleniad eich mesurydd yn dangos *cyfanswm nifer yr unedau* (kW-a) a ddefnyddiwyd ers i'r mesurydd gael ei osod. Caiff pob bil ei seilio ar y *CYNNYDD* yn y darlleniad ers iddo gael ei *ddarllen ddiwethaf* ar gyfer y bil blaenorol.
Bydd angen i chi *astudio'r* bil hwn nes byddwch yn gwybod beth yw *pwrpas* pob rhan a sut mae'n gweithio. Gallwch gael un *tebyg* yn yr arholiad.

Bil Trydan

Y darlleniad y tro diwethaf...........345412.3
Y darlleniad y tro hwn..................346287.5
Unedau a ddefnyddiwyd.....................875.2

Cost yr uned...6.3c
Cost y trydan a ddefnyddiwyd...........£55.14
(875.2 uned × 6.3c)
Tâl sefydlog am y Chwarter................£7.50
Cyfanswm y bil...............................£62.64
TAW @ 8%...£5.01
Cyfanswm terfynol......................... **£67.65**

Cilowat-awr (kW-a) yw "UNED" o Egni

1) Mae eich mesurydd trydan yn cyfrif nifer yr "*UNEDAU*" a ddefnyddiwyd.
2) Enw'r "*UNED*" yw *cilowat-awr*, neu *kW-a*.
3) Gall "*kW-a*" swnio fel uned o bŵer, ond nid dyna ydyw — mae'n *fesur o egni*.

> *CILOWAT-AWR* yw maint yr egni trydanol y mae *OFFER 1 kW* wedi'i adael ymlaen yn ei ddefnyddio mewn *1 AWR*.

4) Gwnewch yn siŵr eich bod yn gallu trawsnewid *1 kW-a* yn *3,600,000 Joule* fel hyn:

"E = P × t" = 1 kW × 1 awr =1000 W × 3,600 eiliad = 3,600,000 J (= 3.6 MJ)

(Y fformiwla yw "Egni = Pŵer × amser", a rhaid trawsnewid yr unedau yn gyntaf i SI. Gweler t. 8 a t. 9)

Y Ddwy Fformiwla Hawdd ar gyfer cyfrifo Cost Trydan

Yn sicr dyma'r ddwy fformiwla fwyaf *amlwg* y dowch ar eu traws:

UNEDAU (kW-a) a ddefnyddiwyd = *PŴER* (mewn kW) × *AMSER* (mewn oriau) — Unedau = kW × oriau

COST = Nifer yr *UNEDAU* × *PRIS* yr UNED — Cost = Unedau × Pris

ENGHRAIFFT: Darganfyddwch gost goleuo bwlb trydan 60 W am a) 30 munud b) un flwyddyn.

ATEB: a) *Nifer yr UNEDAU = kW × oriau* = 0.06 kW × ½ awr = 0.03 uned.
Cost = UNEDAU × pris yr UNED (6.3c) = 0.03 × 6.3c = 0.189c am 30 mun.

b) *Nifer yr UNEDAU = kW × oriau* = 0.06 kW × (24 × 365) awr = 525.6 uned.
Cost = UNEDAU × pris yr UNED (6.3c) = 525.6 × 6.3c = £33.11 am un flwyddyn.

N.B. Newidiwch y *pŵer* i *kW* (nid i Watiau) bob amser a'r *amser* i *oriau* (nid munudau)

Sylwch...

Mae tair adran ar y dudalen hon a rhaid i chi eu dysgu i gyd. Dysgwch y penawdau yn gyntaf, yna dysgwch y manylion sydd o dan bob pennawd. Yna *cuddiwch y tudalen* ac *ysgrifennwch* yr hyn rydych yn ei wybod. Ewch yn ôl i weld beth sydd heb ei gynnwys, yna *triwch eto*. Daliwch ati.

Y Prif Gyflenwad Trydan — Plygiau a Ffiwsiau

Wyddech chi... fod trydan yn beryglus. Fe all eich lladd. Byddwch yn ofalus, dyna'r cyfan.

Peryglon yn y Cartref — Gwaredwch Nhw cyn iddyn Nhw Eich Gwaredu Chi

Yn yr *Arholiad* mae'n bosib y cewch lun ystafell yn y cartref ag amryw o *beryglon trydanol* a phlant yn rhoi eu bysedd mewn socedi a phethau tebyg. Bydd gofyn i chi *restru'r holl beryglon*. Dylai *synnwyr cyffredin* eich helpu, ond bydd o werth i chi ddysgu'r rhestr hon:

1) *Ceblau hir* neu *geblau rhaflog*.
2) *Ceblau* yn cyffwrdd â rhywbeth *poeth* neu *wlyb*.
3) Cwningod anwes neu *blant* (bob amser yn creu perygl).
4) *Dŵr yn agos i'r socedi*, neu *wthio* pethau i mewn i socedi.
5) *Plygiau diffygiol*, neu *ormod* o blygiau mewn un soced.
6) Socedi golau *heb fylbiau ynddynt*.
7) Offer heb *gloriau neu orchudd* arnynt.

Plygiau a Cheblau — Dysgwch y Rhagofalon Diogelwch

Gwifro'n Gywir:

1) Gwnewch yn siŵr fod y *wifren lliw cywir* ym mhob pin wedi'i *sgriwio'n dynn*.
2) *Dim gwifrau noeth* i'w gweld y tu mewn i'r plwg.
3) Y *stribedyn dal cebl* wedi'i osod yn dynn am yr *haen allanol*.

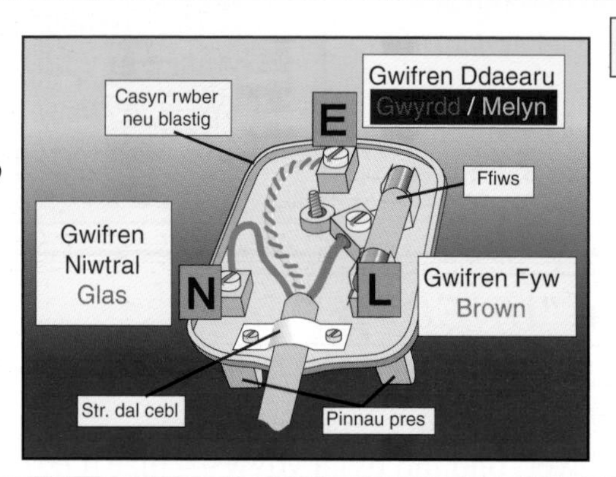

Nodweddion y Plwg:

1) Mae'r *rhannau metel* wedi'u gwneud o gopr neu bres am eu bod yn *ddargludyddion da iawn*.
2) Mae'r casyn, y stribedyn dal cebl ac ynysydd y cebl i gyd wedi'u gwneud o *blastig* am ei fod yn *ynysydd* da iawn ac yn *ystwyth*.
3) Bydd hyn yn cadw'r trydan i lifo *lle dylai lifo*.

Mae Daearu a Ffiwsiau yn Atal Tân a Sioc

Mae'r WIFREN FYW yn eiledu rhwng FOLTEDD +IF A –IF UCHEL. Gwerth *effeithiol* hyn yw tua 230 V, sef foltedd y prif gyflenwad trydan. Mae'r WIFREN NIWTRAL bob amser ar 0 V. Fel arfer mae trydan yn llifo i mewn ac allan trwy'r gwifrau byw a niwtral. Pwrpas y WIFREN DDAEARU a'r *ffiws* (neu dorrwr y gylched) yw *diogelu* ac maent yn *cydweithio* fel hyn:

1) Os digwydd *nam* a bydd y wifren *fyw* rywfodd yn cyffwrdd â'r *casyn metel*, yna gan fod y casyn wedi'i *ddaearu*, bydd *cerrynt mawr* yn llifo trwy'r wifren *fyw,* trwy'r *casyn* ac allan trwy'r *wifren ddaearu*.
2) Bydd *ymchwydd* yn y cerrynt yn *chwythu ffiws* (neu'n tripio torrwr y gylched), a fydd yn *torri'r cyflenwad byw*.
3) Mae hyn yn *arunigo'r holl offer* gan ei gwneud yn *amhosibl* i gael *sioc* drydanol o'r casyn. Mae hefyd yn rhwystro *tân* all gael ei achosi gan effaith gwresogi cerrynt mawr.
4) Dylai *cyfraddau'r ffiwsiau* fod mor agos â phosibl ond *ychydig yn uwch* na'r *cerrynt gweithredu arferol* (Gweler t. 13).

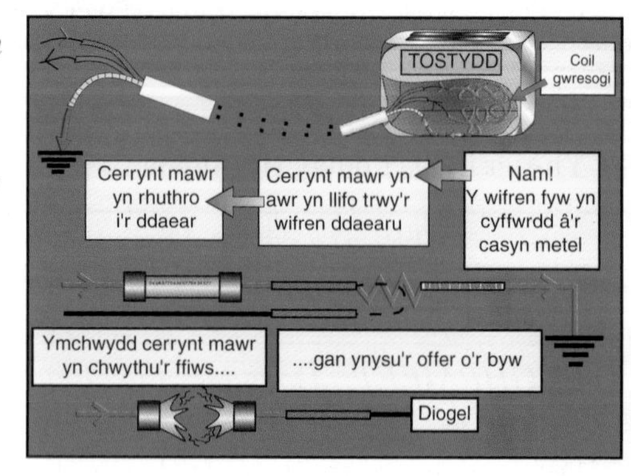

Rhaid *"daearu"* pob offer sydd â *chasyn metel* er mwyn osgoi cael *sioc drydanol*.
Ystyr "Daearu" yw fod yn rhaid i'r casyn metel gael ei *gysylltu â'r wifren ddaearu* yn y cebl.
Os oes gan yr offer *gasyn plastig* heb ddim rhannau metelaidd *i'w gweld* yna mae ganddo *YNYSIAD DWBL*.
Nid oes angen gwifren ddaearu ar unrhyw beth ag *ynysiad dwbl*, dim ond gwifrau byw a niwtral.

Mae rhai pobl yn ddiofal wrth ddefnyddio trydan

Gwnewch yn siŵr eich bod yn gallu rhestru'r peryglon yn y cartref. Gwnewch yn siŵr eich bod yn gwybod sut i wifro plwg. Gwnewch yn siŵr eich bod yn deall sut mae gwifrau daearu a ffiwsiau yn gweithio gyda'i gilydd i wneud pethau'n ddiogel. *Cuddiwch y dudalen* ac *ysgrifennwch y cyfan*.

Y Grid Cenedlaethol

1) *Rhwydwaith* o beilonau a cheblau yw'r *Grid Cenedlaethol* sy'n estyn dros *yr holl wlad*.
2) Mae'n cludo trydan o'r *gorsafoedd pŵer*, i'r union fannau y mae ei angen mewn *cartrefi* a *diwydiant*.
3) Gellir *cynhyrchu* pŵer yn unrhyw fan ar y grid, ac yna ei *gyflenwi* mewn mannau eraill ar y grid.

Mae'r Holl Orsafoedd Pŵer yn Debyg Iawn i'w Gilydd

Mae *boeler* o ryw fath gan bob un, sy'n cynhyrchu *stêm* sy'n gyrru *tyrbin* sy'n gyrru *generadur*. Mae'r generadur yn cynhyrchu *trydan* (trwy *anwythiad*) trwy *gylchdroi electromagnet* y tu mewn i goiliau o wifren (gweler t. 18).

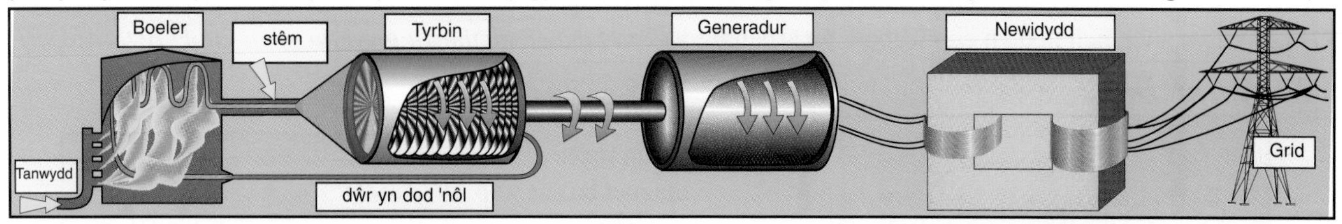

Dysgwch holl elfennau'r *GRID CENEDLAETHOL* — gorsafoedd pŵer, newidyddion, peilonau, etc:

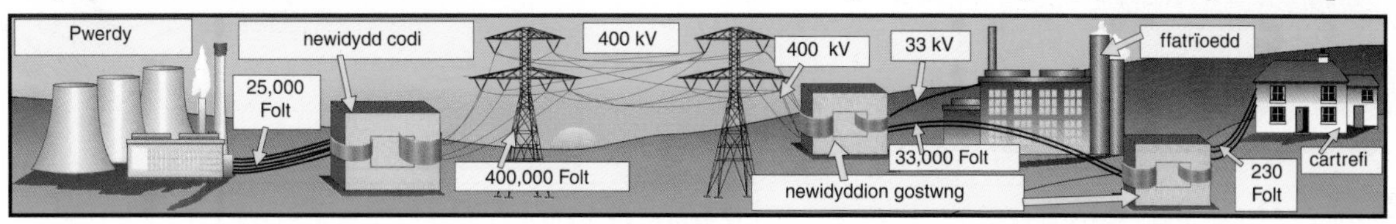

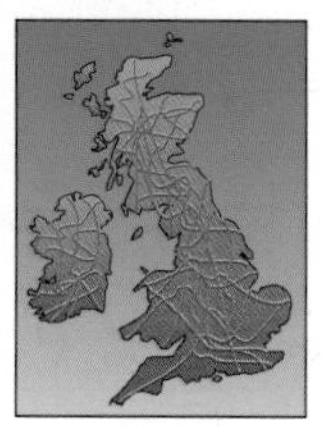

Mae Ceblau Peilon ar 400,000 V i gadw'r Cerrynt yn Isel

Mae angen i chi ddeall pam mae'r *FOLTEDD* mor *UCHEL* a pham y mae *CE*. Dysgwch y pwyntiau hyn.

1) Y fformiwla ar gyfer *pŵer a gyflenwir* yw: *Pŵer = Foltedd × Cerrynt* neu: $P = V \times I$
2) Felly i drawsyrru *llawer o bŵer,* mae angen naill ai *foltedd uchel* neu *gerrynt uchel*.
3) Y broblem â *cherrynt uchel* yw'r *golled* (ar ffurf gwres) oherwydd *gwrthiant* y ceblau.
4) Y fformiwla ar gyfer *colled pŵer* oherwydd gwrthiant y ceblau yw: $P = I^2R$.
5) Oherwydd y rhan I^2, os yw'r cerrynt *10 gwaith* yn fwy, bydd y colledion *100 gwaith* yn fwy.
6) Mae'n *rhatach* i godi'r foltedd i *400,000 V* a chadw'r cerrynt yn *isel iawn*.
7) Mae angen *newidyddion* yn ogystal â *pheilonau mawr* ag *ynysyddion mawr* i wneud hyn, ond mae'n dal i fod yn *rhatach*.
8) Rhaid i'r newidyddion *godi'r* foltedd *i fyny* yn un pen, ar gyfer *trawsyriant effeithlon*, ac yna ei ostwng i lawr i *lefelau defnyddiol diogel* yn y pen arall.
9) Dyma pam mae'n rhaid cael *CE* ar y Grid Cenedlaethol— fel bod y *newidyddion* yn gweithio!

Cyfrifo Pŵer Trydanol a Chyfraddau Ffiws

1) Y fformiwla safonol ar gyfer *pŵer trydanol* yw: $P = VI$
2) Os *cyfunwch* hon â $V = I \times R$, a newid "V" am "I × R", cewch: $P = I^2R$
3) Os defnyddiwch yn hytrach $V = I \times R$ a newid "I" am "V/R", cewch: $P = V^2/R$
4) Byddwch yn *dewis* pa *un* o'r fformiwlâu hyn i'w defnyddio, trwy weld pa un sy'n cynnwys y *tri mesur* sydd yn *ymwneud â'r* broblem sydd gennych.

Cyfrifo Cyfraddau Ffiws — Defnyddiwch y Fformiwla: "P = VI" Bob Amser

Dangosir ar y rhan fwyaf o nwyddau trydanol eu *cyfradd pŵer* a'u *cyfradd foltedd*. I gael y *FFIWS* addas, rhaid cyfrifo'r *cerrynt* y mae'r nwydd fel arfer yn ei ddefnyddio. Defnyddiwch "P = VI", neu'n hytrach "I = P/V".

ENGHRAIFFT: Cyfradd peiriant sychu gwallt yw 240 V, 1.1 kW. Darganfyddwch y ffiws addas.

ATEB: I = P/V =1100/240 = 4.6 A. Fel arfer, dylai cyfradd y ffiws a ddefnyddir fod ychydig yn uwch na'r cerrynt arferol, felly bydd ffiws 5 amp yn ddelfrydol yma.

P
V × I

400,000 Folt? — Uchel Iawn...

Mae manylion cymhleth ar y dudalen yma. Mae'r gorsafoedd pŵer a'r Grid Cenedlaethol yn hawdd, ond mae egluro'n llawn pam fod ceblau peilon ar 400,000 V braidd yn anodd — ond nid oes raid i chi ei ddysgu. Mae'r un peth yn wir am y fformiwlâu pŵer a chyfrifo cyfraddau ffiwsiau.

Meysydd Magnetig

Mae diffiniad pendant ar gyfer *maes magnetig* y mae'n rhaid i chi ei ddysgu:

> *MAES MAGNETIG* yw'r ardal lle mae *DEFNYDDIAU MAGNETIG* (megis haearn a dur) a hefyd *GWIFRAU SY'N CLUDO CERRYNT* yn goddef *GRYM* yn gweithredu arnynt.

Dysgwch y Diagramau hyn am y Meysydd Magnetig a Chyfeiriad y Saethau

Rydych yn debygol iawn o gael un o'r diagramau hyn yn yr Arholiad.
Gwnewch yn siŵr eich bod yn eu gwybod, yn arbennig *y ffordd mae'r saethau'n pwyntio — o G i D BOB AMSER!*

Magnet Bar

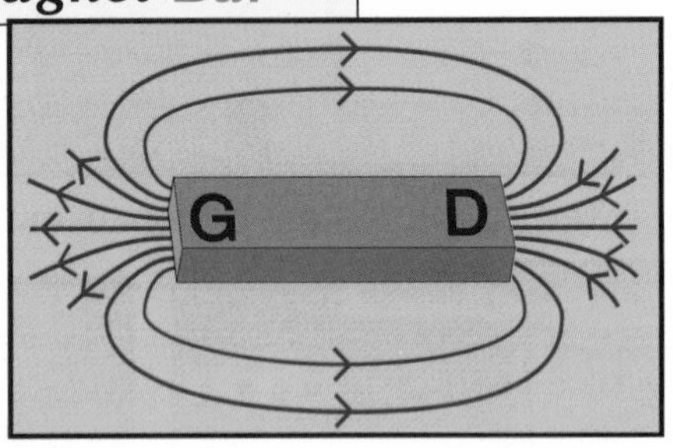

Solenoid

Yr un maes â magnet bar ar y *tu allan*.

Maes *cryf ac unffurf* ar y *tu mewn*.

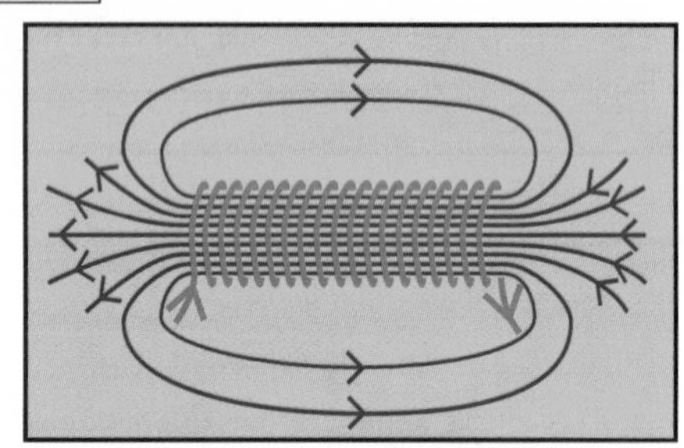

Dau Fagnet Bar yn Atynnu

Mae polau annhebyg yn ATYNNU, fel y gwyddoch.

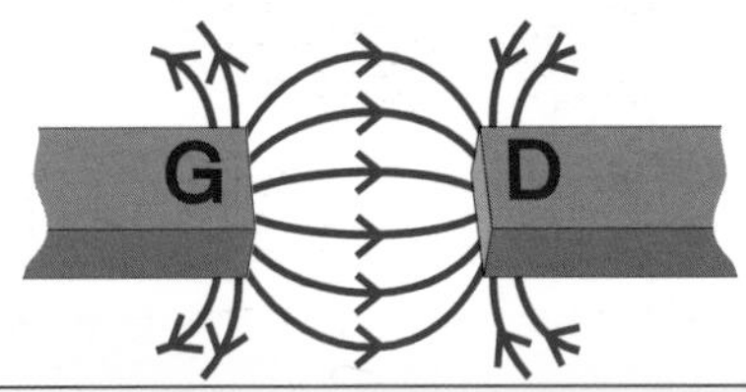

Dau fagnet Bar yn Gwrthyrru

Mae polau tebyg yn GWRTHYRRU, fel y gwyddoch.

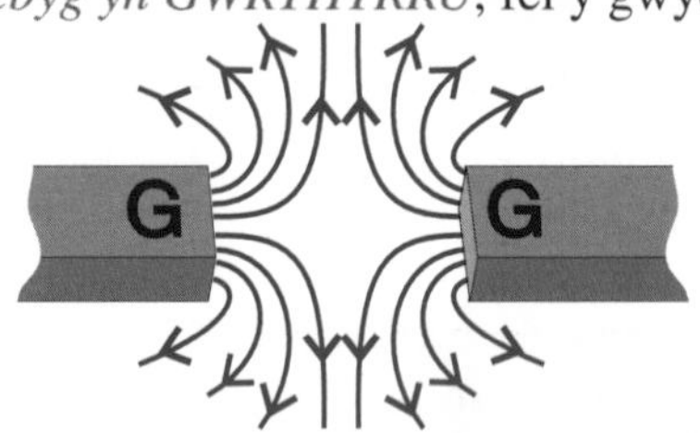

Maes Magnetig y Ddaear

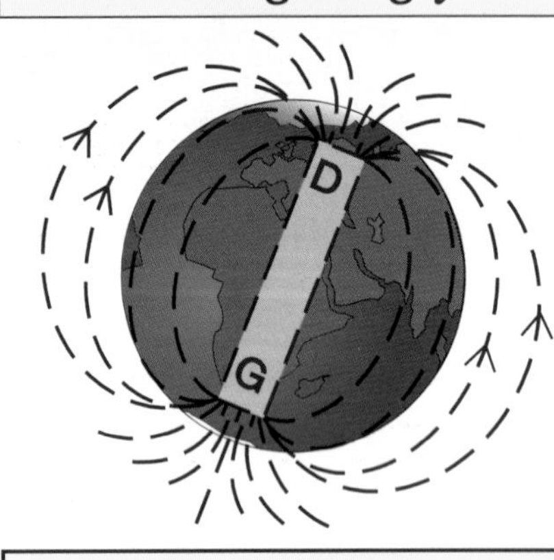

Sylwch fod y *polau magnetig* yn *groes* i'r *Pegynnau Daearyddol*, h.y. mae'r pôl de ym *Mhegwn y Gogledd*!

Maes Magnetig o Amgylch Gwifren yn cludo Cerrynt

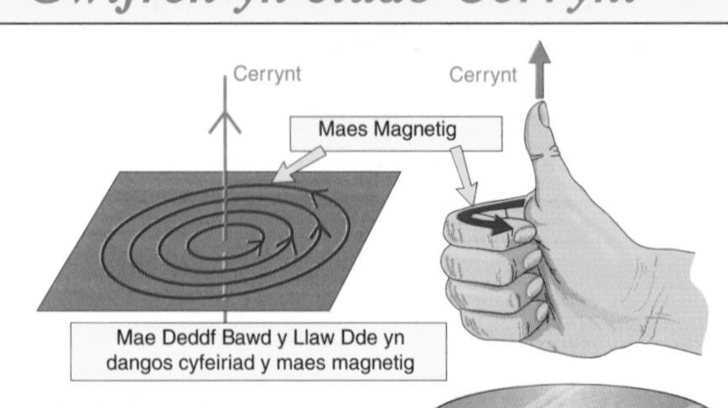

Cwmpawd Plotio yw Magnet yn Hongian yn Rhydd

1) Mae hyn yn golygu ei fod yn *alinio'i hunan* â'r *maes magnetig* y mae ynddo.
2) Mae hyn yn hwylus ar gyfer plotio *llinellau maes magnetig* megis o amgylch y *magnetau bar* uchod.
3) Ymhell o unrhyw fagnet, bydd yn *alinio* â maes magnetig y *Ddaear* ac yn pwyntio i'r *Gogledd*.
4) Bydd *unrhyw fagnet* wedi'i grogi fel y gall droi'n *rhydd* hefyd yn stopio gan bwyntio i'r *Gogledd-De*.
5) Gelwir pen y magnet sy'n pwyntio i'r Gogledd yn "*pôl sy'n cyrchu tua'r Gogledd*" neu "*pôl Gogledd magnetig*". Gelwir pen y magnet sy'n pwyntio i'r De felly yn "*pôl De magnetig*". Dyna sut cawsant eu henwau.

Meysydd magnetig — maen nhw ymhobman...

Dyma dudalen hawdd. Dysgwch y diffiniad ynglŷn â maes magnetig a'r chwe diagram. Hefyd dysgwch y pum manylyn am gwmpawdau plotio, a sut mae'r polau yn cymharu â phegynnau'r Ddaear. Yna *cuddiwch y tudalen* ac *ysgrifennwch y cyfan*.

Electromagnetau

Electromagnet yw Coil o Wifren â Chraidd o Haearn

1) Mae *Electromagnet* yn *syml*.
2) *Solenoid* ydyw (sef *coil o wifren*) â darn o *haearn "meddal"* oddi mewn iddo.
3) Pan fo *cerrynt yn llifo* trwy *wifren* y solenoid mae'n creu *maes magnetig* o'i amgylch.
4) Effaith y *craidd haearn meddal* yw *cynyddu cryfder y maes magnetig*.

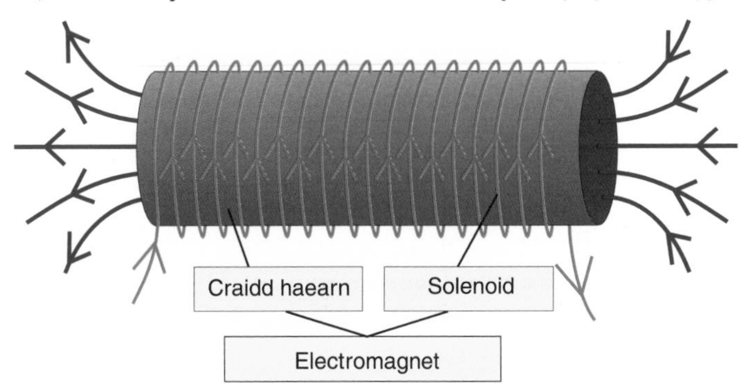

1) Mae'r *maes magnetig* o amgylch *electromagnet* fel yr un o amgylch *magnet bar*, ond yn *gryfach*.
2) Ystyr hyn yw fod *pennau'r solenoid* yn gweithredu fel *Pôl Gogledd* a *Phôl De* mewn magnet bar.
3) Mae'n amlwg, os caiff cyfeiriad y *cerrynt* ei *gildroi*, y bydd y polau G a D yn *newid pen*.

4) Os dychmygwch eich bod yn edrych yn syth i un pen solenoid, bydd *cyfeiriad llif y cerrynt* yn dweud wrthych pa un ai *pôl G neu bôl D* rydych yn edrych arno, fel y dangosir yn y *ddau ddiagram* gyferbyn. Rhaid i chi gofio'r diagramau hyn. Efallai y dangosir solenoid i chi *yn yr Arholiad* ac y gofynnir i chi enwi'r pôl.

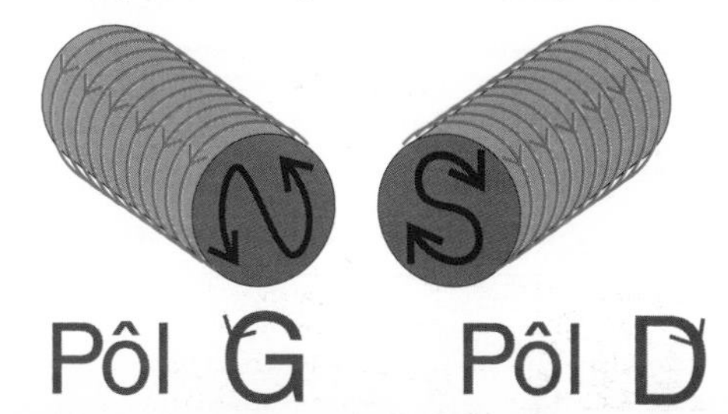

Mae CRYFDER ELECTROMAGNET yn dibynnu ar DRI FFACTOR:

1) Maint y *CERRYNT*.
2) Nifer y *TROEON* sydd yn y coil.
3) Beth mae'r *CRAIDD* wedi'i wneud ohono.

Mae Haearn yn Fagnetaidd "Feddal" — Delfrydol ar gyfer Electromagnetau

Mae *"meddal"* yma yn golygu defnydd sy'n *magneteiddio* a *dadfagneteiddio* yn *rhwydd*. Mae haearn yn "feddal" sy'n ei wneud yn ddelfrydol ar gyfer *electromagnetau* sydd raid eu rhoi *ymlaen ac i ffwrdd*.

Mae Dur yn Fagnetaidd "Galed" — Delfrydol ar gyfer Magnetau Parhaol

Mae *"caled"* yma yn golygu defnydd sy'n *cadw* ei fagnetedd. Byddai hwn yn *anobeithiol* mewn *electromagnet*, ond dyma'n union sydd ei angen ar gyfer *magnetau parhaol*.

MAGNETEIDDIO darn o ddur, etc:

Rhowch y dur mewn *solenoid* â *chyflenwad CU cyson*. *Diffoddwch* y cerrynt, *tynnwch y dur allan*, a chewch *fagnet parhaol*.

DADFAGNETEIDDIO darn o ddur, etc:

Rhowch y dur mewn *solenoid* â *chyflenwad CE*, ac yna *tynnwch y dur allan* â'r *cerrynt CE yn dal ymlaen* a bydd wedi'i *ddadfagneteiddio*.

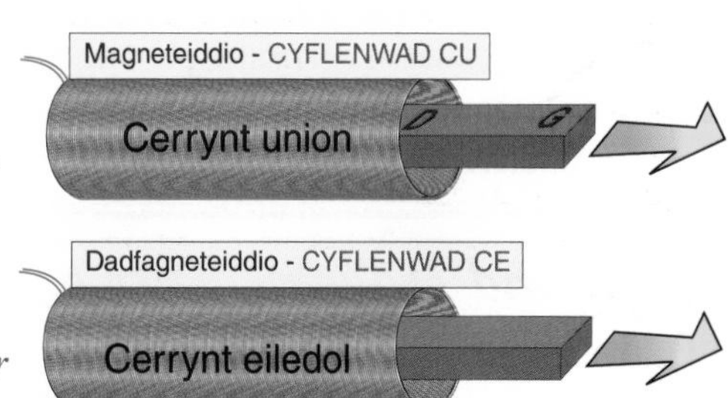

Mae electromagnetau yn ddiddorol iawn

Gwybodaeth elfennol sydd yma ac mae'n hawdd ei chofio. Dysgwch y penawdau a'r diagramau yn gyntaf, yna *cuddiwch y dudalen* a'u *hysgrifennu*. Yna ychwanegwch y manylion eraill. *Edrychwch dros eich gwaith a'i wirio*. Ceisiwch ddysgu'r *holl* bwyntiau.

Dyfeisiau Electromagnetig

Mae gan *electromagnetau* bob amser *graidd o haearn meddal*, sy'n *cynyddu cryfder* y magnet. Rhaid i'r craidd fod yn *feddal* (yn fagnetaidd feddal), fel bydd y magnetedd *yn diflannu* pan gaiff y *cerrynt* ei roi *i ffwrdd*. Mae'r pedwar cymhwysiad isod yn dibynnu ar hyn.

Electromagnet yr iard sgrap

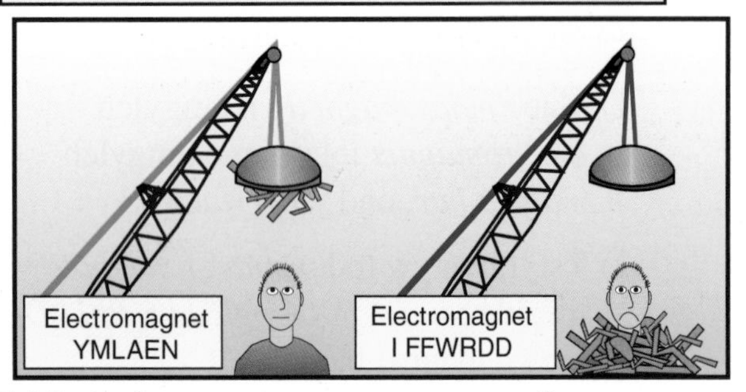

1) Mae'r electromagnet yn cynnwys *coil mawr o wifren* â *llawer o droeon*, a *chraidd haearn meddal*.
2) Pan yw'r cerrynt *ymlaen*, caiff *maes magnetig cryf iawn* ei greu sy'n *atynnu'r* haearn sgrap.

Torrwr Cylched

neu ffiws ailosodol.

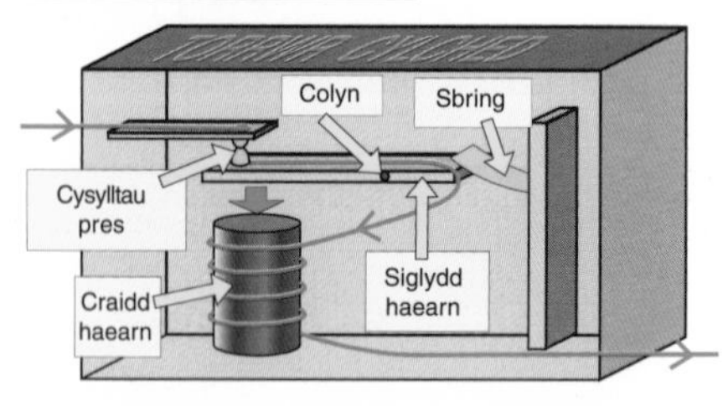

1) Caiff hwn ei roi ar y *wifren fyw sy'n dod i mewn*.
2) Os yw'r cerrynt *yn rhy uchel*, bydd y *maes magnetig* yn y coil *yn tynnu'r* siglydd haearn sy'n "*tripio'r*" switsh ac yn *torri'r gylched*.
3) Gellir ei *ailosod* â llaw, ond bydd bob amser yn fflicio'i hun i ffwrdd os yw'r *cerrynt* yn *rhy uchel*.

Relái

E.e. Defnyddir relái mawr mewn *ceir* i switsio'r *modur tanio*, oherwydd bod hwn yn tynnu *cerrynt mawr iawn*.

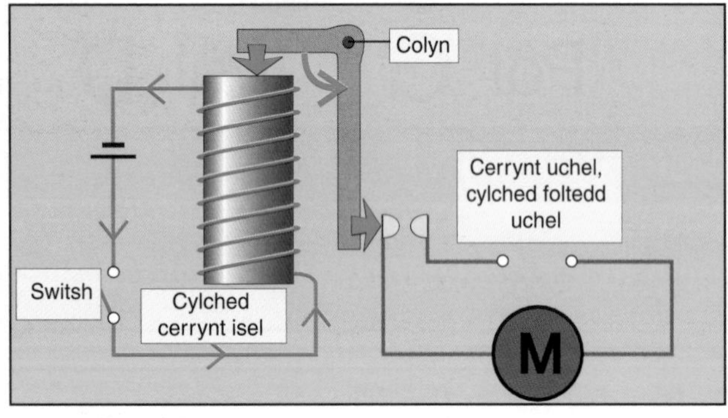

1) Dyfais yw *relái* sy'n defnyddio *cylched cerrynt isel* i *switsio cylched cerrynt uchel* ymlaen/i ffwrdd.
2) Pan gaiff y switsh yn y gylched cerrynt isel *ei gau* mae'n rhoi *electromagnet YMLAEN* sy'n *atynnu'r siglydd haearn*.
3) Mae'r siglydd yn *troi* ac yn *cau'r cysylltau* yn y gylched cerrynt uchel.
4) Pan gaiff y switsh cerrynt isel *ei agor* bydd yr electromagnet *yn stopio tynnu*, daw'r siglydd yn ei ôl, a chaiff y *gylched cerrynt uchel* ei *thorri* eto.

Cloch drydan

Caiff y rhain eu defnyddio mewn ysgolion i yrru pawb allan.

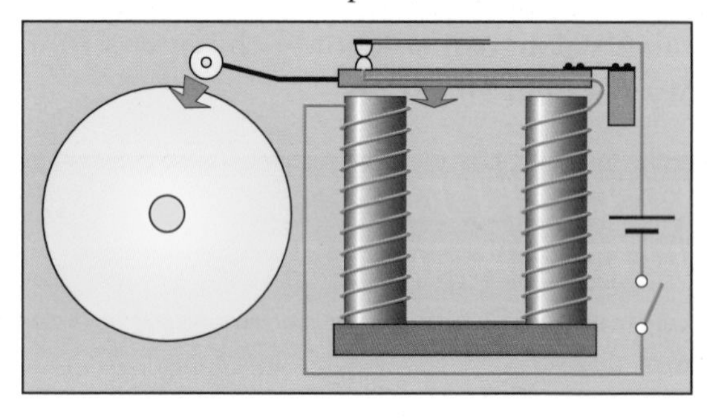

1) Pan gaiff y switsh *ei gau*, caiff yr electromagnetau eu *troi ymlaen*.
2) Maent yn tynnu'r *fraich ddur I LAWR* sy'n *taro'r* gloch, ond ar yr un pryd *mae'n torri'r cyswllt*, sydd ar ei union yn *troi i ffwrdd* yr electromagnetau.
3) Yna mae'r fraich yn *sbringio'n ôl*, gan *gau'r cyswllt*, ac *felly ymlaen*...
4) Digwydd yr holl gyfres *yn gyflym iawn*, efallai *10 gwaith yr eiliad*, fel bo'r gloch yn rhoi sain "*di-dor*". Da yntê.

Dim ond Haearn, Dur a Nicel sy'n Fagnetig

Peidiwch ag anghofio *NAD yw'r holl fetelau cyffredin* eraill yn *fagnetig*. Felly *nid yw magnet yn glynu* wrth *ysgolion alwminiwm* neu *degellau copr* neu *drwmpedau pres* neu *fodrwyau aur* neu *lwyau arian*.

Dysgwch am Fagnetau...

Rydych chi bron yn sicr o gael un o'r rhain yn yr Arholiad. Fel arfer mae ar ffurf diagram cylched a gofynnir i chi ddweud yn union sut mae'n gweithio. Gwnewch yn siŵr eich bod yn *gwybod yr holl fanylion*. *Cuddiwch y dudalen, ysgrifennwch, etc...*

Yr Effaith Modur

Bydd unrhyw beth sy'n *cludo cerrynt* mewn *maes magnetig* yn goddef *grym*. Mae *tri achos pwysig*:

Mae Cerrynt mewn Maes Magnetig yn Goddef Grym

Mae'r ddau brawf isod yn danos *grym* ar *wifren yn cludo cerrynt* wedi'i rhoi mewn *maes magnetig*. Daw'r *grym* yn *fwy* os gwneir y *cerrynt* neu'r *maes magnetig* yn fwy.

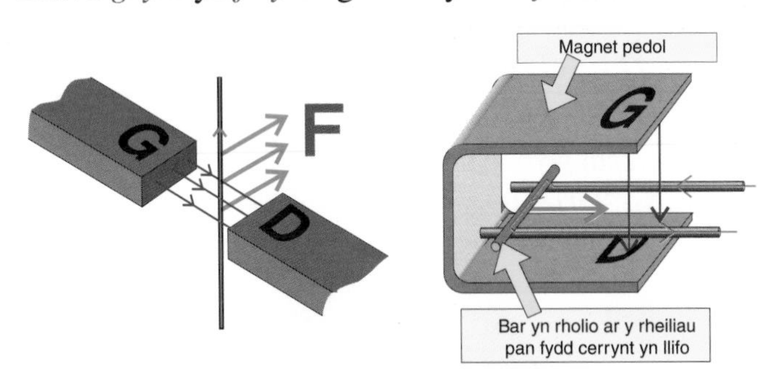

1) Sylwch yn y *ddau achos* fod y *grym* ar y wifren ar *90º* i'r *wifren* ac i'r *maes magnetig* ill dau.
2) Gallwch bob amser *ragfynegi* ffordd bydd y *grym* yn gweithredu trwy ddefnyddio *Rheol Llaw Chwith Fleming* fel y dangosir isod.
3) I oddef y *grym llawn*, rhaid i'r *wifren* fod ar *90º* i'r *maes magnetig*.
4) Os yw'r wifren yn mynd *ar hyd* y *maes magnetig* ni fydd yn goddef *unrhyw rym o gwbl*.
   Ar onglau eraill bydd yn goddef *peth* grym.

Modur Trydan Syml

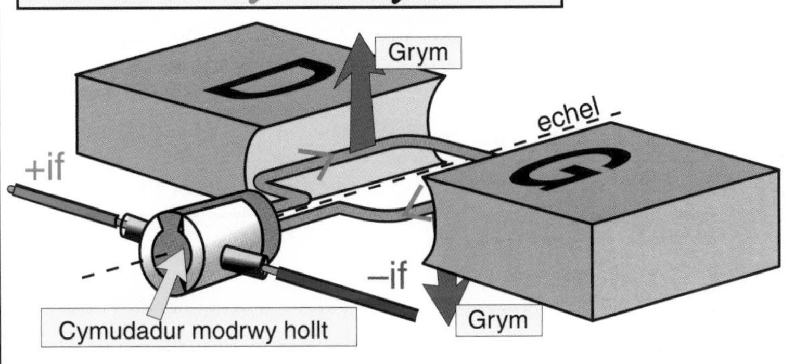

4 Ffactor sy'n ei Gyflymu

1) Mwy o *GERRYNT*
2) Mwy o *DROADAU* yn y coil
3) *MAES MAGNETIG CRYFACH*
4) *CRAIDD HAEARN MEDDAL* yn y coil

1) Mae'r diagram yn dangos y *grymoedd* sy'n gweithredu ar ddwy *fraich ochr* y *coil*.
2) Y rhain yw'r *grymoedd arferol* sy'n gweithredu ar *unrhyw gerrynt* mewn *maes magnetig*.
3) Am fod y coil ar *echel* a'r grymoedd yn gweithredu *i fyny* ac *i lawr*, mae'n *cylchdroi*.
4) Dyfais arbennig yw'r *cymudadur modrwy hollt* ar gyfer *"newid drosodd* y cysylltau *bob hanner troad* fel bo'r modur yn cylchdroi *i'r un cyfeiriad"*. Dysgwch y mynegiad hwn.
5) Gellir *cildroi* cyfeiriad y modur naill ai trwy newid drosodd *polaredd* y *cyflenwad CU* neu newid drosodd y *polau magnetig*.

Mae Rheol Llaw Chwith Fleming yn dweud wrthych pa Ffordd mae'r Grym yn Gweithredu

1) Gallwch gael eich profi ar hyn, felly ewch ati i'w *ymarfer*.
2) Gan ddefnyddio eich *llaw chwith*, pwyntiwch eich *Mynegfys* i gyfeiriad y *Maes* a'ch *Canolfys* i gyfeiriad y *Cerrynt*.
3) Yna bydd eich *bawD* yn pwyntio i gyfeiriad y *grym (muDiant)*.

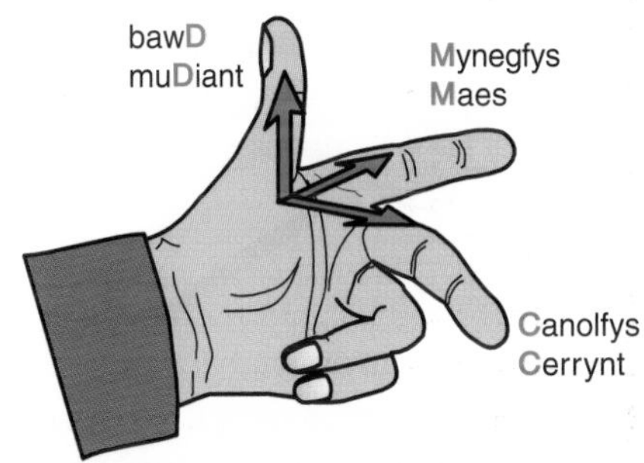

Mae Uchelseinyddion hefyd yn arddangos yr Effaith Modur

1) Caiff *signalau trydanol CE* o'r *mwyhadur* eu bwydo i mewn i *goil seinydd* (coch fan yma).
2) Mae'r rhain yn gwneud i'r coil symud *yn ôl a blaen* dros bôl Gogledd y *magnet*.
3) Mae'r symudiadau hyn yn gwneud i'r *côn cardbord ddirgrynu* a hyn yn creu *seiniau*.

Fleming!— sawl arddwrn a dorrwyd...

Yr un hen weithdrefn eto. *Dysgwch yr holl fanylion*, y diagramau a'r cwbl, yna *cuddiwch y dudalen* ac *ysgrifennwch y cyfan* eto *oddi ar eich cof*. Gwnewch yn siŵr eich bod yn *gwybod y cyfan*.

Anwythiad Electromagnetig

Swnio'n anodd, ond nid mor anodd â hynny:

ANWYTHIAD ELECTROMAGNETIG: Creadigaeth *FOLTEDD* (ac efallai cerrynt) mewn gwifren sy'n goddef *NEWID MEWN MAES MAGNETIG*.

Am ryw reswm defnyddir y term "*anwythiad*" yn hytrach na "*chreadigaeth*", ond mae'n golygu yr *un peth*.

Anwythiad EM — a) Torri Fflwcs b) Maes Trwy Goil

Anwythiad electromagnetig yw *anwythiad foltedd* a/neu *gerrynt* mewn dargludydd.

Mae *dwy sefyllfa wahanol* lle cewch *anwythiad EM*. Mae angen i chi wybod am y *ddwy* ohonynt:

a) Y *dargludydd* yn symud ar draws *maes magnetig* ac yn "*torri*" trwy linellau *fflwcs magnetig*.

b) Y *maes magnetig* trwy *goil caeedig yn NEWID*, h.y. yn mynd yn *fwy* neu'n *llai* neu'n *cildroi*.

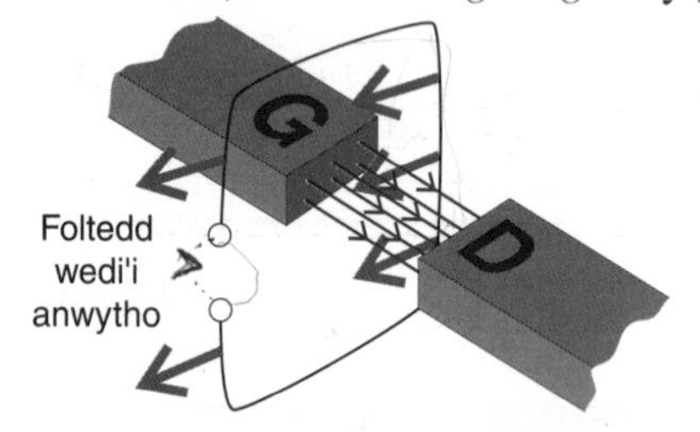

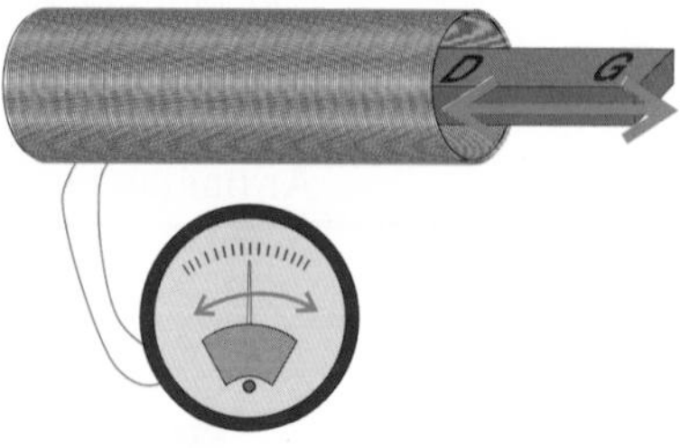

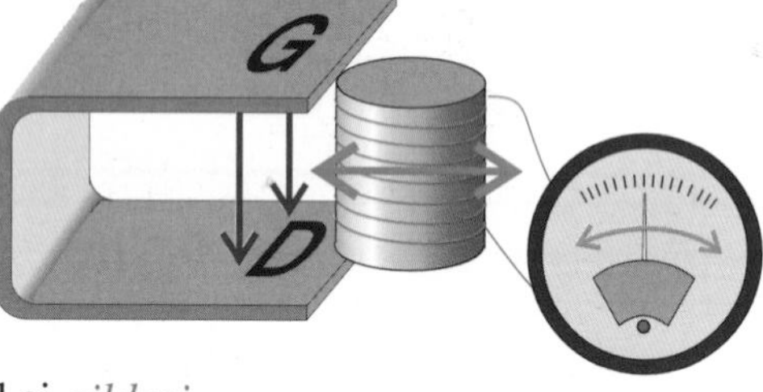

Os caiff cyfeiriad y *mudiant* ei *gildroi*, yna caiff y *foltedd/cerrynt* hefyd ei *gildroi*.

Mae Pedwar Ffactor yn Effeithio ar Faint y Foltedd Anwythol:

1) *CRYFDER* y *MAGNET*
2) *ARWYNEBEDD* y *COIL*
3) *Nifer y TROADAU* yn y *COIL*
4) *BUANEDD* y mudiant

Mae *un mynegiad* yn cynnwys y pedwar ffactor hyn:

Mae maint y *FOLTEDD ANWYTHOL* yn gyfrannol â *CHYFRADD NEWID Y FFLWCS* trwy'r gylched.

Yn ddelfrydol, dylech allu gweld sut mae *pob un* o'r pedwar ffactor yn golygu *torri mwy o fflwcs bob eiliad*.

Generaduron a Dynamoau

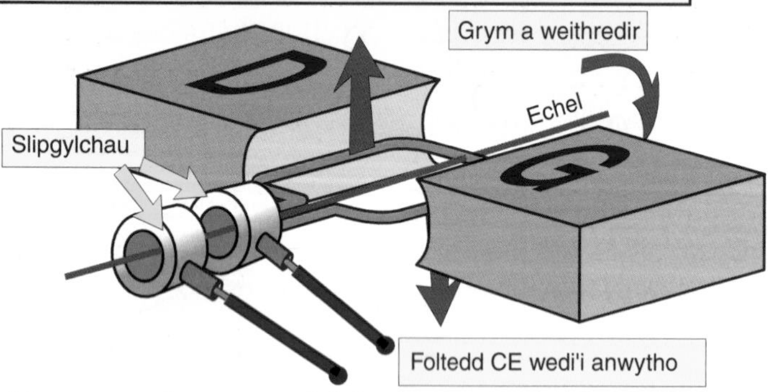

1) Mae generaduron *yn cylchdroi coil* mewn *maes magnetig*.
2) Mae eu *lluniad* yn debyg iawn i *fodur*.
3) Y *gwahaniaeth* yw bod *slipgylchau* yn hytrach na *chymudadur modrwy hollt*, fel *nad yw'r* cysylltau *yn newid drosodd* bob hanner troad.
4) Mae hyn yn golygu eu bod yn cynhyrchu *foltedd CE*, fel y *dangosir ar yr OPC*. Sylwch fod y *cylchdroeon cyflymaf* yn cynhyrchu *mwy o frigau* a hefyd *foltedd uwch dros y cyfan*.

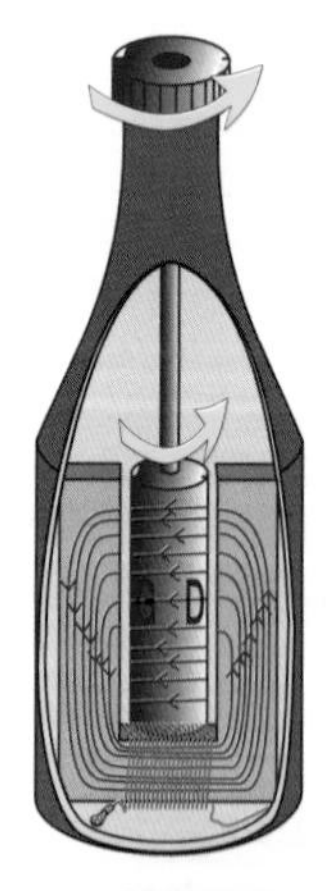

Mae'r *Dynamoau* ychydig yn wahanol i'r *generaduron* oherwydd eu bod yn cylchdroi'r *magnet*. Mae hyn hefyd yn achosi i'r *maes trwy'r coil newid drosodd* bob hanner troad, felly mae'r allbwn *yr un peth*, fel y dangosir ar yr OPC isod.

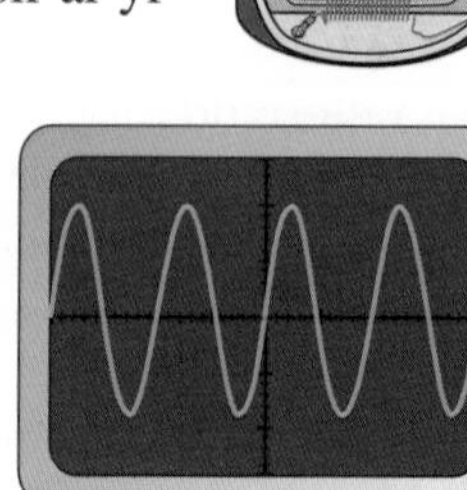

"Cyfradd newid Fflwcs" — braidd yn anodd...

Mae "Anwythiad Electromagnetig" yn un o bynciau anodd Gwyddoniaeth Ddwbl TGAU. Ond mae'n bwysig iawn a rhaid i chi ei ddysgu. Dyma sut y cynhyrchir ein holl drydan. *Dysgwch ac ysgrifennwch ...*

Newidyddion

Mae *Newidyddion* yn defnyddio *Anwythiad Electromagnetig*. Felly, *dim ond* â *CE* y byddan nhw'n gweithio.

Mae Newidyddion yn Newid y Foltedd — ond Folteddau CE yn unig

Mae newidyddion codi yn codi'r foltedd. Mae mwy o droadau yn y coil eilaidd.

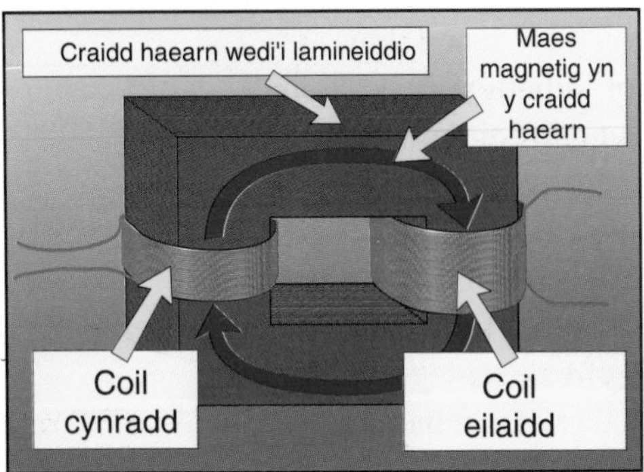

1) Pwrpas y *craidd haearn wedi'i lamineiddio* yw trosglwyddo'r *fflwcs magnetig* o'r coil cynradd i'r coil eilaidd.
2) Nid oes *trydan* yn llifo o amgylch y *craidd haearn*, dim ond *fflwcs magnetig*.
3) Mae'r craidd haearn wedi'i *lamineiddio* â *haenau o ynysydd* i leihau'r *ceryntau trolif* sy'n *ei wresogi*, ac felly yn *gwastraffu egni*.

Mae newidyddion gostwng yn gostwng y foltedd. Mae llai o droadau ar y coil eilaidd.

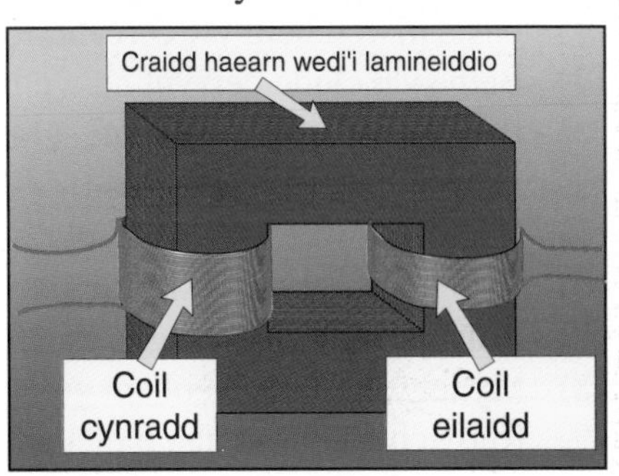

1) Mae'r coil cynradd *yn cynhyrchu fflwcs magnetig* (maes) sy'n aros *o fewn y craidd haearn* ac mae hyn yn golygu fod *y cyfan ohono* yn mynd trwy'r *coil eilaidd*.
2) Gan fod *cerrynt eiledol* (CE) yn y *coil cynradd*, mae'r fflwcs magnetig yn y craidd haearn yn *cildroi* (50 gwaith yr eiliad, fel arfer) — h.y. mae'n fflwcs sy'n *newid*.
3) Caiff y fflwcs magnetig sy'n *newid yn gyflym* ei oddef gan y *coil eilaidd* ac mae hyn yn *anwytho foltedd eiledol* ynddo — *anwythiad electromagnetig* o foltedd mewn gwirionedd.
4) Y *nifer cymharol o droadau* yn y ddau goil sy'n penderfynu a yw'r foltedd a gaiff ei greu yn y coil eilaidd yn *fwy* neu'n *llai na'r* foltedd yn y coil cynradd.
5) Wrth gyflenwi CU i'r coil cynradd *NI DDAW DIM* allan o'r coil eilaidd. Mae'n wir y byddai fflwcs yn y craidd haearn, ond ni fyddai'n *newid yn gyson* ac ni bydd *anwythiad* yn y coil eilaidd oherwydd byddai angen *fflwcs sy'n newid* i anwytho foltedd.
   Peidiwch ag anghofio — dim ond â *CE* mae newidyddion yn gweithio. Dydyn nhw ddim yn gweithio â CU *o gwbl*.

Hafaliad y Newidydd — defnyddiwch hwn Unrhyw Ffordd i Fyny

Mewn geiriau: Mae'r *GYMHAREB TROADAU* yn y ddau goil yn hafal i *GYMHAREB EU FOLTEDDAU*

$$\frac{\text{Foltedd Cynradd}}{\text{Foltedd Eilaidd}} = \frac{\text{Nifer troadau y Coil Cynradd}}{\text{Nifer troadau y Coil Eilaidd}}$$

$$\frac{V_C}{V_E} = \frac{N_C}{N_E}$$

neu

$$\frac{V_E}{V_C} = \frac{N_E}{N_C}$$

Dim ond fformiwla arall yw hon. Rhowch y rhifau *sydd gennych* i mewn a chyfrifwch yr un sydd *ar ôl*. Mae'n werth cofio y gallwch ei ysgrifennu *y naill ffordd neu'r llall i fyny* — mae'r enghraifft hon yn anoddach os dechreuwch â V_E ar y gwaelod...

ENGHRAIFFT: Mae gan newidydd 40 troad yn y coil cynradd ac 800 troad yn y coil eilaidd. Os y foltedd mewnbwn yw 1000 V darganfyddwch y foltedd allbwn.

ATEB: $V_E/V_C = N_E/N_C$ *felly* $V_E/1000 = 800/40$ $V_E = 1000 \times (800/40) = 20{,}000$ V

Hefyd mae "Pŵer i Mewn = Pŵer Allan" sy'n rhoi "$V_C I_C = V_E I_E$"

Mae'r fformiwla hon yn wir oherwydd bod newidyddion *bron yn 100% effeithlon*. Dim ond fformiwla yw hon — rhoi *rhifau i mewn* a chyfrifio'r darn sydd *ar ôl*.

Y Craidd Haearn — lle byddem hebddo...

Ar wahân i'r creiddiau haearn mae manylion *pwysig* eraill am y newidyddion sydd raid i chi eu *dysgu*. Rhaid i chi ymarfer â hafaliadau hefyd. Maent yn anarferol am na ellir eu rhoi ar ffurf triongl fformiwla, ond ar wahân i hyn mae'r dull yr un fath. *Ewch ati i'w hymarfer.*

Crynodeb Adolygu Adran 1

Trydan a magnetedd. Pleserus iawn? Ydy, ond problem fwyaf Ffiseg yn gyffredinol yw nad oes dim i'w "weld". Dywedir wrthych fod cerrynt yn llifo neu fod maes magnetig yn llercian, ond nid oes dim y gallwch ei weld go iawn â'ch llygaid. Dyna sy'n gwneud pethau'n anodd. I ddod ymlaen mewn Ffiseg rhaid i chi gyfarwyddo â dysgu am bethau na allwch eu gweld. Rhowch gynnig ar y cwestiynau hyn i weld pa mor dda rydych yn dod ymlaen.

1) Disgrifiwch beth yw cerrynt, foltedd a gwrthiant, a chymharwch y rhain â chylched ddŵr.
2) Beth sy'n cludo cerrynt mewn metelau? Beth yw "cerrynt confensiynol" a beth yw'r broblem?
3) Brasluniwch gylched brofi safonol gyda'r holl fanylion. Disgrifiwch sut caiff ei defnyddio.
4) Brasluniwch y pedwar graff V-I safonol ac esboniwch eu siapiau. Sut mae cael R ohonynt?
5) Ysgrifennwch yr 18 symbol cylched y gwyddoch amdanynt, gan gynnwys eu henwau.
6) Ysgrifennwch ddwy ffaith am: a) wrthydd newidiol b) deuod c) DAG ch) GGD d) thermistor.
7) Brasluniwch gylched gyfres nodweddiadol a dywedwch pam mae'n gylched gyfres, nid cylched baralel.
8) Mynegwch bum rheol am gerrynt, foltedd a gwrthiant mewn cylched gyfres.
9) Rhowch enghreifftiau o oleuadau wedi eu gwifro mewn cyfres ac wedi'u gwifro'n baralel ac eglurwch y prif wahaniaethau.
10) Brasluniwch gylched baralel nodweddiadol, gan ddangos safleoedd foltmedr ac amedr.
11) Mynegwch bum rheol am gerrynt, foltedd a gwrthiant mewn cylched baralel.
12) Lluniwch ddiagram cylched o ran o waith trydanol car, ac esboniwch pam y defnyddir cylchedau paralel.
13) Beth yw trydan statig? Beth sydd bron bob amser yn achosi iddo grynhoi?
14) Pa ronynnau sy'n symud wrth i statig grynhoi, a pha rai nad ydynt yn symud?
15) Esboniwch sut mae gwefru trwy anwythiad yn gweithio. Hefyd esboniwch beth sy'n achosi gwreichion.
16) Rhowch *ddwy* enghraifft o bob un pan yw: Statig a) yn gymorth b) yn creu syndod c) yn creu terfysg.
17) Edrychwch ar y tabl ar t. 8. Cuddiwch y tair colofn olaf ac ysgrifennwch yr holl fanylion sydd wedi'u cuddio.
18) Esboniwch sut mae triongl fformiwla yn gweithio. Beth yw'r tair rheol ar gyfer defnyddio unrhyw fformiwla?
19) Beth yw'r ddwy reol i'w cofio am unedau? Rhowch enghraifft o bob un.
    a) Darganfyddwch y cerrynt pan fo gwrthiant o 96 Ω wedi'i gysylltu i fatri 12 V.
    b) Darganfyddwch y wefr sy'n mynd heibio pan fo cerrynt 2 A yn llifo am 2 funud.
    c) Darganfyddwch fàs gwrthrych sy'n pwyso 374 N.
    ch) Darganfyddwch bŵer allbwn gwresogydd sy'n rhoi 77 kJ o egni gwres mewn 4 munud.
    d) Darganfyddwch wrthiant sychydd gwallt 10 Amp sy'n rhoi 1.4 kW.
20) Beth yw'r pedwar math o egni y gellir trawsnewid trydan iddynt yn hawdd?
21) Brasluniwch gylched yn dangos pedair dyfais trawsnewid egni. Disgrifiwch yr holl newidiadau egni.
22) Brasluniwch olwg o gylched i esbonio'r fformiwla "E = QV". Pa ddiffiniadau sy'n mynd gyda hwn?
23) Brasluniwch fesurydd trydan ac esboniwch yn union beth mae'r rhif sydd arno yn ei gynrychioli.
24) Beth yw cilowat-awr? Beth yw'r ddwy fformiwla hawdd ar gyfer darganfod cost trydan?
25) Ysgrifennwch saith perygl trydanol yn y cartref.
26) Brasluniwch blwg wedi'i wifro'n briodol. Esboniwch yn llawn sut mae daeariad a ffiwsiau yn gweithio.
27) Brasluniwch orsaf bŵer nodweddiadol, a'r grid cenedlaethol ac esboniwch pam mae ar 400 kV.
28) Brasluniwch faes magnetig ar gyfer: a) magnet bar, b) solenoid, c) dau fagnet yn atynnu, ch) dau fagnet yn gwrthyrru, d) maes magnetig y Ddaear, dd) gwifren yn cludo cerrynt.
29) Beth mae electromagnet wedi'i wneud ohono? Esboniwch sut mae penderfynu polaredd y pennau?
30) Beth a olygir wrth y termau caled a meddal mewn cysylltiad â magnetedd? Sut rydych yn magneteiddio ac yn dadfagneteiddio?
31) Brasluniwch a rhowch fanylion: a) Magnet iard sgrap, b) Torrwr cylched, c) Relái, d) Cloch drydan.
32) Brasluniwch ddau arddangosiad o'r effaith modur. Brasluniwch fodur syml a rhestrwch y pedwar ffactor.
33) Disgrifiwch dri manylyn rheol Llaw Chwith Fleming? I beth y caiff ei defnyddio?
34) Rhowch ddiffiniad o anwythiad electromagnetig. Brasluniwch dri achos lle mae hyn yn digwydd.
35) Rhestrwch y pedwar ffactor sy'n effeithio ar foltedd anwythol.
36) Brasluniwch eneradur a'r holl fanylion. Disgrifiwch sut mae'n gweithio, a sut mae dynamo yn gweithio.
37) Brasluniwch y ddau fath o newidydd, a phwysleisiwch y prif fanylion. Esboniwch sut maent yn gweithio.
38) Ysgrifennwch hafaliad y newidydd. Gwnewch eich enghraifft eich hun — mae'n ymarfer da.

Màs, Pwysau a Disgyrchiant

Y Grym Atynnu sydd Rhwng Holl Fasau yw Disgyrchiant

Mae *disgyrchiant* yn atynnu *pob màs*, ond dim ond pan yw un o'r masau yn *wirioneddol fawr iawn*, h.y. planed, y byddwch yn sylwi arno. Mae seren neu blaned *yn atynnu* pethau sy'n agos ati *yn gryf iawn*. Ceir *tri effaith pwysig*:

1) Mae'n gwneud i bopeth *gyflymu tua'r llawr*
(i gyd â'r *un cyflymiad*, *g*, sy'n = *10 m/s²* ar y Ddaear).
2) Mae'n rhoi *pwysau* i bopeth.
3) Mae'n cadw *planedau, lleuadau* a *lloerennau* ar eu *horbitau*.
Yr orbit yw *cydbwysedd* rhwng *mudiant* y gwrthrych *yn ei flaen* a'r grym disgyrchiant *sy'n ei dynnu ar i mewn*.

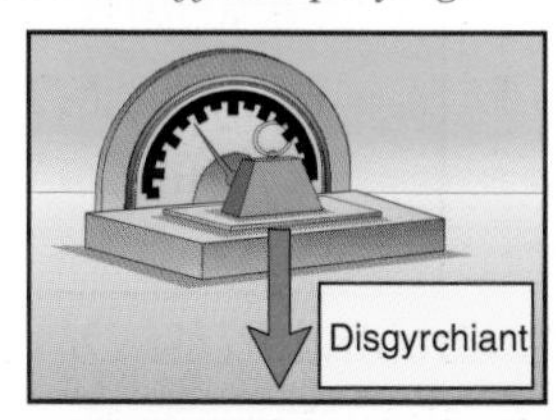

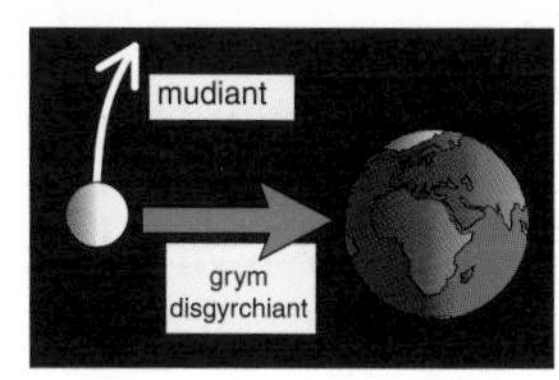

Nid yr un Peth yw Pwysau a Màs

I ddeall hyn *rhaid i chi ddysgu'r holl ffeithiau hyn* am *fàs a phwysau*.

1) *MÀS* gwrthrych yw *MAINT Y MATER* sydd yn y gwrthrych. Ar gyfer gwrthrych penodol, *bydd ei werth yr un faint YN UNRHYW LE YN Y BYDYSAWD*.
2) Achosir *PWYSAU* gan dyniad disgyrchiant. Yn y rhan fwyaf o gwestiynau, *pwysau'r* gwrthrych yw'r *grym disgyrchiant* sy'n ei dynnu tuag at ganol y *Ddaear*.
3) Mae gan wrthrych *yr un màs* pe byddai ar y *Ddaear* neu ar y *LLEUAD* — ond bydd ei *bwysau* yn *wahanol*. Byddai màs 1 kg yn *pwyso LLAI ar y Lleuad* (1.6 N) nag yw ar y *Ddaear* (10 N), oherwydd bod y *grym disgyrchiant* sy'n tynnu arno yn *llai*.
4) *Grym yw pwysau* a fesurir mewn *Newtonau*. Rhaid ei fesur gan ddefnyddio *clorian sbring* neu *fesurydd Newtonau*. *NID* grym yw *MÀS*. Caiff màs ei fesur mewn *cilogramau* â *chlorian fàs* (nid clorian sbring).

Y Fformiwla Bwysig Iawn sy'n cysylltu Màs, Pwysau a Disgyrchiant

$$W = m \times g$$

(Pwysau = màs × g)

1) Cofiwch, *NID yw pwysau a màs yr un peth*. Mae màs mewn *kg*, pwysau mewn *Newtonau*.
2) Mae'r llythyren "*g*" yn cynrychioli *cryfder disgyrchiant* ac mae ei werth *yn wahanol* ar *blanedau gwahanol*. *Ar y Ddaear* g = 10 N/kg. *Ar y Lleuad*, lle mae disgyrchiant yn wannach, nid yw g ond 1.6 N/kg.
3) Mae'r fformiwla hon *yn hawdd* i'w defnyddio:

ENGHRAIFFT: Beth yw pwysau, mewn Newtonau, màs 5 kg ar y Ddaear ac ar y Lleuad?
Ateb: "W = m × g". Ar y Ddaear: W = 5 × 10 = 50 N (Pwysau'r màs 5 kg yw 50 N)
Ar y Lleuad: W = 5 × 1.6 = 8 N (Pwysau'r màs 5 kg yw 8 N)

Hawdd iawn os ydych wedi dysgu beth yw ystyr pob llythyren.

Beth yw Trorym?

Pan fo grym yn gweithredu ar rywbeth sydd ar *golyn*, mae'n creu *trorym* a'r enw ar hwn yw *"moment"*. Caiff *MOMENTAU* eu *cyfrifo* trwy ddefnyddio'r fformiwla:

MOMENT = GRYM × PELLTER PERPENDICWLAR

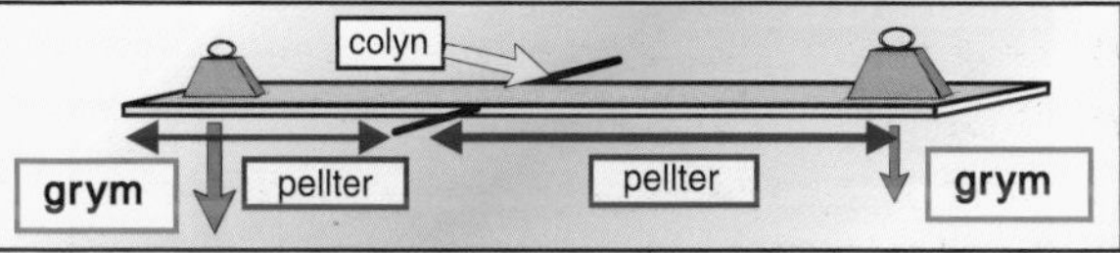

Hefyd, fel bo'r system mewn *cydbwysedd*, (h.y. y cyfan yn *gytbwys* a *heb symud*) yna *rhaid i hyn fod yn wir* hefyd:

MOMENT *CLOCWEDD* CYFLAWN = MOMENT *GWRTHGLOCWEDD* CYFLAWN

(Mae angen i chi ymarfer ychydig o'r rhain — gofynnwch i'ch "Athro/Athrawes" am lawer o gwestiynau ychwanegol i'w hateb.)

Dysgwch am ddisgyrchiant NAWR...

Yn aml, yr unig ffordd i "*ddeall*" rhywbeth yw *dysgu'r holl ffeithiau amdano*. Mae hyn yn wir yma. Er mwyn "deall" y gwahaniaeth rhwng màs a phwysau rhaid dysgu'r holl ffeithiau amdanynt. Wedi i chi ddysgu'r holl ffeithiau, byddwch yn ei ddeall.

Diagramau Grym

Yn syml, *grym* yw *gwthiad* neu *dyniad*. Nid oes ond *chwe grym gwahanol* i chi wybod amdanynt:

1) *DISGYRCHIANT* neu *BWYSAU* sydd bob amser yn gweithredu'n *syth i lawr*.
2) Grym *ADWAITH* oddi ar *arwyneb*, sydd yn arferol yn gweithredu'n *syth i fyny*.
3) *GWTHIAD* neu *DYNIAD* oherwydd peiriant neu roced *sy'n cyflymu pethau*.
4) Grym *LLUSGIAD* neu *WRTHIANT AER* neu *FFRITHIANT* sy'n *arafu pethau*.
5) Grym *CODIAD* oherwydd *aden awyren*.
6) *TENSIWN* mewn *rhaff* neu *gebl*.

A dim ond *PUM DIAGRAM GWAHANOL* sydd ar gyfer *GRYM*:

1) Gwrthrych Disymud — Yr Holl Rymoedd yn Gytbwys

1) Mae grym *DISGYRCHIANT* (neu bwysau) yn gweithredu *ar i lawr*.
2) Mae hyn yn achosi i *RYM ADWAITH* yr arwyneb *wthio'r* gwrthrych *i fyny*.
3) Dyma'r *unig ffordd* y gellir cynnal *CYDBWYSEDD*.
4) *Heb* y grym adwaith, byddai'r gwrthrych yn *cyflymu ar i lawr* oherwydd tyniad disgyrchiant.
5) Rhaid i'r ddau *RYM LLORWEDDOL* fod yn *hafal a dirgroes,* fel arall byddai'r gwrthrych yn *cyflymu i'r ochr*.

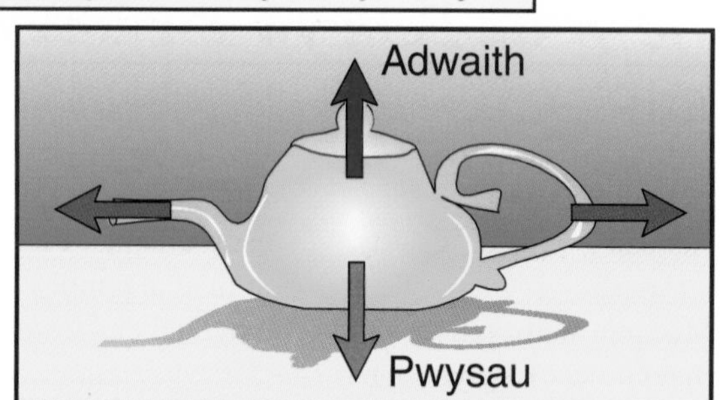

2) Cyflymder Llorweddol Cyson — Yr Holl Rymoedd yn Gytbwys!

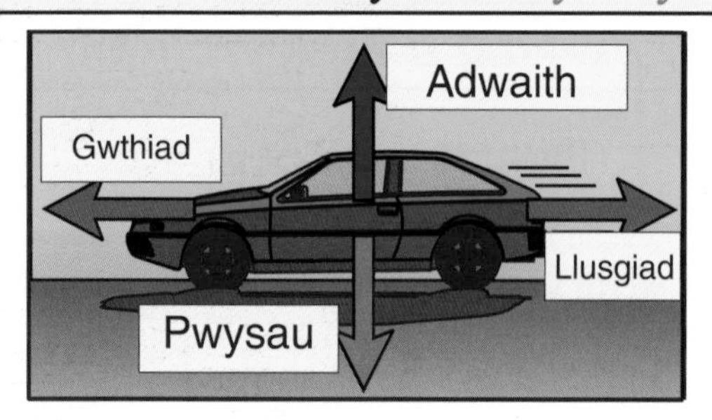

3) Cyflymder Fertigol Cyson — Yr Holl Rymoedd yn GYTBWYS!

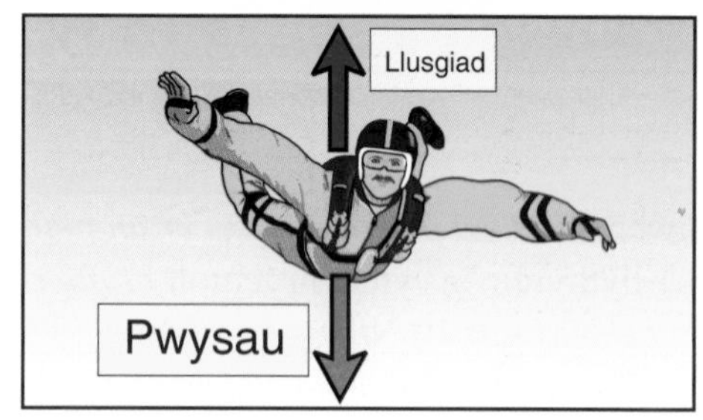

SYLWCH! I symud ar *fuanedd cyson* rhaid i'r grymoedd fod yn *GYTBWYS*. Os oes *grym anghytbwys* yna bydd *CYFLYMIAD*, nid buanedd cyson. Mae hyn yn *bwysig iawn* felly peidiwch â'i anghofio.

4) Cyflymiad Llorweddol — Grymoedd Anghytbwys

1) Cewch *gyflymiad* yn unig gan *rym cydeffaith* (anghytbwys).
2) Po *fwyaf* yw'r *grym anghytbwys* hwn, y *mwyaf* yw'r *cyflymiad*.

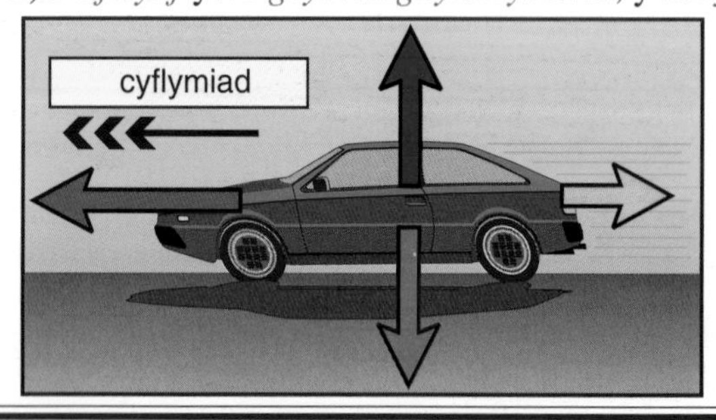

Sylwch fod y grymoedd i'r *cyfeiriad arall* yn parhau'n *gytbwys*.

5) Cyflymiad Fertigol — Grymoedd Anghytbwys

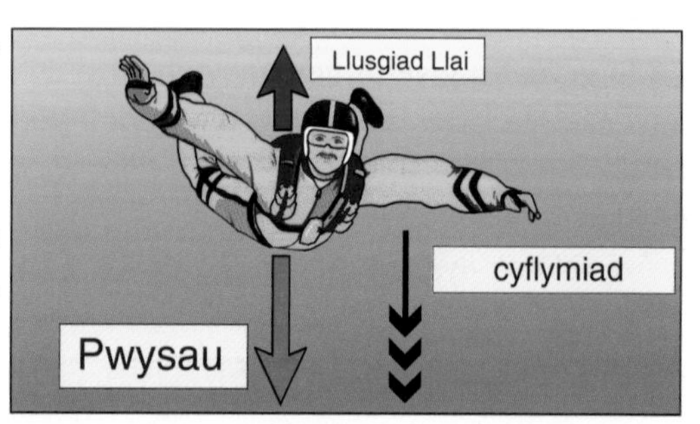

Adolygwch Ddiagramau Grym...

Dysgwch y pum diagram gwahanol ar gyfer grym. Mae'n debyg y cewch un ohonynt yn eich Arholiad. Y cyfan sydd raid i chi ei gofio yw sut mae meintiau cymharol y saethau yn perthyn i'r math o fudiant. Mae'n ddigon hawdd ond i chi wneud ymdrech i'w *dysgu*.

Ffrithiant

1) Mae Ffrithiant bob amser yno i Arafu Pethau

1) Os *nad oes grym* yn gwthio gwrthrych yn ei flaen bydd bob amser yn *arafu ac yn stopio* oherwydd *ffrithiant*.
2) I deithio ar *fuanedd cyson*, rhaid cael *grym gyrru* i wrthweithio ffrithiant.
3) Mae ffrithiant yn digwydd mewn *TAIR FFORDD WAHANOL*:

a) *FFRITHIANT RHWNG ARWYNEBAU SOLID SY'N CYDIO*

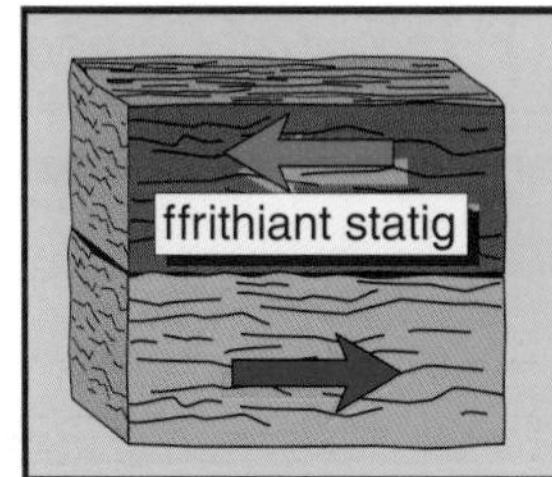

Er enghraifft rhwng *teiars a'r ffordd*. Mae *terfan* bob amser ar ba mor bell y gall dau arwyneb *gydio* yn ei gilydd, ac os ceisiwch gael *mwy o rym ffrithiant* na'r hyn y gallant ei gynhyrchu, yna byddant yn *llithro* heibio'i gilydd. H.y. os ceisiwch frecio'n *rhy galed*, byddwch yn *LLITHRO*.

b) *FFRITHIANT RHWNG ARWYNEBAU SOLID SY'N LLITHRO HEIBIO'I GILYDD*

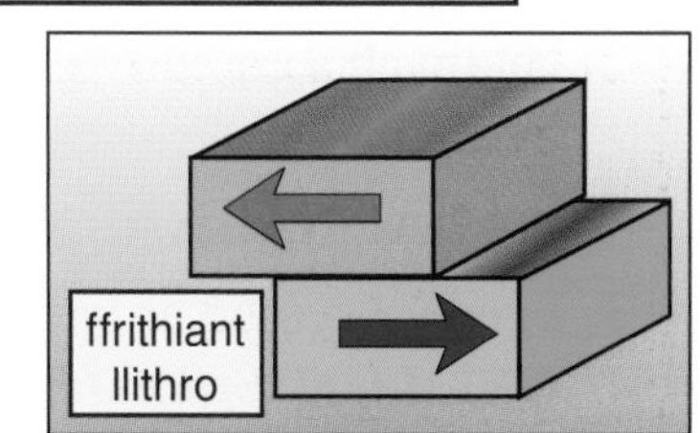

Er enghraifft rhwng *padiau brêc a disgiau brêc*. Mae cymaint o rym *ffrithiant* yma ag sydd rhwng y teiars a'r ffordd. Yn y diwedd, os breciwch yn ddigon caled, bydd y ffrithiant yma yn *fwy* nag ar y teiars, ac yna bydd yr olwynion yn *llithro*.

c) *GWRTHIANT NEU "LUSGIAD" GAN HYLIF (NEU AER)*

Y ffactor pwysicaf *o ddigon* wrth *leihau llusgiad mewn hylifau* yw *llilinio* siâp y gwrthych, fel cyrff pysgod neu gyrff llongau neu adenydd/cyrff adar. Yr *eithaf arall* yw'r *parasiwt* sydd ag oddeutu'r *llusgiad mwyaf* y gallwch ei gael — dyna, wrth gwrs, *yw ei holl bwrpas*.

2) Mae Ffrithiant bob amser yn Cynyddu wrth i'r Buanedd Gynyddu

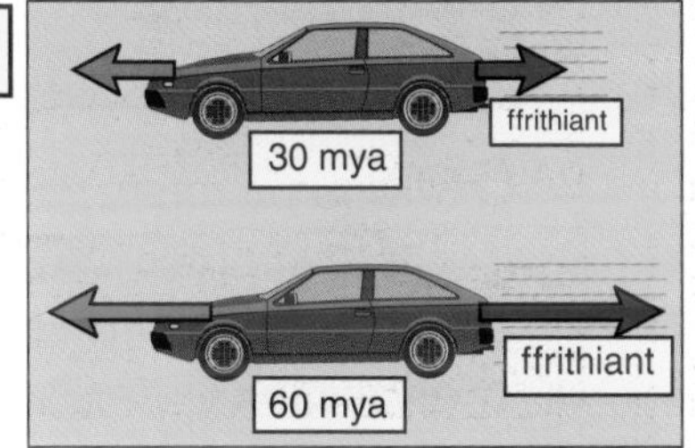

Mae gan gar *lawer mwy o ffrithiant* i *weithio'n ei erbyn* wrth deithio ar *60 mya* o'i gymharu â *30 mya*. Felly ar 60 mya rhaid i'r peiriant weithio'n *llawer caletach* dim ond i gynnal *buanedd cyson*.
Felly mae'n defnyddio *mwy o betrol* nag a fyddai wrth fynd ar 30 mya.

3) Ond rhaid Cael Ffrithiant i Symud ac i Stopio!

Yn gyffredinol mae'n hawdd meddwl am ffrithiant fel *niwsans* gan ein bod yn gweithio *yn ei erbyn*, ond peidiwch ag anghofio, *hebddo* ni fedrwn *gerdded* na *rhedeg* na *rasio oddi ar linell goleuadau traffig* neu *sgrechian o amgylch corneli* neu *blymio'n yr awyr* neu wneud unrhyw beth cynhyrfus neu ddiddorol. Mae hefyd yn dal *nytiau a bolltiau* wrth ei gilydd.

4) Mae Ffrithiant yn Achosi Traul a Gwresogi

1) Mae ffrithiant yn gweithredu *rhwng arwynebau* sy'n *llithro dros* ei gilydd. Mae gan *beiriannau* arwynebau sy'n gwneud hyn.
2) Mae ffrithiant yn cynhyrchu *gwres* ac yn *treulio* arwynebau.
3) Defnyddir *iraid* i gadw ffrithiant mor *isel* â phosibl.
4) Bydd hyn yn gwneud i beiriannau redeg yn fwy *rhydd* fel bod angen *llai o bŵer*, ac mae hefyd yn *lleihau traul*.
5) Gall *effaith gwresogi* ffrithiant fod yn *enfawr*. Er enghraifft gall *breciau* ar *geir rasio grand prix* yn aml *dywynnu'n boethgoch*. Enghraifft arall fyddai peiriant yn rhedeg *heb olew* yn *methu* wrth i'r rhannau symudol fynd yn *boethgoch* oherwydd ffrithiant gan *weldio'u* hunain i'w gilydd yn y diwedd.

Dysgwch am ffrithiant...

Mae cymaint i'w ddweud am ffrithiant. Mae'r cyfan yma fel y nodir yn y maes llafur, ac yn debyg o gael eu cynnwys yn eich Arholiad. Peidiwch â'i anwybyddu. *Dysgwch* y saith prif bennawd, ac yna'r wybodaeth. *Cuddiwch y dudalen* ac ewch ymlaen...

Tair Deddf Mudiant

Tuag amser y Pla Mawr yn y 1660au, roedd *Isaac Newton* yn gweithio ar *Dair Deddf Mudiant*. Ar yr olwg gyntaf, efallai eu bod yn edrych yn amherthnasol, ond os na fyddwch yn deall y *tair deddf syml hyn*, ni fyddwch yn llawn ddeall *grymoedd a mudiant*:

Y Ddeddf Gyntaf — Grymoedd Cytbwys yn golygu Dim Newid mewn Cyflymder

Cyn belled ag y bo grymoedd ar wrthrych yn *GYTBWYS*, yna bydd yn *AROS YN LLONYDD*, neu os yw'n symud yn barod, â yn ei flaen ar yr *UN BUANEDD* — cyn belled ag y bo'r grymoedd i gyd yn *GYTBWYS*.

1) Pan fo trên neu gar neu fws yn *symud* ar *fuanedd cyson* rhaid i'r *grymoedd* sy'n gweithredu fod yn *GYTBWYS*.
2) Peidiwch â chredu'r *syniad hurt* fod rhaid i bethau gael grym cyson i'w *cadw* i symud
   — NA! NA! NA! NA! NA! NA!
3) I gadw i symud ar *fuanedd cyson*, rhaid bod *GRYM CYDEFFAITH SERO* — a pheidiwch ag anghofio hyn.

Yr Ail Ddeddf — Mae Grym Cydeffaith yn golygu Cyflymiad

Os oes *GRYM ANGHYTBWYS*, yna bydd y gwrthrych yn *CYFLYMU* i'r cyfeiriad hwnnw.
Penderfynir maint y cyflymiad gan y fformiwla: F = ma.

1) Mae *grym anghytbwys* bob amser yn cynhyrchu *cyflymiad* (neu arafiad).
2) Gall y "*cyflymiad*" hwn gymryd *PUM* ffurf gwahanol:
   Cychwyn, *stopio*, *cyflymu*, *arafu* a *newid cyfeiriad*.
3) Ar *ddiagram grym*, bydd y *saethau* yn *anhafal*:

Peidiwch byth â dweud: "Os yw rhywbeth yn symud rhaid bod grym cydeffaith yn gwreithredu arno". Dim felly. Os oes *grym cydeffaith dros y cyfan* bydd bob amser yn *cyflymu*. Cewch *fuanedd cyson* o rymoedd *cytbwys*. Cofiwch hyn.

Yn aml gelwir Grym Anghytbwys dros y cyfan yn Rym Cydeffaith

Bydd unrhyw *rym cydeffaith* yn cynhyrchu *cyflymiad* a dyma'r *fformiwla* ar ei gyfer:

$$F = ma \quad \text{neu} \quad a = F/m$$

m = màs, a = cyflymiad F yw'r *GRYM CYDEFFAITH* bob amser
(Gweler t. 9 ar ddefnyddio fformiwlâu)

Tri Phwynt Ddylai Fod yn Amlwg:

1) Po fwyaf yw'r *grym*, y *MWYAF* yw'r *cyflymiad* neu'r *arafiad*.
2) Po fwyaf yw'r *màs* y *LLEIAF* yw'r *cyflymiad*.
3) I gael *màs mawr* i gyflymu *mor gyflym* â *màs bychan* mae angen *grym mwy*.
   Meddyliwch am wthio *troli trwm* ac fe ddylai'r cyfan fod yn *amlwg*.

Tair Deddf Mudiant

Cyfrifiadau yn defnyddio F = ma — Dwy Enghraifft

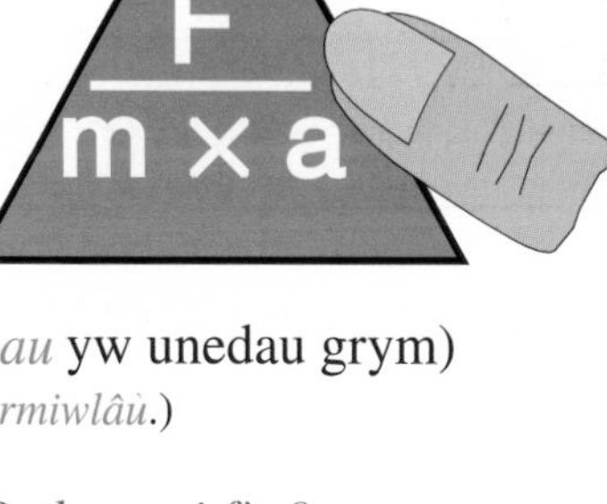

C1) Pa rym sydd ei angen i gyflymu màs 12 kg ar 5 m/s²?

ATEB. Mae'r cwestiwn yn gofyn am *rym*
— felly mae angen fformiwla ag *"F = rhywbeth neu'i gilydd"*.
Gan fod gwerthoedd *màs* a *chyflymiad* yn cael eu rhoi,
y fformiwla *"F = ma"* yw'r *dewis gorau*.
Felly *rhowch y rhifau* a gewch yn lle'r llythrennau:
m = 12, a = 5, ac felly mae *"F = ma"* yn rhoi $F = 12 \times 5 = 60$ N (*Newtonau* yw unedau grym)
(Nid oes raid *llawn ddeall* beth sy'n digwydd — ond mae angen gwybod *sut i ddefnyddio fformiwlâu*.)

C2) Mae'r un grym yn gweithredu ar fàs arall ac mae'n cyflymu ar 6 m/s². Beth yw ei fàs?

ATEB. Mae'r cwestiwn yn cyfeirio at *rym*, *màs* a *chyflymiad*, ac felly y fformiwla eto yw "F = ma".
Y tro hwn rhaid darganfod *m*, sy'n golygu defnyddio *triongl fformiwla*.
Cuddiwch m i gael: *"m = F/a"* (m = F ÷ a)
Gan fod *F = 60 N* ac *a = 6 m/s²* rhown y rhain i mewn i gael: *m = 60/6 = 10 kg*. Hawdd?

Y Drydedd Ddeddf — Grymoedd Adwaith

Os yw gwrthrych A *YN GWEITHREDU GRYM* ar wrthrych B yna bydd gwrthrych B yn gweithredu *YR UNION RYM DIRGROES* ar wrthrych A

1) Mae hyn yn golygu os ydych chi *yn gwthio yn erbyn wal*, y bydd y wal yn *gwthio'n ôl* yn eich erbyn chi *yr un mor galed*.
2) Cyn gynted ag y byddwch yn *stopio* gwthio, *bydd y wal hefyd yn stopio gwthio*.
3) Os meddyliwch dros hyn, rhaid fod *grym i'r gwrthwyneb* pan fyddwch yn sefyll yn erbyn wal — fel arall byddech chi (a'r wal) yn *cwympo*.
4) Os ydych yn *tynnu cert*, beth bynnag yw'r grym rydych *chi'n ei weithredu* ar y rhaff, bydd y rhaff yn gweithredu'r *union dyniad dirgroes* arnoch *chi*.
5) Os rhowch lyfr ar fwrdd, bydd *pwysau'r* llyfr yn gweithredu *ar i lawr* ar y bwrdd, — a bydd grym *hafal a dirgroes* yn cael ei weithredu *ar i fyny* gan y bwrdd ar y llyfr.
6) Os ydych yn cynnal llyfr yn eich *llaw*, bydd y llyfr yn gweithredu ei *bwysau* ar i lawr arnoch chi, a chwithau yn gweithredu grym *ar i fyny* ar y llyfr, a bydd yn aros *mewn cydbwysedd*.

Adwaith
Pwysau

Yn yr *Arholiad* gallant *brofi hyn* trwy ofyn i chi roi *saeth ychwanegol* i gynrychioli'r *grym adwaith*. Dysgwch y *ffaith bwysig* hon:

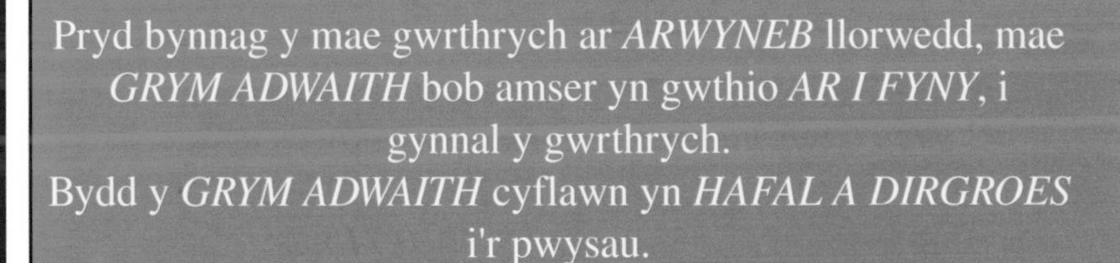
Pryd bynnag y mae gwrthrych ar *ARWYNEB* llorwedd, mae *GRYM ADWAITH* bob amser yn gwthio *AR I FYNY*, i gynnal y gwrthrych.
Bydd y *GRYM ADWAITH* cyflawn yn *HAFAL A DIRGROES* i'r pwysau.

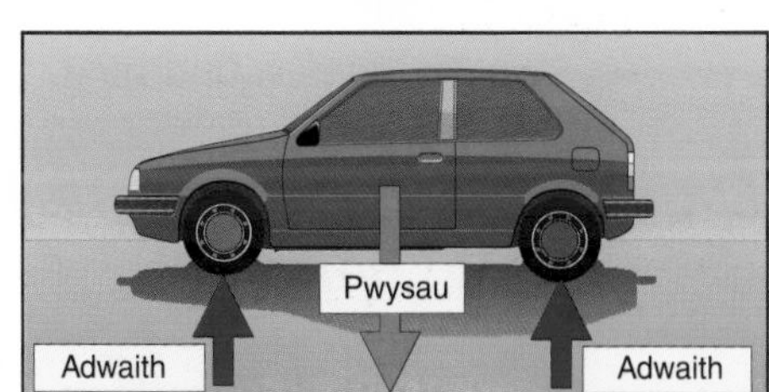

Wyddech chi — fod grym anghytbwys yn achosi cyf...

Da iawn Isaac Newton! Mae'r tair deddf mudiant yn eithaf trawiadol.
Bydd o werth i chi eu dysgu a'u dysgu'n drwyadl.
Yn y pen draw *dyna fydd raid i chi ei wneud* er mwyn deall *Y TAIR DEDDF*.

Buanedd, Cyflymder a Chyflymiad

Mae *Buanedd* a *Chyflymder* yn dweud: *PA MOR GYFLYM* RYDYCH YN SYMUD

Caiff *buanedd a chyflymder* ill dau eu mesur mewn *m/s* (neu km/a neu mya). Mae'r ddau yn dweud *pa mor gyflym* rydych yn mynd, ond mae *gwahaniaeth pwysig* rhyngddynt sydd raid *i chi ei wybod*:

BUANEDD yw *PA MOR GYFLYM* rydych yn mynd (e.e. 30 mya neu 20 m/s) heb sôn am gyfeiriad. Ond mae *CYFEIRIAD* hefyd gan *GYFLYMDER* sydd raid ei nodi, e.e. 30 mya *gogledd* neu 20m/s, 060°

Mae angen i chi wybod y gwahaniaeth.

Buanedd, Pellter ac Amser — Y *Fformiwla:*

$$\text{Buanedd} = \frac{\text{Pellter}}{\text{Amser}}$$

Rhaid i chi ddod *yn gyfarwydd* â'r *fformiwla hawdd hon.*
Fel arfer mae'r *triongl fformiwla* yn gwneud pethau'n *haws.*
Rhaid i chi gofio *trefn y llythrennau*, bPt, yn y triongl.

ENGHRAIFFT: Mae cath yn sleifio 20 m mewn 35 s. Darganfyddwch a) ei buanedd b) faint o amser mae'n ei gymryd i sleifio 75 m.

ATEB: Gan ddefnyddio'r triongl fformiwla: a) $b = p/t = 20/35 =$ ***0.57 m/s***
b) $t = p/b = 75/0.57 =$ ***131 s = 2 mun 11 eiliad***

Rydym yn aml yn defnyddio "buanedd (*b*)" a "chyflymder (*v*)" fel pe gellir eu cyfnewid. Er enghraifft, i gyfrifo cyflymder defnyddiwn y fformiwla uchod sydd ar gyfer buanedd.

Cyflymiad yw *Pa mor Gyflym* rydych yn *Ennill Buanedd*

YN BENDANT NID YW cyflymiad yr un peth â *chyflymder* neu *fuanedd.*

Bob tro y defnyddiwch y gair *cyflymiad*, cofiwch: "*fod cyflymiad yn HOLLOL WAHANOL i gyflymder.* Cyflymiad yw *pa mor gyflym* mae cyflymder *yn newid.*"

Mae cyflymder yn syniad syml. Mae cyflymiad (*a*) yn *anoddach*, ac oherwydd hyn mae'n *gymysglyd.*

Cyflymiad — Y *Fformiwla:*

$$\text{Cyflymiad} = \frac{\text{Newid yn y cyflymder}}{\text{Amser a Gymerwyd}}$$

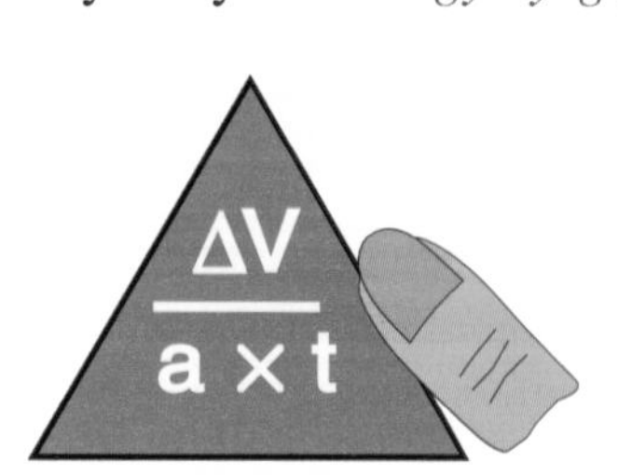

Dim ond fformiwla arall yw hon. Mae tri pheth yn y *triongl fformiwla.*
Mae *dau beth anodd* yma. Yn gyntaf, "ΔV" yw "*newid yn y cyflymder*", ac nid *gwerth syml* ar gyfer cyflymder neu fuanedd. Mae hyn i'w weld yn yr enghraifft isod. Yn ail *unedau* cyflymiad yw m/s^2. *Nid m/s*, sy'n *gyflymder*, ond m/s^2.

Sylwch eto: *Nid m/s, ond* m/s^2.

ENGHRAIFFT: Gall cath sy'n sleifio gyflymu o 2 m/s i 6 m/s mewn 5.6 s. Darganfyddwch ei chyflymiad.

ATEB Gan ddefnyddio'r triongl fformiwla: $a = \Delta V/t = (6 - 2)/5.6 = 4 \div 5.6 =$ ***0.71 m/s²***

Gwaith digon elfennol.

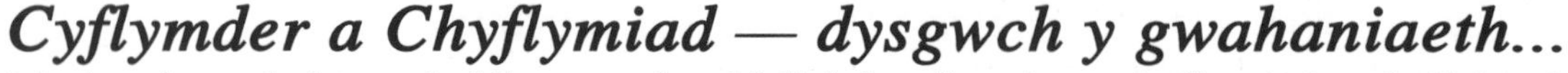

Cyflymder a Chyflymiad — dysgwch y gwahaniaeth...

Mae'n wir — dydy pawb ddim yn sylweddoli fod cyflymder a chyflymiad yn hollol wahanol.
Anodd credu hyn — ond dyna fel mae pethau.
Dysgwch y diffiniadau a'r fformiwlâu, *cuddiwch y dudalen* ac *ysgrifennwch y cyfan eto.*

Graffiau Pellter-Amser a Chyflymder-Amser

Dysgwch y manylion yn dda. Gwnewch yn siŵr hefyd eich bod yn gallu *gwahaniaethu* rhwng y ddau.

Graffiau Pellter-Amser

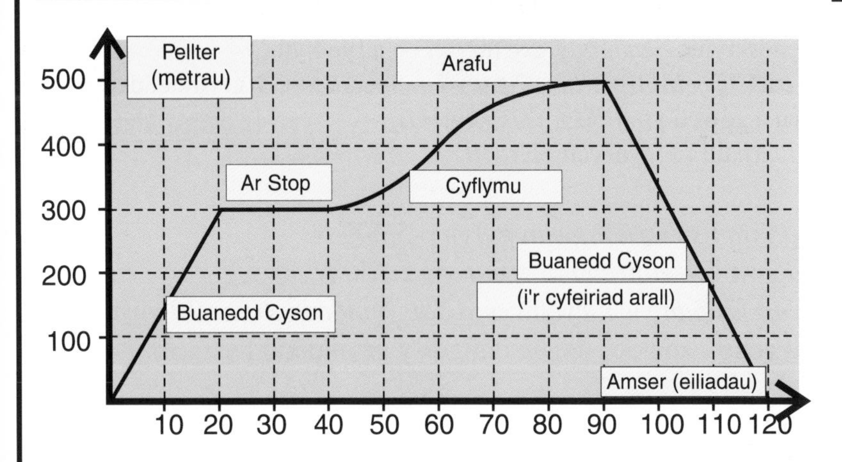

Nodiadau Pwysig:

1) *GRADDIANT = BUANEDD.*
2) *Adrannau fflat* yn dangos *disymudedd.*
3) Po *serthaf* yw'r graff, y *cyflymaf* yw'r symud.
4) Adrannau *ar i lawr* yn golygu *dychwelyd* tua'r man cychwyn.
5) *Cromliniau* yn cynrychioli *cyflymiad* neu arafiad.
6) *Cromlin sy'n mynd yn fwy serth* yn golygu *cyflymu* (graddiant yn cynyddu).
7) *Cromlin sy'n lefelu* yn golygu *arafu* i lawr (graddiant yn lleihau).

Cyfrifo Buanedd o Graff Pellter-Amser — dyma'r Graddiant

Er enghraifft y *buanedd* yn *adran dychwelyd* y graff yw:

$$Buanedd = graddiant = \frac{fertigol}{llorwedd} = \frac{500}{30} = 16.7 \text{ m/s}$$

Peidiwch ag anghofio fod yn rhaid defnyddio *graddfeydd yr echelinau* i gyfrifo'r graddiant. *Peidiwch â mesur mewn cm!*

Graffiau Cyflymder-Amser

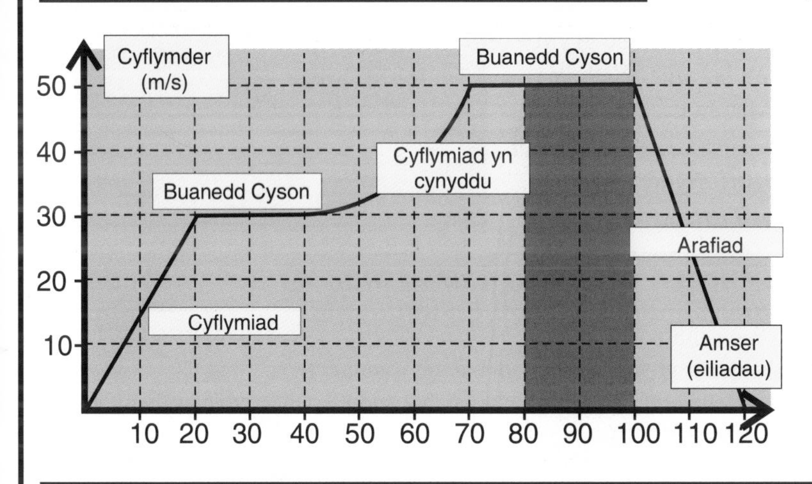

Nodiadau Pwysig:

1) *GRADDIANT = CYFLYMIAD.*
2) *Adrannau fflat* yn cynrychioli *buanedd cyson.*
3) Po *serthaf* yw'r graff, y *mwyaf* yw'r *cyflymiad* neu arafiad.
4) Adrannau *ar i fyny* (/) yw *cyflymiad.*
5) Adrannau *ar i lawr* (\) yw *arafiad.*
6) Mae'r *arwynebedd* o dan unrhyw adran o'r graff (neu'r cyfan) yn hafal i'r *pellter a deithiwyd* yn y *cyfwng hwn o amser.*
7) Mae *cromlin* yn golygu *cyflymiad yn newid.*

Cyfrifo Cyflymiad, Buanedd a Phellter o Graff Cyflymder-Amser

1) Y *CYFLYMIAD* a gynrychiolir gan *adran gyntaf* y graff yw:

$$Cyflymiad = graddiant = \frac{fertigol}{llorwedd} = \frac{30}{20} = 1.5 \text{ m/s}^2$$

2) Cawn y *BUANEDD* ar unrhyw bwynt yn syml trwy *ddarllen y gwerth* ar yr *echelin buanedd.*
3) Mae'r *PELLTER A DEITHIWYD* mewn unrhyw gyfwng o amser yn hafal i'r *arwynebedd*. Er enghraifft, mae'r pellter a deithiwyd rhwng t = 80 a t = 100 yn hafal i'r *arwynebedd sydd wedi'i dywyllu* sy'n *1000 m.*

Deall buanedd ac yn y blaen...

Yr hyn sy'n anodd am y ddau fath o graff yw eu bod yn edrych yn debyg, ond maent yn cynrychioli dau fath gwahanol o fudiant. Os ydych am eu gwneud (yn yr Arholiad) rhaid i chi *ddysgu'r holl bwyntiau sydd wedi'u rhifo* ar gyfer y ddau fath.

Grym Cydeffaith a Chyflymder Terfanol

Mae Grym Cydeffaith yn Bwysig Iawn — Yn arbennig ar gyfer "F = ma"

Mae'r syniad o *RYM CYDEFFAITH* yn bwysig iawn. Nid yw'n anodd, ond ar adegau caiff ei *anwybyddu*. Yn y rhan fwyaf o *sefyllfaoedd real* mae *o leiaf ddau rym* yn gweithredu ar wrthrych i unrhyw gyfeiriad. *Effaith cyflawn* yr holl rymoedd hyn fydd yn penderfynu *mudiant* y gwrthrych — a fydd yn *cyflymu*, *arafu* neu'n parhau i symud ar *fuanedd cyson*. Gellir cael *"yr effaith cyflawn"* trwy *adio neu dynnu'r* grymoedd sy'n pwyntio i'r *un* cyfeiriad. Gelwir y grym cyflawn a gewch yn *RYM CYDEFFAITH*.
Pan fyddwch yn defnyddio'r *fformiwla "F = ma"*, rhaid i F gynrychioli'r *GRYM CYDEFFAITH*.

ENGHRAIFFT: Mae gan gar o fàs 1750 kg injan sy'n rhoi grym gyrru o 5,200 N.
Ar 70 mya y grym llusgiad sy'n gweithredu ar y car yw 5,150 N.
Darganfyddwch ei gyflymiad a) pan yw'n cychwyn o ddisymudedd b) ar 70 mya.

ATEB: 1) Lluniwch ddiagram grym i'r ddau achos (nid oes angen dangos y grymoedd fertigol):

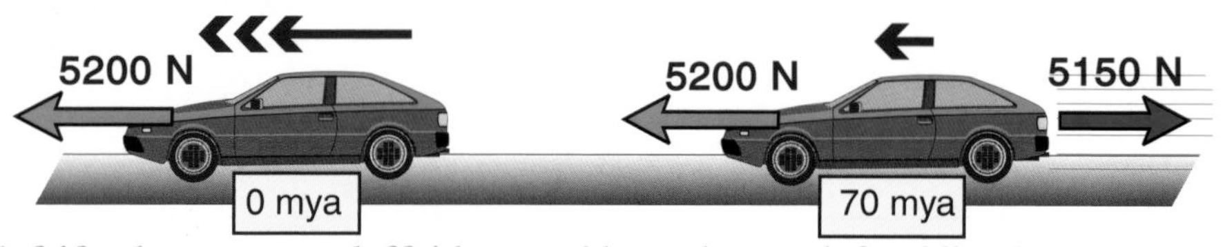

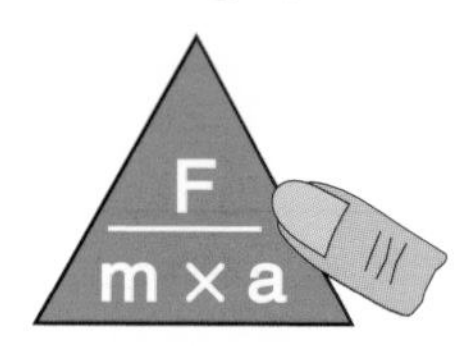

2) Cyfrifwch y grym cydeffaith yn y ddau achos, a defnyddiwch "F = ma" o'r triongl fformiwla:

Grym cydeffaith = 5,200 N
a = F/m = 5,200 ÷ 1750 = 3.0 m/s^2

Grym cydeffaith = 5,200 – 5,150 = 50 N
a = F/m = 50 ÷ 1750 = 0.03 m/s^2

Mae Ceir a Phethau sy'n Disgyn yn Rhydd i gyd yn Cyrraedd Cyflymder Terfanol

Pan fo ceir a gwrthrychau sy'n disgyn yn rhydd *yn cychwyn* mae grym *llawer mwy* yn eu *cyflymu* na'r *gwrthiant* sydd yn eu harafu. Wrth i'r *buanedd* gynyddu mae'r gwrthiant yn *adeiladu*. Mae hyn yn graddol *leihau* y *cyflymiad* nes yn y pen draw bydd y *grym gwrthiant* yn *hafal* i'r *grym cyflymu* ac yna ni fydd yn gallu cyflymu rhagor. Bydd wedi cyrraedd ei fuanedd macsimwm neu *CYFLYMDER TERFANOL*.

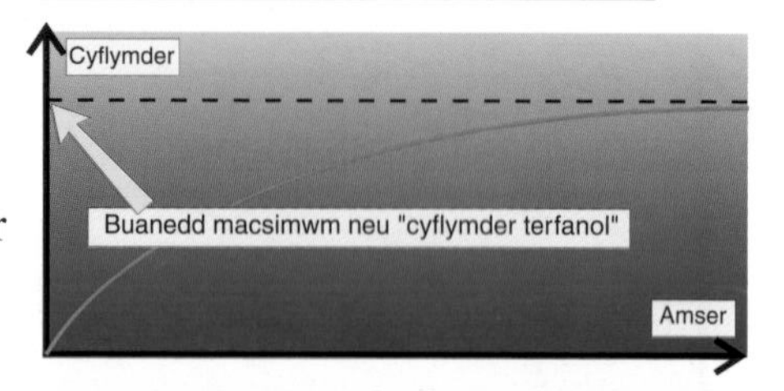

Mae Cyflymder Terfanol Gwrthych sy'n Disgyn yn dibynnu ar ei Siâp a'i Arwynebedd

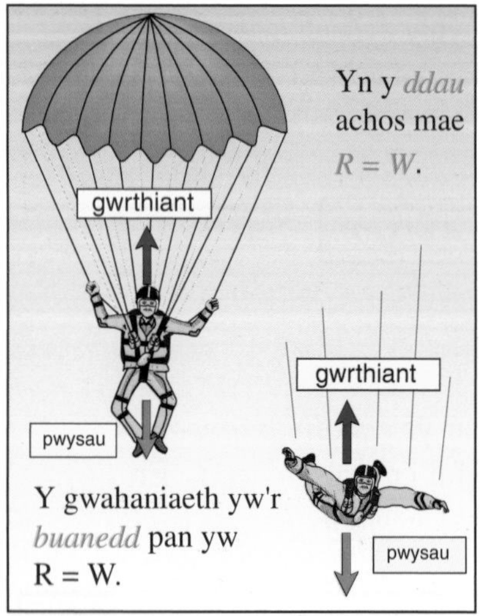

Yn y *ddau* achos mae *R = W*.

Y gwahaniaeth yw'r *buanedd* pan yw R = W.

Y *grym cyflymu* sy'n gweithredu ar *bob gwrthrych sy'n disgyn* yw *DISGYRCHIANT* a byddent yn cyd-ddisgyn ar yr *un gyfradd*, oni bai am *wrthiant aer*.
I brofi hyn, ar y lleuad, lle *nad oes aer*, byddai bochdewion a phlu wedi'u gollwng gyda'i gilydd yn *taro'r llawr gyda'i gilydd*.
Fodd bynnag, ar y Ddaear, mae *gwrthiant aer* yn achosi i bethau ddisgyn ar *fuaneddau gwahanol*, a chaiff *cyflymder terfanol* unrhyw wrthrych ei benderfynu gan ei *rym llusgiad* o'i *gymharu* â'i *bwysau*. Mae'r grym llusgiad yn dibynnu ar ei *siâp a'i arwynebedd*.

Yr enghraifft bwysicaf yw'r *dyn yn plymio o'r awyr*. Heb ei barasiwt ar agor mae ganddo *arwynebedd bychan* a grym o *"W=mg"* yn ei dynnu i lawr. Bydd yn cyrraedd ei *gyflymder terfanol* o tua *120 mya*.
Ond gyda'i barasiwt *ar agor*, mae llawer mwy o *wrthiant aer* (ar unrhyw fuanedd a roddir) a'r un grym yn union *"W=mg"* yn ei dynnu i lawr.
Golyga hyn fod ei *gyflymder terfanol* yn dod i lawr i ryw *15 mya*, sydd yn *fuanedd diogel* i daro'r llawr.

Dysgu am Wrthiant Aer...

Mae llawer o fanylion yma, a'r ffordd orau i ddarganfod faint rydych yn ei wybod yw *ysgrifennu traethawd byr* ar gyfer pob un o'r tair adran. Yna *edrych yn ôl* i weld beth rydych *wedi'i fethu*. Yna cynnig eto. *A dal i drio.*

Pellterau Stopio ar gyfer Ceir

Mae'r rhain yn ddefnyddiol ar gyfer cwestiynau Arholiad, felly *dysgwch nhw*.

Yr Amrywiol Ffactorau sy'n Effeithio ar y Cyfanswm Pellter Stopio

Mae pellter stopio car yn cynnwys y *PELLTER MEDDWL* a'r *PELLTER BRECIO*.

Dyfynnir y ffigurau isod ar gyfer pellterau stopio nodweddiadol o Reolau'r Ffordd Fawr. Mae'n frawychus gweld pa mor bell y mae'n ei gymryd i stopio wrth deithio ar 70 mya.

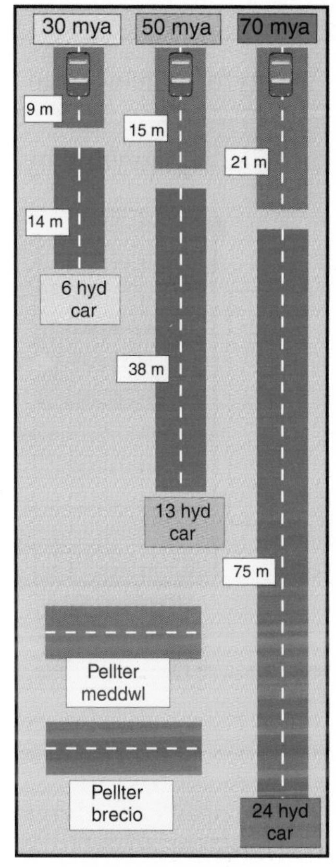

1) Pellter Meddwl

"Y pellter y mae car yn ei deithio yn yr amser byr iawn rhwng gweld arwydd perygl a dechrau brecio". Effeithir arno gan *DRI PHRIF FFACTOR*:

a) Pa mor GYFLYM rydych yn teithio — Amlwg braidd. Beth bynnag yw eich amser adweithio, po *gyflymaf* rydych yn teithio, y *pellaf* yr ewch.

b) Pa mor GYSGLYD yr ydych — Effeithir ar hyn gan *flinder*, *cyffuriau*, *alcohol*, *henaint*, ac agwedd *ddiofal*.

c) Pa mor WAEL yw'r GWELEDEDD — Mae glaw trwm a goleuadau etc. yn dod i'ch cyfarfod, yn gwneud *peryglon* yn anodd i'w gweld.

2) Pellter Brecio

"Y pellter y mae car yn ei deithio yn ystod yr arafiad tra bo'r brêc yn cael ei wasgu."
Effeithir arno gan *BEDWAR PRIF FFACTOR*:

a) Pa mor GYFLYM rydych yn teithio — Amlwg braidd. Po *gyflymaf* rydych yn teithio y *pellaf* mae'n ei gymryd i stopio (gweler isod).

b) Pa mor DRWM yw LLWYTH y cerbyd — Gyda'r *un* breciau, bydd cerbyd â *llwyth trwm* yn cymryd amser *hirach i stopio*.

Ni fydd car yn stopio mor gyflym pan yw'n llawn o bobl a phaciau ac yn tynnu carafán.

c) Pa mor dda yw eich BRECIAU — Rhaid *cadw golwg* ar yr holl freciau *a'u cynnal yn rheolaidd*. Bydd breciau diffygiol ac wedi treulio yn eich gadael i lawr *yn arw* pan fyddwch eu hangen *fwyaf*, h.y. mewn *argyfwng*.

ch) Pa mor dda yw'r CYDIAD — Mae hwn yn dibynnu ar *DRI PHETH*:
1) *arwyneb y ffordd*, 2) *y tywydd*, 3) *y teiars*.

Mae dail, diesel yn gollwng a baw ar y ffordd yn creu *peryglon mawr* gan eu bod yn *annisgwyl*. Mae *ffyrdd gwlyb* neu â *rhew* arnynt bob amser yn *llawer mwy llithrig* na ffyrdd sych, ond yn aml iawn dim ond pan fyddwch yn *brecio'n* galed y byddwch yn darganfod hyn! Dylai fod gan deiars *farciau â dyfnder* minimwm o *1.6 mm*. Mae hyn yn hanfodol i *gael gwared o ddŵr* o dan amodau gwlyb. *Heb farciau â dyfnder*, bydd teiar yn *teithio* ar *haen o ddŵr* ac yn llithro'n *hawdd iawn*. Dyma'r hyn sy'n cael ei alw'n "*sglefrio ar ddŵr*" ac nid yw hyn mor ddymunol ag y mae'n swnio.

Mae Pellter Stopio yn Cynyddu'n Fawr gyda Buanedd Ychwanegol

— Yn Bennaf Oherwydd y rhan v^2 yn EC = $\frac{1}{2}mv^2$

I stopio car, rhaid *trawsnewid egni cinetig*, $\frac{1}{2}mv^2$, yn *egni gwres* yn y *breciau a'r teiars*:

Egni Cinetig a Drosglwyddir = Gwaith a Wneir gan y breciau

$$\frac{1}{2}mv^2 = f \times p$$

(Gweler t. 64 ar Egni a Gwaith)

v = *buanedd* y car   f = *grym brecio* macsimwm   p = *pellter brecio*

DYSGWCH HYN: os ydych yn *dyblu'r buanedd*, byddwch yn dyblu gwerth *v*, ond mae v^2 yn golygu bod yr *EC* yn cynyddu gan ffactor o *bedwar*. Fodd bynnag, "f" bob amser yw'r grym brecio *macsimwm posibl* ac *ni ellir* ei gynyddu, felly rhaid i *p* hefyd gynyddu gan ffactor o *bedwar* i gael hafaliad *cytbwys*. H.y. os ewch *ddwywaith mor gyflym*, rhaid i'r *pellter brecio* "p" gynyddu gan *ffactor o bedwar* i afradloni'r *EC ychwanegol*.

Baw ar y ffordd...

Mae'r gwaith hwn yn ymwneud â diogelwch ac mae'n holl bwysig.
Dysgwch yr holl fanylion ac ysgrifennwch *draethawd byr* i weld faint rydych *yn ei wybod*.

Deddf Hooke

Deddf Hooke — Estyniad yn Gyfrannol â'r Llwyth

Mae deddf Hooke *yn hawdd*. Mae'n dweud:

Os ydych yn *ESTYN* rhywbeth â *GRYM CYNYDDOL CYSON*, yna bydd yr *HYD* yn *CYNYDDU'N GYSON* hefyd.

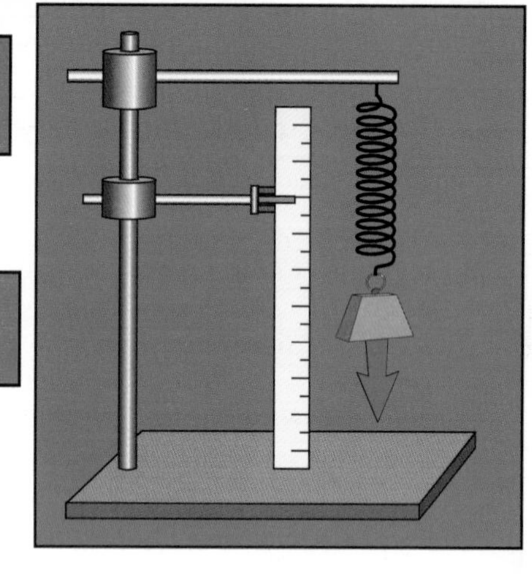

Y peth pwysig i'w fesur mewn arbrawf Deddf Hooke yw'r *ESTYNIAD*, nid yr hyd cyflawn.

ESTYNIAD yw'r *CYNNYDD YN YR HYD* o'i gymharu â'r hyd gwreiddiol *pan nad oes grym yn gweithredu.*

Ar gyfer y rhan fwyaf o ddefnyddiau, fe welwch fod *YR ESTYNIAD YN GYFRANNOL Â'R LLWYTH*, sy'n golygu os *dyblwch* y llwyth y bydd yr *estyniad yn dyblu hefyd*.

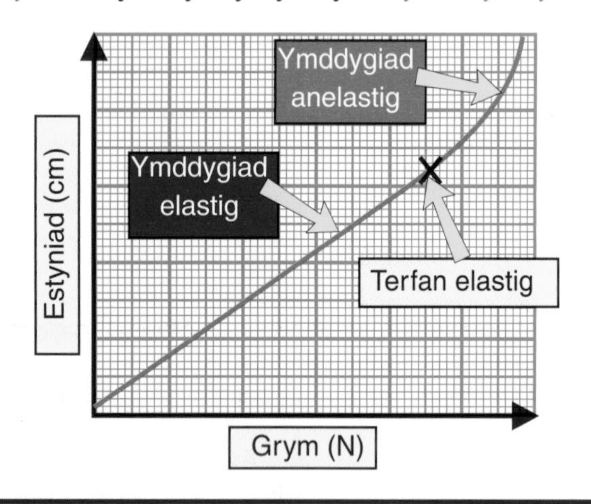

Dylech DDYSGU fod hyn bob amser yn rhoi *GRAFF LLINELL SYTH TRWY'R TARDD*, fel y dangosir yma ar gyfer *DAU ACHOS PWYSIG*, *gwifren fetel* a *sbring*.

Sylwch *yn y ddau achos* fod *terfan elastig*. Ar gyfer estyniadau *llai* na hyn, bydd y wifren neu'r sbring *yn dod yn ôl i'w siâp gwreiddiol*, ond os caiff ei estyn *y tu hwnt* i'r terfan elastig, bydd yn ymddwyn yn *anelastig*, sy'n golygu *nad yw'n* dilyn Deddf Hooke a hefyd *na fydd yn dychwelyd* i'w siâp gwreiddiol.

Estyn, Cywasgu, Plygu, Dirdroi, Croeswasgu...

Pan weithredir *cyfuniad o rymoeddd* ar *wrthrych solid*, gallant achosi *amrywiaeth o effeithiau*.
Mae angen i chi ddysgu'r diagramau isod yn ddigon da i allu rhoi holl fanylion pob effaith:

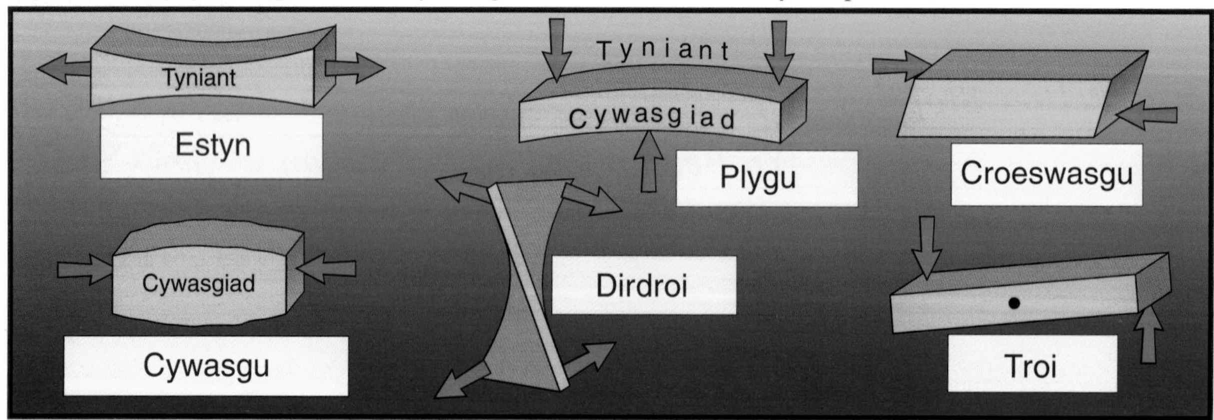

Gwnewch yn siŵr y gallwch roi'r *holl rymoedd* yn y *llefydd cywir* a dweud ym mhob achos lle mae neu a yw'r solid o dan *dyniant* neu *gywasgiad*. Sylwch weithiau *nad yw'r solid yn dychwelyd* i'w *siâp gwreiddiol* pan symudir ymaith y grymoedd. Yr enw ar hyn yw *YMDDYGIAD ANELASTIG*.

Deddf Hooke — gall eich estyn i'r terfan...

Gwaith digon elfennol yw Deddf Hooke. Gwnewch yn siŵr eich bod yn gwybod yr holl fanylion gan gynnwys y graff, a'r syniadau sy'n waelodol i'r rhan sy'n syth a'r rhan sy'n grwm. Hefyd gwnewch yn siŵr y gallwch lunio solidau fel uchod. Yna darganfyddwch beth rydych yn ei wybod: *cuddiwch, ysgrifennwch, gwiriwch, etc.*

Gwasgedd ar Arwynebau ac mewn Hylifau

Mae llawer o bobl yn cymysgu rhwng *grym* a *gwasgedd* — ond mae *gwahaniaeth mawr* rhyngddynt.

GWASGEDD yw'r GRYM SY'N GWEITHREDU ar UNED O ARWYNEBEDD arwyneb

Darllenwch ymlaen a dysgwch, wrth i ragor o wybodaeth danio eich dychymyg...

Mae gan Rym a Gwasgedd lawer i'w wneud â Niweidio Arwynebau

Mae grym wedi'i grynhoi ar *arwynebedd bychan* yn creu *gwasgedd mawr*— sy'n golygu bydd y peth yn *treiddio i mewn i'r arwyneb*. Ond gydag *arwynebedd mawr*, cewch *wasgedd bach* sy'n golygu *nad yw'n* treiddio i'r arwyneb.

Mae Grym wedi'i daenu dros Arwynebedd Mawr yn golygu Gwasgedd Isel a Dim Treiddiad

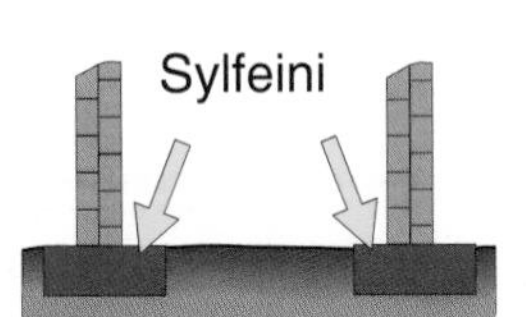

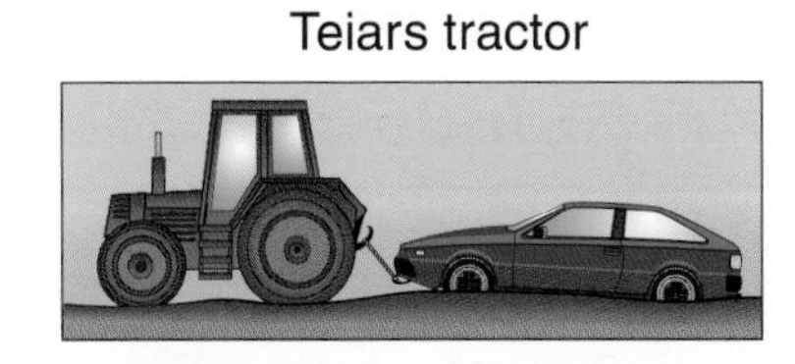

Mae Grym wedi'i grynhoi ar Arwynebedd Bychan yn golygu Gwasgedd Uchel a Niwed

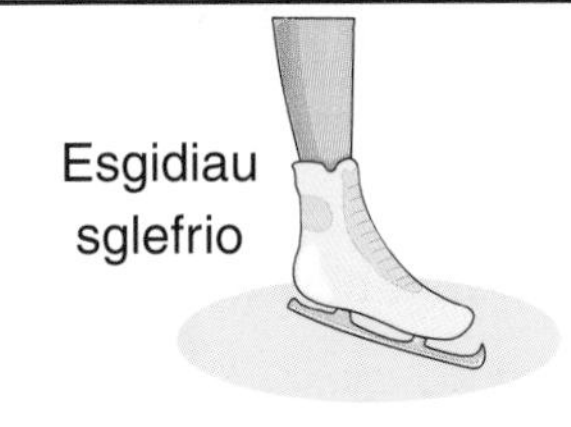

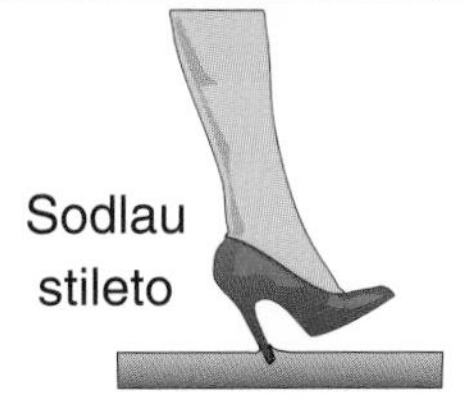

Mae Gwasgedd mewn Hylifau yn Gweithredu i Bob Cyfeiriad ac yn Cynyddu Gyda Dyfnder

1) Mewn *nwy* neu *hylif* mae'r un gwasgedd yn gweithredu *tuag allan i bob cyfeiriad*. Mae hyn *yn wahanol i solidau* sy'n trawsyrru grymoedd i *un cyfeiriad yn unig*.
2) Hefyd, mae'r *gwasgedd* mewn hylif neu nwy *yn cynyddu* wrth fynd yn *ddyfnach*. Digwydd hyn oherwydd bod *pwysau'r* holl ddeunydd *uwch ei ben* yn gwthio ar i lawr. Dychmygwch bwysau'r holl ddŵr *yn union uwch eich pen* ar ddyfnder o 100 m. Mae hwn i gyd yn *gwthio i lawr* ar y dŵr oddi tano ac yn *cynyddu'r gwasgedd* i lawr yno. Hyn sy'n cyfyngu ar *ddyfnder* llongau tanfor fel nad yw'r gwasgedd yn *malurio'r llong* neu'n torri uniadau gwan yn rhywle.
3) Mae *cynnydd y gwasgedd* hefyd yn dibynnu ar *ddwysedd* yr hylif. *Nid yw aer yn ddwys iawn*, felly nid yw gwasgedd aer yn newid ond *ychydig iawn* wrth fynd i fyny trwy'r atmosffer. Mae dŵr *yn* eithaf dwys, felly mae'r gwasgedd yn cynyddu'n gyflym, wrth fynd yn *ddyfnach* (gweler isod).

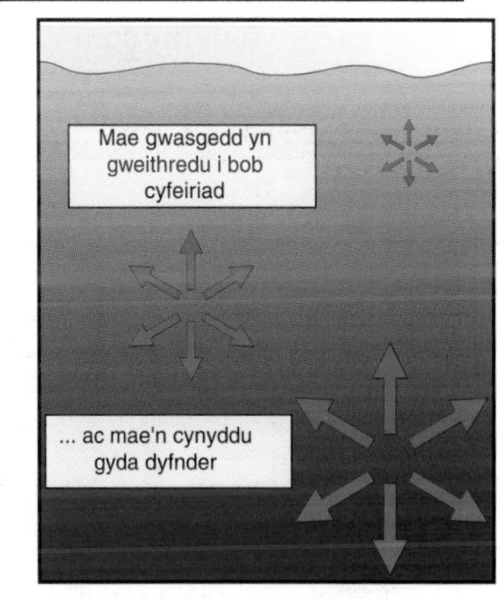

Gwneir Argaeau ar Ffurf Lletem oherwydd y Gwasgedd Cynyddol

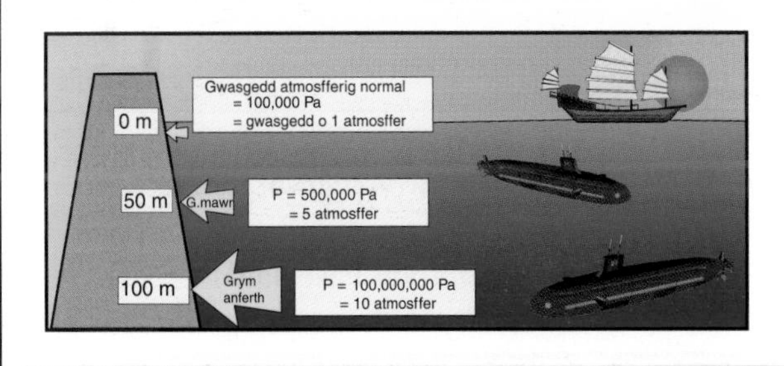

Mae hwn yn dangos yn glir sut mae *gwasgedd yn cynyddu gyda dyfnder* mewn hylif, felly *gwnewch yn siŵr* eich bod yn ei ddysgu. Rhaid i *argaeau* fod yn *llawer mwy trwchus* yn y *gwaelod* i ddal y *gwasgeddau mawr* sy'n cael eu creu gan *bwysau dŵr* uwchben. Sylwch ar y ffigurau ar gyfer 50 m a 100 m. Mae'r rhain yn *wasgeddau mawr*, ac wrth weithredu ar *arwynebedd mawr* o'r argae maent yn creu *grymoedd anferth*. Delfrydol ar gyfer ffilmiau trychineb.

Gwasgaru'r llwyth a gostwng y gwasgedd — adolygwch nawr...

Mae grym yn gysyniad hawdd.
Ond mae gwasgedd ychydig yn fwy anodd — a gall greu anawsterau.
Gwnewch yn siŵr eich bod yn *dysgu'r holl fanylion hyn* am wasgedd. Gallant fod o werth i chi yn yr Arholiad.

Gwasgedd = Grym / Arwynebedd

$$\text{Gwasgedd} = \frac{\text{Grym}}{\text{Arwynebedd}}$$

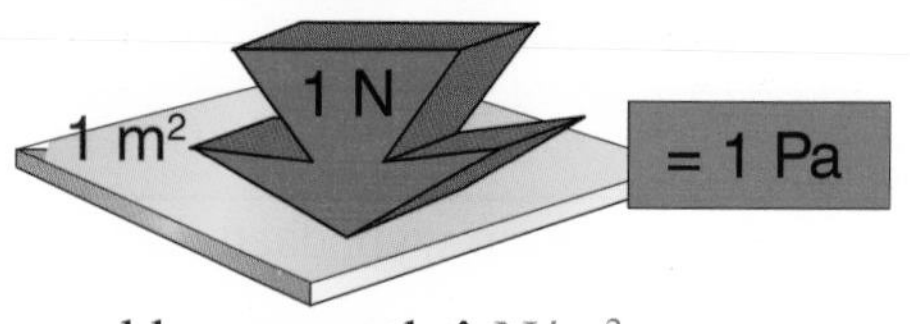

Yr *uned o wasgedd* arferol yw *Pascal*, Pa, sydd yr un peth â N/m^2.
Mae diffiniad ffansi ar gyfer Pascal. Dysgwch hwn os credwch y gall eich helpu:

Ceir gwasgedd o *UN PASCAL* gan *RYM O 1 N* yn gweithredu ar ongl sgwâr i *ARWYNEBEDD* o *1 m^2*

Gallwch gael cwestiynau ag arwynebeddau wedi'u rhoi mewn *cm^2*. Peidiwch â cheisio *newid cm^2 yn m^2* sydd yn anodd. Yn hytrach, cyfrifwch y gwasgedd gan ddefnyddio P = F/A yn y ffordd arferol, ond rhowch yr ateb N/cm^2 yn hytrach na N/m^2 (Pa). Cofiwch *nad* yw *N/cm^2* yr un peth â Pascal (sydd yn N/m^2).

Hydroleg — Prif Gymhwysiad "P = F/A"

Mae systemau hydrolig i gyd yn defnyddio *dwy nodwedd bwysig* o *wasgedd mewn hylifau*. *DYSGWCH NHW*:

1) CAIFF GWASGEDD EI DRAWSYRRU TRWY'R HOLL HYLIF, fel y gellir gweithredu grym yn hawdd *LLE BYNNAG MAE EI ANGEN*, trwy ddefnyddio pibellau hyblyg.

2) Gellir *LLUOSI'R* grym yn unol ag *ARWYNEBEDDAU'R* pistonau a ddefnyddir.

1) Mae pob system hydrolig yn defnyddio *meistr-biston BYCHAN* a *chaeth-biston MAWR*.
2) Defnyddir *meistr-biston* i weithredu *grym* sy'n rhoi'r hylif *o dan wasgedd*.
3) Caiff y gwsasgedd hwn ei *drawsyrru* trwy'r *holl hylif* yn y system, a rhywle *yn y pen arall* mae'n gwthio ar y *caeth-biston* sy'n *gweithredu grym* lle mae ei angen.
4) Mae gan y *caeth-biston* bob amser *arwynebedd llawer mwy* na'r *meistr-biston* fel y bydd yn gweithredu *grym llawer mwy* o'r gwasgedd a grewyd gan y grym ar y meistr-biston. Da iawn.
5) Yn y modd hwn defnyddir *systemau hydrolig* fel *lluosyddion grym*.
h.y. maent yn defnyddio *grym bychan* i greu *grym mawr iawn*.

Jac Hydrolig

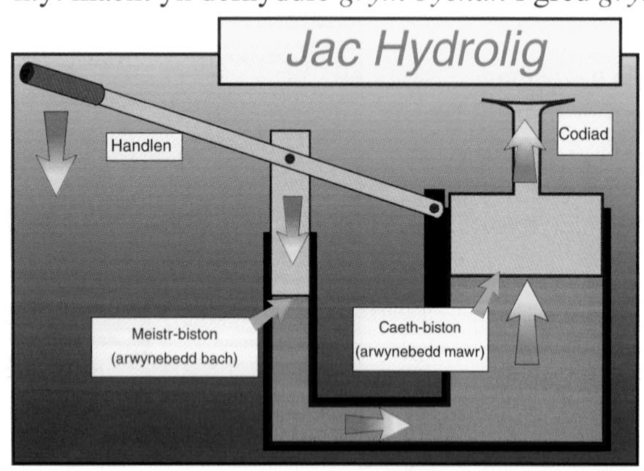

Breciau Car

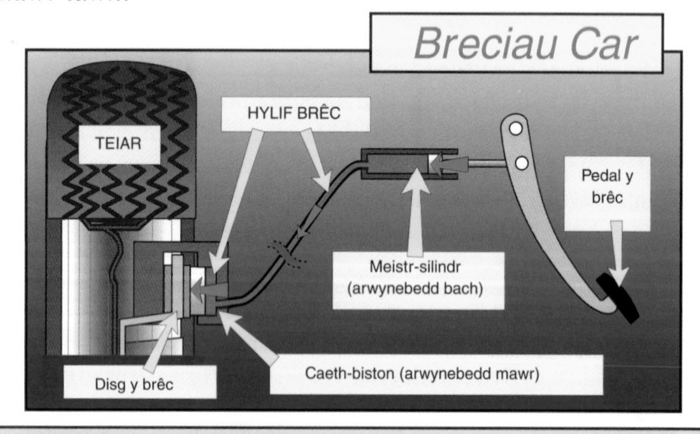

Y Dull Nodweddiadol ar gyfer y Cwestiwn Arholiad Nodweddiadol

1) Defnyddiwch *arwynebedd y meistr-silindr* a *grym* i gyfrifo'r *GWASGEDD YN Y SYSTEM*, P = F/A
2) Cymhwyswch y gwasgedd hwn i *arwynebedd y caeth-biston* i gyfrifo'r *GRYM A WEITHREDIR*, F = P × A

ENGHRAIFFT: Arwynebedd meistr-silindr car yw 4 cm^2. Os gweithredir grym o 400 N arno, cyfrifwch y gwasgedd a greir yn y pibellau brêc. Os arwynebedd y caeth-biston yw 40 cm^2, cyfrifwch y grym a weithredir ar ddisg y brêc.

ATEB: Yn y *meistr-biston*: Gwasgedd a greir = F/A = 400 N ÷ 4 cm^2 = 100 N/cm^2 (Nid Pascalau!)
Yn y *caeth-biston*: Grym a gynhyrchir = P × A = 100 × 40 = 4000 N (10 gwaith y grym gwreiddiol)

Dysgwch am Hydroleg — gwnewch y gwaith yn haws...

Mae angen i chi wybod y fformiwla am wasgedd, sy'n hawdd. Ond rhaid canolbwyntio ar sut y defnyddir y fformiwla (ddwywaith) i egluro sut mae'r systemau hydrolig yn newid grym bychan yn rym mawr. *Daliwch ati i weithio nes byddwch yn ei ddeall.*

Deddf Boyle: $P_1V_1 = P_2V_2$

Mae *DEDDF BOYLE* yn swnio'n llawer mwy cymhleth nag y mae. Dyma'r diffiniad:

Pan fo *GWASGEDD YN CYNYDDU* ar *fàs penodol o nwy* wedi'i gadw ar *dymheredd cyson*, mae'r *CYFAINT YN LLEIHAU*. Mae newidiadau gwasgedd a chyfaint mewn *CYFRANNEDD GWRTHDRO*.

Mae hyn yn ffordd *amlwg* i nwy ymddwyn. Mewn iaith syml:

Os gwasgwch nwy i ofod llai, bydd y gwasgedd yn mynd i fyny yn gyfrannol â maint y gwasgu, e.e. os ydych yn ei wasgu i hanner y gofod, bydd ei wasgedd ddwywaith yr hyn oedd cynt (cyn belled nad ydych yn gadael iddo fynd yn dwymach neu'n oerach, na gadael i ddim ddianc). Syml?

Gall weithio mewn *dwy ffordd*. Os *cynyddwch y GWASGEDD*, rhaid i'r *cyfaint LEIHAU*. Os *cynyddwch y CYFAINT*, rhaid i'r *gwasgedd LEIHAU*. Mae hyn yn eithaf amlwg.

Mae Arbrofion â Chwistrell Nwy yn Dda ar gyfer Dangos Deddf Boyle

1) Mae *chwistrell nwy* yn gwneud *sêl aerglos* ac yn dda i ddangos *Deddf Boyle*.
2) Rydych yn rhoi *pwysynnau ar y pen uchaf* i weithredu grym hysbys *pendant* sy'n gwthio'r piston ar i lawr.
3) Os *dyblwch y pwysau*, rydych hefyd yn *dyblu'r grym* sy'n *dyblu'r gwasgedd*.
4) Yna gallwch fesur y *newid yn y cyfaint* gan ddefnyddio'r *raddfa* ar ochr y chwistrell. Hawdd.

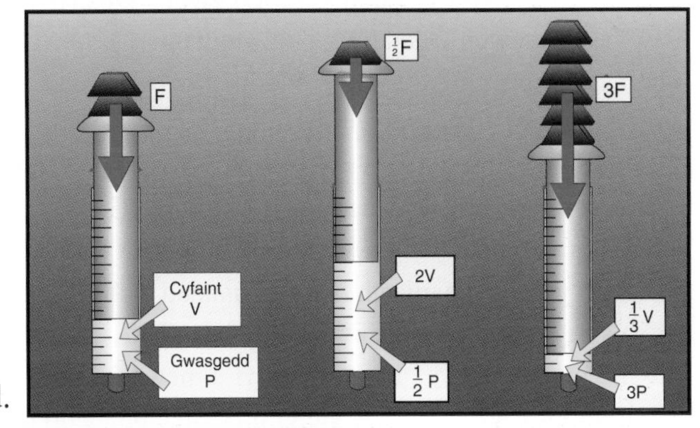

Defnyddio'r Fformiwla "PV = Cysonyn" neu "$P_1V_1 = P_2V_2$"

Dyma fformiwla arall. Ni allwch ei rhoi mewn triongl, ond gallwch *ddefnyddio'r rhifau sy'n cael eu rhoi i chi*, a *chyfrifo* gwerth y llythyren sydd ar ôl. Cofiwch nad oes raid i chi *ddeall* y Ffiseg *yn berffaith*, ond mae angen "synnwyr cyffredin" am *fformiwlâu*. Mae deall bob amser yn gymorth mawr, ond gallwch gael yr ateb cywir hebddo! Rhaid i chi fedru cysylltu pob gwerth â'r llythyren briodol.

ENGHRAIFFT: Caiff nwy ei gywasgu o gyfaint o 300 cm³ ar wasgedd o 2.5 atmosffer i lawr i gyfaint o 175 cm³. Darganfyddwch y gwasgedd newydd, mewn atmosfferau.

ATEB: Mae "$P_1V_1 = P_2V_2$" yn rhoi: $2.5 \times 300 = P_2 \times 175$, ac felly mae $P_2 = (2.5 \times 300) \div 175 = 4.3$ atm.

NB Ar gyfer y *fformiwla hon*, cadwch at *yr un* unedau ag a roddwyd i chi (h.y. gwasgedd mewn *atmosfferau*)

Mae'r Ddamcaniaeth Ginetig yn ei egluro'n Daclus

1) Achosir y *gwasgedd* y mae nwy yn ei *weithredu* ar *gynhwysydd* gan y gronynnau yn symud o gwmpas gan *daro waliau'r* cynhwysydd. Mae'n dibynnu ar *DDAU BETH*: pa mor *gyflym* maent yn symud a *pha mor aml* maent yn taro'r waliau.
2) Mae *pa mor aml* maent yn taro'r waliau yn dibynnu ar ba mor *gywasgedig* ydynt. Pan gaiff y *cyfaint ei leihau*, daw'r gronynnau *yn fwy cywasgedig* ac felly maent yn taro'r waliau *yn fwy aml*, ac felly mae'r *gwasgedd yn cynyddu*. *Ni* fydd *buanedd* y gronynnau yn newid cyn belled nad yw'r *tymheredd* yn newid.

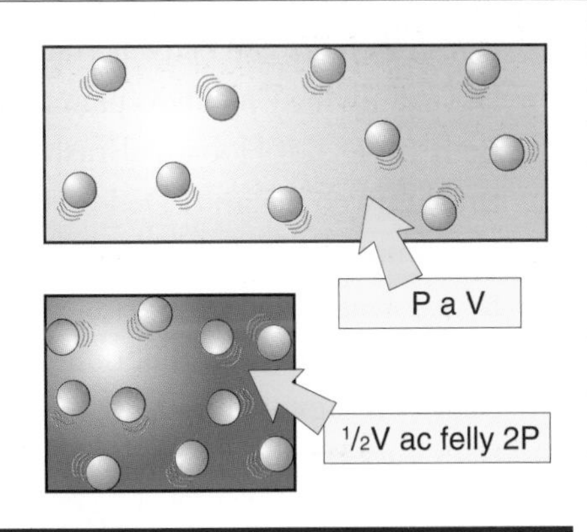

Llai o ofod, mwy o wrthdrawiadau, mwy o wasgedd...

Dyma dopig arall sy'n edrych yn fwy cymhleth nag y mae. Mae egwyddor sylfaenol Deddf Boyle yn ddigon hawdd, felly hefyd yr arbrofion â Chwistrell Nwy. Gall y fformiwla edrych yn anodd, ond nid felly o gwbl. Yn y diwedd rhaid *dysgu'r* gwaith. *Ysgrifennwch.*

Crynodeb Adolygu Adran 2

Rhagor o gwestiynau i chi eu mwynhau. Mae llawer o wybodaeth am rymoedd, mudiant a gwasgedd y mae'n rhaid i chi ei wybod. Mae rhai rhannau yn fwy anodd i'w deall, ond mae llawer o waith sydd raid ei ddysgu ar gyfer yr Arholiad. Rhaid i chi ymarfer y cwestiynau hyn drosodd a throsodd nes gallwch eu hateb yn hawdd. Pob hwyl i chi!

1) Beth yw disgyrchiant? Rhestrwch dri phrif effaith disgyrchiant.
2) Eglurwch y gwahaniaeth rhwng màs a phwysau. Beth yw'r unedau a ddefnyddir i'w mesur?
3) Beth yw'r fformiwla ar gyfer pwysau? Defnyddiwch enghraifft wedi'i gweithio i'w hegluro.
4) Rhestrwch chwe gwahanol fath o rym. Brasluniwch ddiagram i egluro pob un.
5) Brasluniwch bob un o'r pum diagram ar gyfer grym safonol, gan ddangos y grymoedd a'r math o fudiant.
6) Rhestrwch y tri math o ffrithiant a gwnewch fraslun i egluro pob un.
7) Disgrifiwch sut caiff ffrithiant ei effeithio gan fuanedd. Pa ddau effaith mae ffrithiant yn ei gael ar beiriannau?
8) A yw ffrithiant yn ddefnyddiol o gwbl? Disgrifiwch bum problem a fyddai gennym pe na byddai ffrithiant.
9) Ysgrifennwch Ddeddf Gyntaf Mudiant. Gwnewch ddiagram i'w darlunio.
10) Ysgrifennwch Ail Ddeddf Mudiant. Gwnewch ddiagram i'w darlunio. Beth yw'r fformiwla ar ei chyfer?
11) Mae grym 30 N yn gwthio troli o fàs 4 kg. Beth fydd y cyflymiad?
12) Beth yw màs cath sy'n cyflymu ar 9.8 m/s^2 pan fo grym o 56 N yn gweithredu arni?
13) Ysgrifennwch Drydedd Deddf Mudiant. Gwnewch bedwar diagram i'w darlunio.
14) Eglurwch beth yw *grym adwaith* a lle mae i'w gael. A yw'n bwysig gwybod amdano?
15) Beth yw'r gwahaniaeth rhwng buanedd a chyflymder? Rhowch enghraifft o bob un.
16) Ysgrifennwch y fformiwla ar gyfer cyfrifo buanedd. Faint yw buanedd llygoden sy'n teithio 3.2 m mewn 35 s. Pa mor bell yr â mewn 25 munud.
17) Beth yw cyflymiad? A yw yr un peth â buanedd neu gyflymder? Beth yw ei unedau?
18) Ysgrifennwch fformiwla ar gyfer cyflymiad.
    Beth yw cyflymiad pysen sy'n cael ei thaflu o ddisymudedd i fuanedd o 14 m/s mewn 0.4 s?
19) Brasluniwch graff pellter-amser nodweddiadol a dangoswch ei rannau pwysig.
20) Brasluniwch graff cyflymder-amser nodweddiadol a dangoswch ei rannau pwysig.
21) Ysgrifennwch bum pwynt pwysig sy'n perthyn i bob un o'r graffiau hyn.
22) Eglurwch sut i gyfrifo cyflymder o graff pellter-amser.
23) Eglurwch sut i ddarganfod buanedd, pellter a chyflymiad o graff cyflymder-amser.
24) Eglurwch beth yw "grym cydeffaith". Tynnwch ddiagram. Pryd rydych ei angen fwyaf?
25) Beth yw "cyflymder terfanol"? A yw yr un peth â buanedd macsimwm?
26) Beth yw'r ddau brif ffactor sy'n effeithio ar gyflymder terfanol gwrthrych sy'n disgyn?
27) Beth yw'r ddwy ran wahanol o gyfanswm pellter stopio car?
28) Rhestrwch dri neu bedwar ffactor sy'n effeithio ar bob un o ddwy ran y pellter stopio.
29) Pa fformiwla sy'n egluro pam mae'r pellter stopio yn cynyddu cymaint? Eglurwch pam mae'n gwneud hyn.
30) Beth yw Deddf Hooke? Brasluniwch y cyfarpar arferol. Eglurwch beth sydd raid i chi ei fesur.
31) Brasluniwch dri graff Deddf Hooke ac eglurwch eu siâp. Eglurwch "elastig" ac "anelastig".
32) Brasluniwch solid yn goddef: estyniad; cywasgiad; plyg; dirdroad; croeswasgiad; troad.
33) Beth yw diffiniad gwasgedd? Pa gyfuniad o rym ac arwynebedd sy'n rhoi gwasgedd uchel?
34) Brasluniwch bedwar diagram yn dangos sut mae a) lleihau gwasgedd a b) cynyddu gwasgedd.
35) Beth sy'n digwydd i wasgedd wrth fynd yn ddyfnach? I ba gyfeiriad y mae'r gwasgedd yn gweithredu?
36) Beth yw'r fformiwla am wasgedd? Ym mha unedau y caiff ei roi? Beth yw'r diffiniad?
37) Ysgrifennwch ddwy nodwedd gwasgedd mewn hylifau sy'n caniatáu i systemau hydrolig weithio.
38) Brasluniwch jac a system frecio car, ac eglurwch sut mae'r rhain yn gweithredu fel lluosyddion grym.
39) Beth yw Deddf Boyle? Brasluniwch arbrawf i'w harddangos. Beth yw'r fformiwla?
40) Caiff mesur pendant o nwy ar 5,000 Pa ei gywasgu i lawr i 60 cm^3, ac yn y broses mae'r gwasgedd yn codi i 260,000 Pa. Beth oedd y cyfaint cyn y cywasgu?

Tonnau — Egwyddorion Sylfaenol

Mae tonnau yn wahanol i bopeth arall. Mae ganddynt rai nodweddion *sy'n perthyn i donnau yn unig*:

Osgled, Tonfedd, Amledd a Chyfnod

Mae gormod yn cael y rhain *yn anghywir*. Sylwch yn ofalus:

1) Mae *OSGLED* yn mynd o'r *llinell ganol* i'r *brig*, NID o'r cafn i'r brig.
2) Mae *TONFEDD* yn cynnwys *cylchred gyflawn* y don, e.e. o *frig i frig*.
3) *AMLEDD* (*f*) yw sawl *ton gyflawn* sydd ar gael *bob eiliad* (yn mynd heibio i bwynt arbennig).
4) Y *CYFNOD* yw'r amser y mae *un don gyflawn* yn ei gymryd. Y fformiwla yw $T = 1/f$

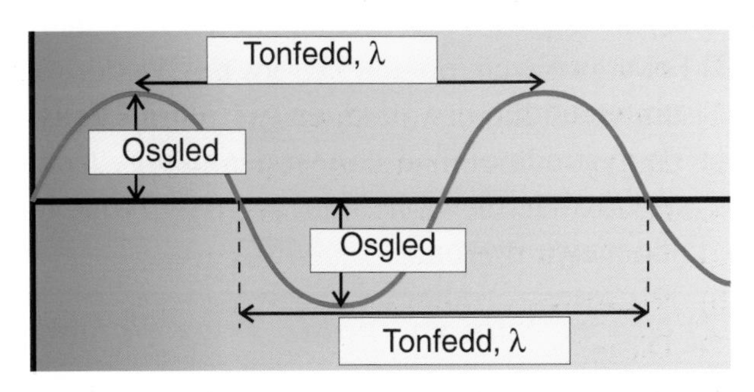

Mae gan Donnau Ardraws Ddirgryniadau Ochrol

Mae'r rhan fwyaf o donnau yn *DONNAU ARDRAWS*:

1) *Golau* a'r *holl donnau EM eraill*.
2) *Crychdonnau* ar ddŵr.
3) *Tonnau* ar *linynnau*.
4) *Sbring slinci* yn symud i fyny ac i lawr.

Mewn *TONNAU ARDRAWS* mae'r dirgryniadau *ar 90°* i *gyfeiriad teithio'r* don.

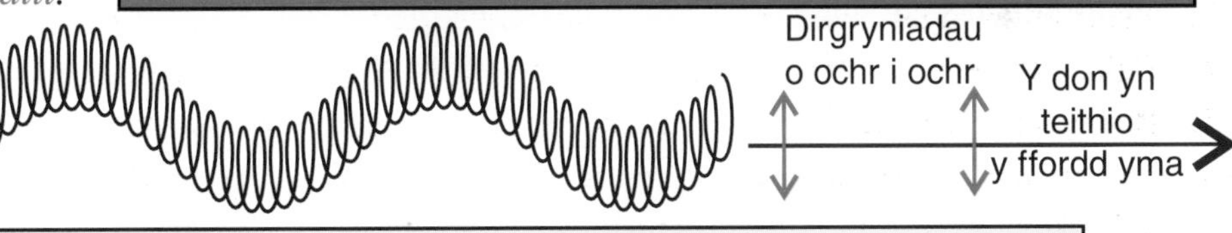

Mae gan Donnau Arhydol Ddirgryniadau ar hyd yr Un Llinell

Mewn *TONNAU ARHYDOL* mae'r dirgryniadau *AR HYD YR UN CYFEIRIAD* ag y mae'r don yn teithio.

Yr UNIG donnau arhydol yw:

1) *Tonnau Sain.*
2) *Tonnau Sioc* e.e. *Tonnau P seismig* (gweler t. 49).
3) *Sbring slinci* o gael *plwc.*

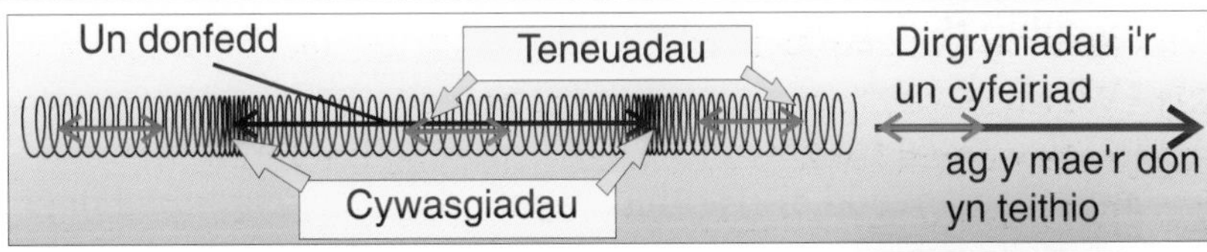

4) *Peidiwch â chael eich cymysgu* gan arddangosiadau OPC sy'n dangos *tonnau ardraws* wrth arddangos *seiniau*. Mae'r don sain go iawn yn *arhydol* — mae'r arddangosiad yn dangos ton ardraws *fel y gallwch chi weld beth sy'n digwydd.*

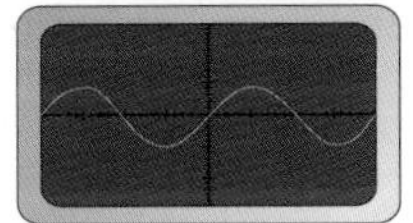

Mae'r Holl Donnau YN CLUDO EGNI — Heb Drosglwyddo Mater

1) Mae *golau, isgoch* a *microdonnau* i gyd yn *cynhesu pethau*. Gall *pelydrau X* a *phelydrau gama* achosi *ïoneiddiad* a *niweidio* celloedd, sydd hefyd yn dangos eu bod yn *cludo egni*.
2) Mae *synau uchel* yn gwneud i bethau *ddirgrynu neu symud*. Mae'r sŵn lleiaf yn symud *tympan eich clust*.
3) Gall tonnau môr *daflu cychod o gwmpas* a gallant *gynhyrchu trydan*.
4) Mae tonnau hefyd yn trosglwyddo *gwybodaeth* yn ogystal ag egni, e.e. teledu, radio, araith, opteg ffibr, etc.

Gellir ADLEWYRCHU, PLYGU a DIFFREITHIO tonnau

Mewn Arholiad gallant weld a ydych yn gwybod beth yw *priodweddau tonnau*, felly dysgwch nhw. Mae'r tri gair *yn gymysglyd o debyg* "yn Saesneg", ond *RHAID I CHI* ddysgu'r *gwahaniaeth* rhyngddynt.

Dysgwch am donnau...

Dyma waith elfennol iawn ar donnau. Pedair adran a phedwar pwynt ym mhob un. *Dysgwch* y penawdau, yna'r manylion. Yna *cuddiwch y dudalen* a gweld beth allwch ei *ysgrifennu*. Gwnewch hyn dro ar ôl tro nes y byddwch yn cofio'r cyfan. Dyma *farciau hawdd i'w hennill... neu eu colli.*

Tonnau Sain

1) Mae Tonnau Sain yn Teithio ar Amrywiol Fuaneddau mewn Sylweddau Gwahanol

1) Achosir *Tonnau Sain* gan *wrthrychau yn dirgrynu.*
2) *Tonnau arhydol* yw tonnau sain sy'n teithio ar *fuaneddau sefydlog* mewn *cyfryngau* penodol fel y dangosir yn y tabl.
3) Fel y gwelwch, po *ddwysaf* yw'r sylwedd, y *cyflymaf* fydd sain yn teithio drwyddo, yn gyffredinol felly.
4) Yn gyffredinol mae sain yn *teithio'n gyflymach mewn solidau* nag mewn hylifau, ac yn gyflymach mewn hylifau nag mewn nwyon.

Cyfrwng	Dwysedd	Buanedd Sain
Haearn	7.9 g/cm³	5000 m/s
Rwber	0.9 g/cm³	1600 m/s
Dŵr	1.0 g/cm³	1400 m/s
Corc	0.3 g/cm³	500 m/s
Aer	0.001 g/cm³	330 m/s

2) Nid yw Sain yn Teithio Trwy Wactod

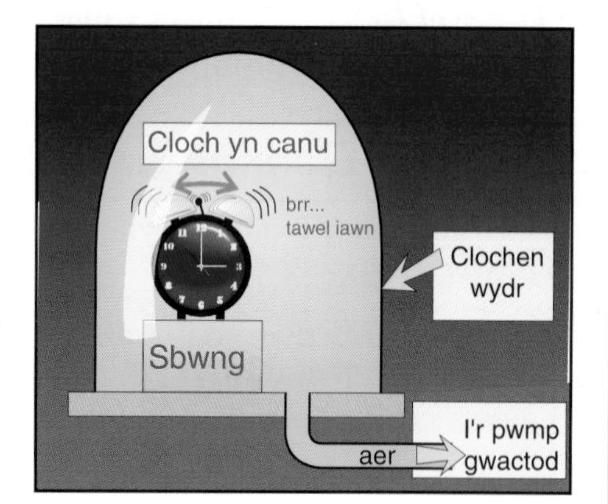

1) Gellir *adlewyrchu*, *plygu* a *diffreithio* tonnau sain.
2) Un peth *na allant ei wneud* yw teithio trwy *wactod.*
3) Gellir *dangos hyn* trwy'r *arbrawf â'r glochen.*
4) Wrth i'r *aer gael ei sugno allan* gan y *pwmp gwactod*, bydd y sain *yn mynd yn ddistawach ac yn ddistawach.*
5) Rhaid *gosod* y glochen ar rywbeth tebyg i *sbwng* i atal y sain rhag teithio trwy'r arwyneb solid a gwneud i'r fainc ddirgrynu, oherwydd dyna fyddwch yn ei glywed.

3) Gall Gormod o Sŵn Niweidio eich Clyw

1) Amrediad arferol y clyw dynol yw o *20 Hz* i *20,000 Hz*, ond bydd y terfan uchaf yn *lleihau gydag oedran. Ni ellir clywed* seiniau ag amleddau dros 20,000 Hz. Nid gan fodau dynol beth bynnag.
2) Gall *cŵn* glywed i fyny at *40,000 Hz* felly mae chwibanau cŵn yn gweithio rhwng *20 kHz* a *40 kHz.* Ni allwn *ni* eu clywed ond *gall* cŵn eu clywed.
3) Bydd *gormod o sŵn uchel* yn *niweidio* eich clyw. Caiff *pen uchaf* yr amrediad amledd ei effeithio fwyaf. *Stereos personol* a *pheiriannau swnllyd* yw'r ddau brif beth a fydd yn difetha clyw pobl.

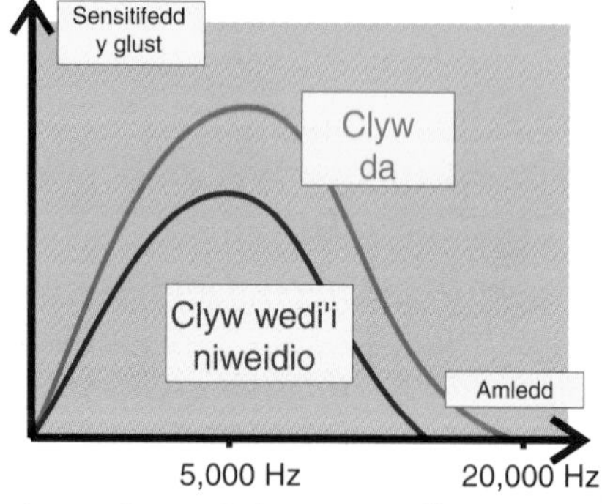

4) Llygredd Sŵn

1) Un ffynhonnell *llygredd sŵn* yw *peiriannau swnllyd* fel *peiriannau torri gwair*, *peiriannau tyllu* a *driliau niwmatig*, etc.
2) Un arall yw *cymdogion swnllyd,* eu peiriannau stereo, eu cŵn yn cyfarth, a'u plant anystywallt.
3) Mae *effeithiau niweidiol* i lygredd sŵn, y prif rai yw *straen* a *methu gweithio.*
4) Gellir *lleihau'r* llygredd sŵn trwy:
   a) *DDISTEWI'R FFYNHONNELL* b) *YNYSU CARTREFI*, *ADEILADAU* neu'r *CLUSTIAU*.

DULLIAU PENODOL O LEIHAU LLYGREDD SŴN:
1) Rhoi *TAWELYDDION* ar *beiriannau,* a rhyw fath o *GADACHAU* ar unrhyw *beiriannau* eraill.
2) Rhoi *YNYSYDD SŴN* mewn *ADEILADAU*: *teils acwstig*, *llenni*, *carpedi* a *gwydr dwbl.*
3) Gwisgo *plygiau clust.*

Pe byddai sŵn yn teithio trwy wactod — byddai dyddiau braf yn swnllyd...

Mae'r dudalen hon wedi'i rhannu yn bedair adran gyda phwyntiau pwysig wedi'u rhifo ym mhob un. Maent yn y maes llafur ac felly gallant fod yn yr Arholiad. *Dysgwch a mwynhewch.*

Sain: Traw a Chryfder

1) Ceir Atseiniau a Datseinedd wrth i Sain gael ei ADLEWYRCHU

1) Ni chaiff sain ei *adlewyrchu* ond oddi ar *arwynebau fflat caled.* Mae pethau fel *carpedi* a *llenni* yn gweithredu fel *arwynebau amsugno* sydd yn *amsugno* seiniau yn hytrach na'u hadlewyrchu.
2) Mae hyn yn amlwg iawn yn y *datseinedd* mewn *ystafell wag.* Bydd ystafell wag fawr yn swnio'n *gwbl wahanol* gynted ag y bydd carpedi a llenni ynddi, ac ychydig o ddodrefn, oherwydd bod y pethau hyn yn amsugno'r sain yn gyflym ac yn atal *atseinio* (datseinio) o amgylch yr ystafell.

2) Mae Osgled yn fesur o'r Egni mae Unrhyw Don yn ei Gludo

1) Po *fwyaf yw'r OSGLED*, y *mwyaf o EGNI* fydd y don yn ei gludo.
2) Mewn *SAIN* ystyr hyn yw *CRYFHAU.*
3) Mae *osgled mwy* yn golygu *sain cryfach.*
4) Mewn *GOLEUNI*, mae osgled mwy yn golygu y bydd yn *FWY LLACHAR.*

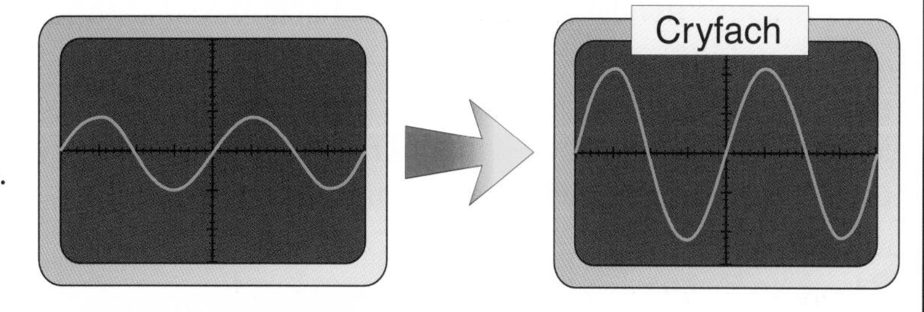

3) Mae Amledd Ton Sain yn Penderfynu Traw y Sain

1) Mae gan *donnau sain amledd uchel*, fel *llygoden yn gwichian*, *DRAW UCHEL.*
2) Mae gan *donnau sain amledd isel*, fel *buwch yn brefu*, *DRAW ISEL.*
3) *Amledd* yw nifer y *dirgryniadau cyflawn* bob eiliad. Caiff ei fesur mewn *Hertz*, *Hz.*
4) *Unedau cyffredin eraill* yw *kHz* (1000 Hz) a *MHz* (1,000,000 Hz).
5) Mae *amledd uchel* (neu draw uchel) hefyd yn golygu *tonfedd fyrrach.*
6) Mae'r *sgriniau OPC* hyn yn *bwysig iawn* felly dysgwch y cyfan amdanynt:

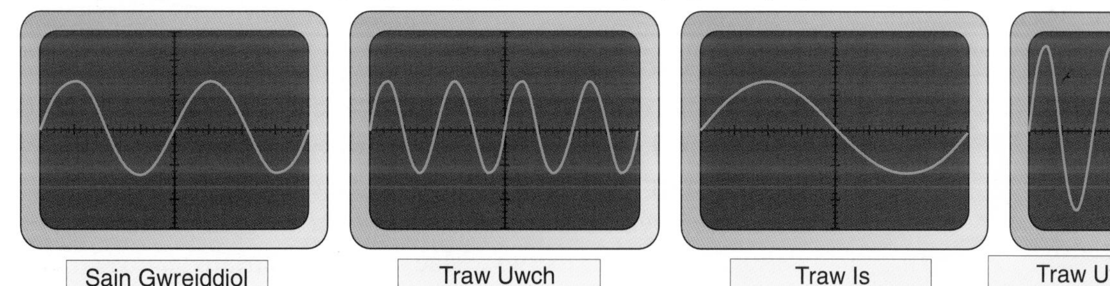
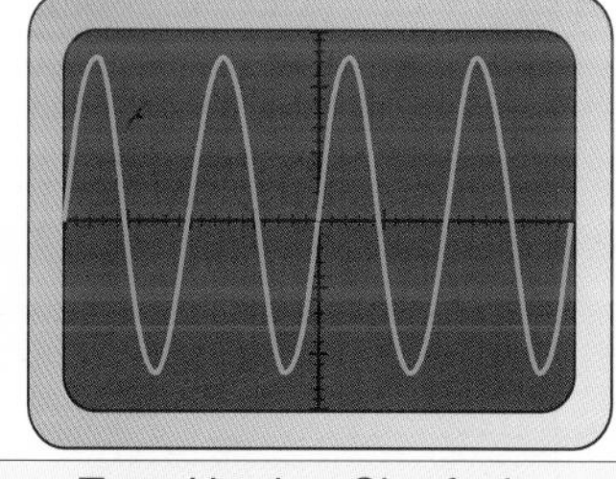

Sain Gwreiddiol | Traw Uwch | Traw Is | Traw Uwch a Chryfach

4) Mae Microffonau yn Newid Tonnau Sain yn Signalau Trydanol

1) *"Signal"* trydanol yn syml yw *cerrynt trydanol sy'n amrywio.*
2) Mae'r *amrywiadau* yn y cerrynt yn cludo'r *wybodaeth.*
3) Mae'r ceryntau o *ficroffon* yn *fach iawn* a chânt eu mwyhau yn *signalau llawer mwy* gan fwyhadur.
4) Gellir *recordio'r signalau* hyn o'r microffon a'u chwarae'n ôl trwy *seinyddion.*
5) Mae'r seinyddion yn newid *signalau trydanol* yn *donnau sain* — *sy'n groes* i'r hyn mae'r microffon yn ei wneud.

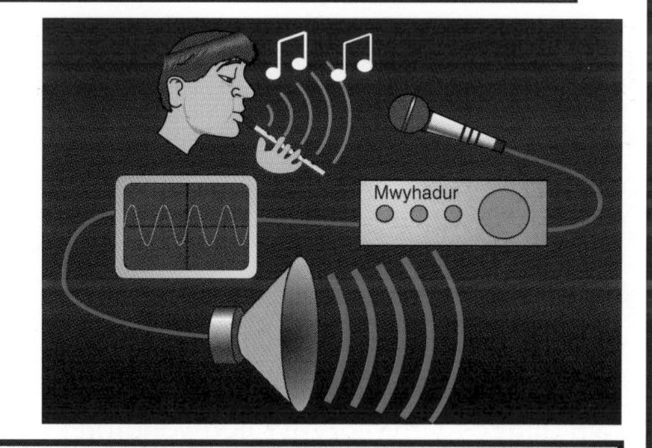

Osgled?...

Tudalen arall â phedair adran, etc.
Po fwyaf o'r gwaith rydych *yn ei ddysgu'n iawn*, y mwyaf o farciau a gewch yn yr Arholiad.
Marciau hawdd mewn gwirionedd.

Uwchsain

Uwchsain yw Sain ag *Amledd Uwch* nag y gallwn ni ei *Glywed*

Gellir gwneud dyfeisiau trydanol sy'n gallu cynhyrchu *osgiliadau trydanol* o *unrhyw amledd*. Gellir newid y rhain yn hawdd yn *ddirgryniadau mecanyddol* i gynhyrchu tonnau *sain* sydd y *tu hwnt i amrediad y clyw dynol* (h.y. amleddau uwchben 20 kHz). Gelwir hyn yn *UWCHSAIN* ac y mae iddo lawer o ddefnydd:

1) *Glanhau Diwydiannol*

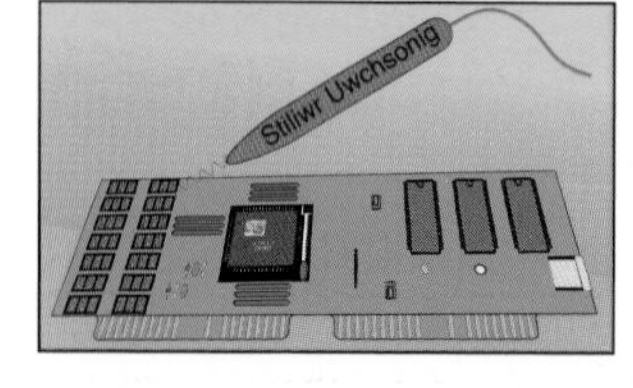

GELLIR DEFNYDDIO UWCHSAIN I LANHAU MECANWEITHIAU BREGUS heb orfod eu *datgymalu*. Gellir cyfeirio tonnau uwchsain at *fannau penodol* ac y maent yn effeithiol iawn ar gyfer *symud baw* a dyddodion eraill sy'n ffurfio ar *offer bregus*. Byddai ffyrdd eraill naill ai'n *niweidio'r* offer neu byddai angen *datgymalu'r offer* yn gyntaf.

GELLIR DEFNYDDIO'R UN DECHNEG I LANHAU DANNEDD.
Mae deintyddion yn defnyddio *offer uwchsain* i symud *yn ddi-boen* ddyddodion caled o *dartar* sy'n adeiladu ar ddannedd ac a all niweidio'r *deintgig*.

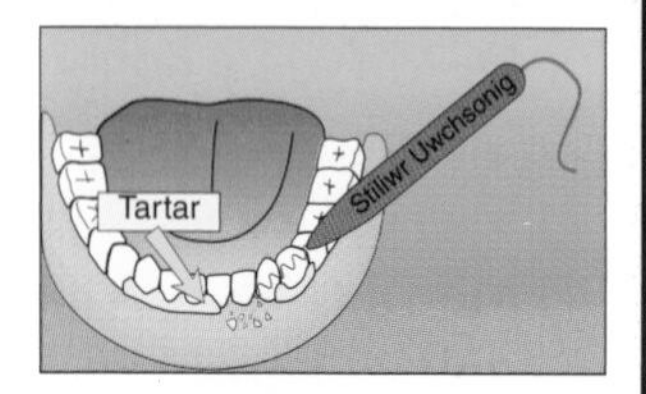

2) *Rheoli Ansawdd Diwydiannol*

Gellir gyrru *tonnau uwchsain* trwy rywbeth fel *castin metel*, a phryd bynnag y maent yn cyrraedd *ffin* rhwng *dau gyfrwng gwahanol* (fel metel ac aer) caiff peth o'r don ei *adlewyrchu'n ôl* a'i *ganfod*.
Bydd union *amseriad a dosraniad* yr *atseinau* yn rhoi *gwybodaeth fanwl* am yr *adeiladwaith mewnol*.
Fel arfer caiff yr atseiniau eu *prosesu gan gyfrifiadur* i gynhyrchu *arddangosiad gweledol* o'r hyn sydd y *tu mewn* i'r gwrthych.
Os oes craciau lle na ddylent fod *byddant i'w gweld*.

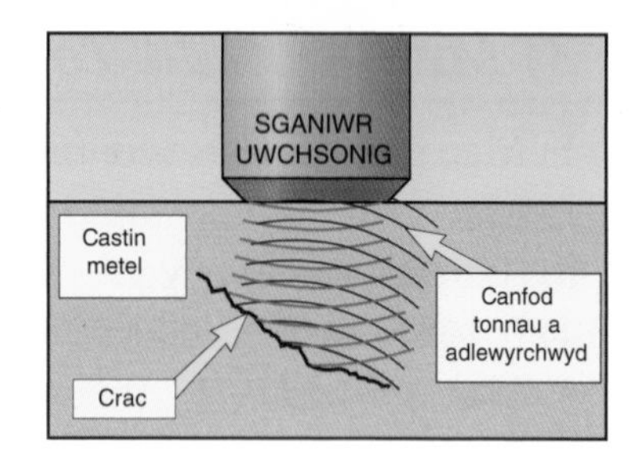

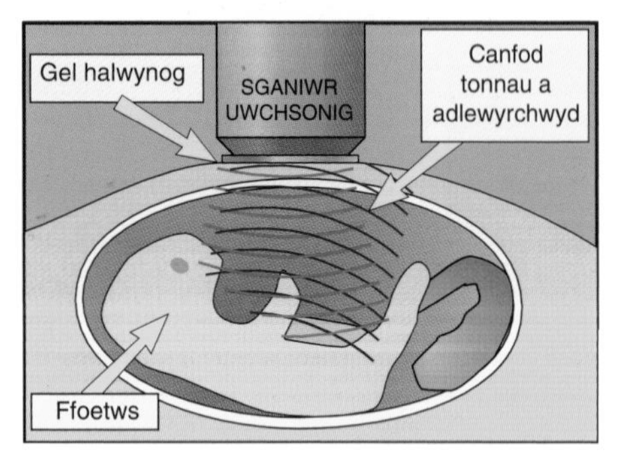

3) Ar gyfer *Sganio Ffoetws*

Mae hyn yn dilyn yr *un egwyddor* â rheoli ansawdd diwydiannol. Wrth i'r uwchsain daro *sylweddau gwahanol* caiff peth o'r don sain *ei adlewyrchu* a chaiff y tonnau a adlewyrchwyd eu *prosesu gan gyfrifiadur* i gynhyrchu *delwedd fideo* o'r ffoetws. Mae tonnau uwchsain *yn gwbl ddiogel* i'r ffoetws, *yn wahanol i belydrau X* a fyddai'n beryglus iawn.

4) Darganfod Cyrhaeddiad a Chyfeiriad — *SONAR*

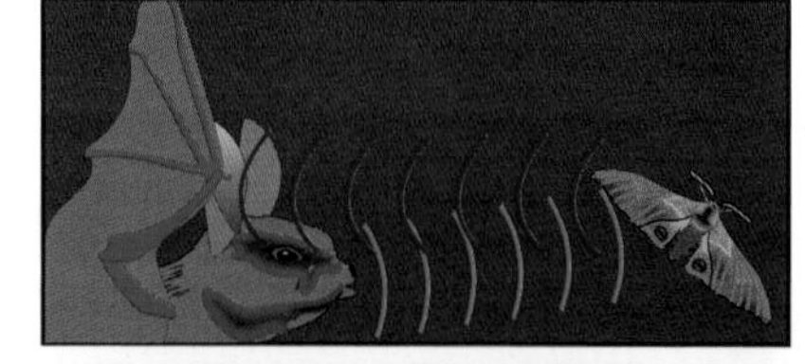

Mae *ystlumod* yn anfon *gwichiadau o draw uchel* (uwchsain) ac yn derbyn yr *adlewyrchiadau* â'u *clustiau mawr*. Gall eu hymennydd *brosesu'r* signal a adlewyrchwyd a'i newid yn *llun* o'r hyn sydd o gwmpas.
Mae ystlumod "*yn gweld*" felly gyda *thonnau sain*, digon i *ddal gwyfynod* wrth iddyn nhw *hedfan* mewn *tywyllwch* — tric da os gallwch ei wneud.
Defnyddir yr un dechneg ar gyfer *SONAR* sy'n defnyddio *tonnau sain o dan ddŵr* i ganfod nodweddion ar wely'r môr. Bydd *patrwm* yr adlewyrchiadau yn dangos y *dyfnder* a'r nodweddion sylfaenol.

Uwchsain...

Tudalen *arall* ar sain a phedair adran *eto*. Ond dim pwyntiau wedi'u rhifo y tro hwn. Bydd traethawd byr yn well syniad yma. *Dysgwch* y pedwar pennawd, yna *cuddiwch y dudalen* ac *ysgrifennwch draethawd byr* ar gyfer pob un, gyda diagramau. Mwynhewch.

Defnyddio $b = p/t$, $v = f\lambda$ ac $f = 1/T$

Fformiwlâu yw'r rhain, *fel yr holl fformiwlâu eraill*, ac mae'r *un rheolau yn gymwys* (gweler t. 9). Ond, mae *ychydig o fanylion ychwanegol* sy'n cydfynd â'r fformiwlâu hyn ar gyfer tonnau.

Y Rheol Gyntaf: Ceisiwch Ddewis y Fformiwla Gywir

1) Mae pobl yn *cael trafferth* wrth benderfynu *pa fformiwla* i'w defnyddio.
2) Yn aml mae cwestiwn yn dechrau "*Mae ton yn teithio...*", ac maent yn neidio at "$v = f\lambda$".
3) I ddewis y *fformiwla gywir* rhaid i chi edrych ar y *TRI maint* a nodir yn y cwestiwn.
4) Os yw'r cwestiwn yn nodi *buanedd*, *amledd* a *thonfedd*, yna "$v = f\lambda$" yw'r un i'w defnyddio.
5) Ond os *buanedd*, *amser* a *phellter* sydd yno, yna "$b = p/t$" yw'r un i'w defnyddio.

Enghraifft 1 — Crychdonnau Dŵr

a) Mae crychdonnau yn teithio 55 cm mewn 5 eiliad. Darganfyddwch eu buanedd mewn cm/s.
ATEB: Nodir pellter, buanedd ac amser yn y cwestiwn,
felly defnyddiwn "$b = p/t$": $b = p/t = 55/5 = 11$ cm/s

b) Tonfedd y tonnau hyn yw 2.2 cm. Beth yw eu hamledd?
ATEB: Y tro hwn nodir f a λ, felly defnyddiwn "$v = f\lambda$", a byddwn angen hwn:
sy'n dweud bod $f = v/\lambda = 11$ cm/s $\div$ 2.2 cm $= 5$ Hz

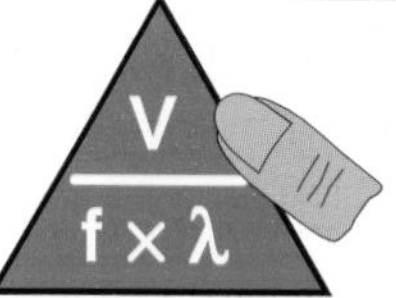

Yr Ail Reol: Gwyliwch yr Unedau —

1) Yr *unedau safonol (SI)* sy'n ymwneud â thonnau yw: *metrau*, *eiliadau*, *m/s* a *Hertz* (Hz).

NEWIDIWCH YN UNEDAU SI bob amser (m, s, Hz, m/s) cyn cyfrifo unrhyw beth

2) Yn aml mae gan donnau *amleddau uchel* wedi'u rhoi mewn *kHz* neu *MHz*, felly *dysgwch hyn* hefyd:

1 kHz (cilohertz) = 1,000 Hz   1 MHz (1 Megahertz) = 1,000,000 Hz

3) Rhoddir *tonfeddi* hefyd mewn *unedau eraill*, e.e. *km* ar gyfer radio tonfedd hir, neu *cm* ar gyfer sain.
4) Hefyd: *Buanedd Goleuni* yw *3×10^8 m/s = 300,000,000 m/s*. Ni bydd hwn, na rhifau megis *900 MHz = 900,000,000 Hz* yn addas ar gyfer llawer o gyfrifianellau. Mae gennych *dri dewis*:

   1) Mewnbynnu'r rhifau yn y *ffurf safonol* (3×10^8 a 9×10^8), neu...
   2) *Canslo* tri o'r chwe *sero* oddi ar y ddau rif, (cyn belled â'ch bod yn eu rhannu!), neu...
   3) Gwneud y cyfan heb *gyfrifiannell!* (Wir i chi, mae'n bosibl.)   Eich dewis chi.

Enghraifft 2 — Sain

C) Mae gan don sain sy'n teithio mewn solid amledd o 19 kHz a thonfedd o 12cm. Darganfyddwch ei buanedd.
ATEB: Nodir f a λ, felly defnyddiwn "$v = f\lambda$". Ond rhaid newid yr unedau yn SI:
Felly, $v = f \times \lambda = 19{,}000$ Hz $\times 0.12$ m $= 2{,}280$ m/s — newidiwch yr unedau ac ni chewch drafferth.

Enghraifft 3 — Pelydriad EM:

C) Mae gan don radio amledd o 92.2 MHz. Darganfyddwch ei thonfedd. (Buanedd goleuni yw 3×10^8 m/s.)
ATEB: Nodir f a λ, felly defnyddiwn "$v = f\lambda$". Mae tonnau radio yn teithio ar fuanedd goleuni.
Unwaith eto, rhaid newid yr unedau yn SI, ond rhaid hefyd defnyddio'r ffurf safonol:
$\lambda = v/f = 3 \times 10^8 / 92{,}200{,}000 = 3 \times 10^8 / 9.22 \times 10^7 = 3.25$ m (Mae rhai darnau sy'n gallu bod yn anghywir)

Yn olaf: Amledd = 1/Cyfnod Amser

C) Mae ton yn cwblhau 40 cylchred gyflawn mewn 8 eiliad. Beth yw ei chyfnod amser, T, a'i hamledd, f, mewn Hz?
ATEB: T = amser un gylchred $= 8$ eiliad $\div 40 = 0.2$ s $f = 1/T = 1 \div 0.2 = 5$ Hz

Mae'r gwaith ar fformiwlâu yn anodd...

Chwiliwch am y prif reolau ar y dudalen yma. *Cuddiwch y dudalen* ac *ysgrifennwch nhw*.
1) Mae gan don sain amledd o 2,500 Hz a thonfeddd o 13.2 cm. Darganfyddwch ei buanedd.
2) Tonfedd tonnau radio Radio 4 yw 1.5 km. Darganfyddwch eu hamledd.

Cwestiynau ar Fuanedd Sain

Buaneddau Cymharol Sain a Goleuni

1) Mae *golau* yn teithio tua *miliwn gwaith yn gyflymach* na *sain*, felly fyddech chi ddim yn trafferthu i gyfrifo faint o amser mae'n ei gymryd o'i gymharu â sain. Y cyfan a wnawn felly yw cyfrifo faint o amser mae *sain* yn ei gymryd i deithio.
2) Y *fformiwla* sydd ei hangen bob amser yw *b*p*t* ar gyfer *buanedd, pellter ac amser* (gweler t. 26).
3) Os yw rhywbeth sydd fwy na *100 m i ffwrdd* yn gwneud sŵn, a gallwch *weld* y weithred sy'n gwneud y sŵn, yna mae'r effaith yn eithaf *amlwg*. Enghreifftiau da yw:

a) *CRICED* — fe glywch y *"glec"* beth amser ar ôl gweld y bêl yn cael ei tharo.
b) *MORTHWYLIO* — fe glywch y *"glec"* pan yw'r morthwyl yn ei ôl *yn yr awyr*.
c) *PISTOL CYCHWYN* — fe *welwch y mwg* ac yna fe *glywch y glec*.
ch) *AWYREN JET* — byddwch bob amser yn ei gweld *o flaen* y man lle dywed y sŵn y dylai hi fod.
d) *MELLT A THARANAU* — mae fflach y fellten yn achosi sŵn y daran, a dywed y *cyfwng amser* rhwng y *fflach* a'r *dwndwr* pa mor bell yw'r fellten oddi wrthych.
Mae tua *phum eiliad o oediad ar gyfer pob milltir*. (1 filltir = 1600 m, $1600 \div 330 = 4.8$ s)

ENGHRAIFFT: Wrth edrych o'i ystafell ar draws maes chwarae'r ysgol, gwelodd y Prifathro bump o'r disgyblion anystywallt yn dinistrio rhywbeth pwysig â morthwyl. Cyn gweithredu'n gyflym, sylwodd fod oediad o 0.4 eiliad rhwng y morthwyl yn taro a'r sŵn yn cyrraedd ei glust. Pa mor bell i ffwrdd oedd y disgyblion anystywallt hyn? (Fel y gwyddoch mae sŵn yn teithio ar 330 m/s mewn aer.)

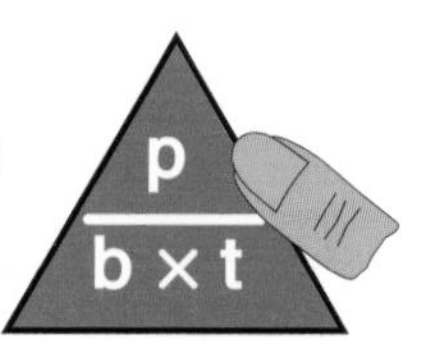

ATEB: Y fformiwla sydd ei hangen yw "Buanedd = Pellter/Amser" neu "b=p/t". Rydym am ddarganfod y pellter, p. Gwyddom yn barod mai'r amser yw 0.4 s, ac mai buanedd sŵn mewn aer yw = 330 m/s. Felly p = b × t (o'r triongl).
Cawn: $p = 330 \times 0.4 = 132$ m. (Dyma faint mae sŵn yn ei deithio mewn 0.4 eiliad.) Hawdd.

CWESTIYNAU ar ATSAIN — Peidiwch ag anghofio Ffactor o 2

1) Y *prif beth* i'w gofio gyda *chwestiynau atsain* yw bod yn rhaid naill ai *dyblu rhywbeth* neu *haneru rhywbeth* er mwyn cael yr *ateb cywir* gan fod sain yn gorfod teithio *y ddwy ffordd*.
2) Cofiwch: mae sain yn teithio ar *330 m/s mewn aer* ac ar *1400 m/s mewn dŵr*.
Bydd cwestiynau atsain yn debygol o fod mewn aer neu mewn dŵr, ac os oes raid i chi gyfrifo buanedd sain mae'n werth gwybod pa fath o rif y dylech ei gael.
Felly, er enghraifft, os cewch 170 m/s ar gyfer buanedd sain mewn aer, yna dylech sylweddoli eich bod wedi *anghofio'r ffactor o ddau* yn rhywle, ac yna gallwch *edrych yn ôl a chywiro*.

ENGHRAIFFT: Wedi diarddel y pum disgybl anysywallt o'i ysgol, dathlodd y prifathro trwy agor potel o win. Clywodd yr atsain 0.6 s yn ddiweddarach o ochr arall ei swyddfa fach. Pa mor fawr oedd y swyddfa fach?

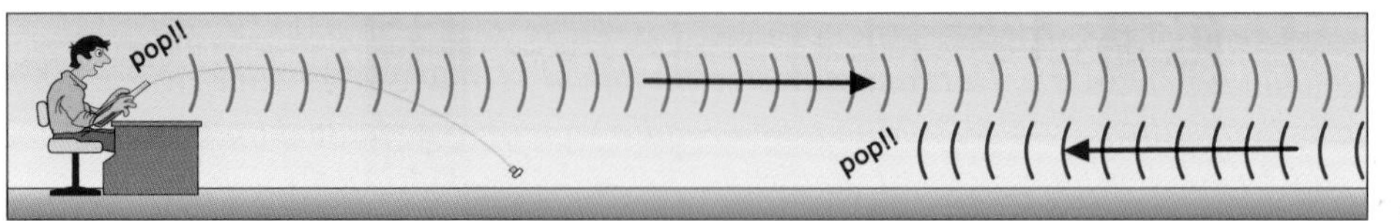

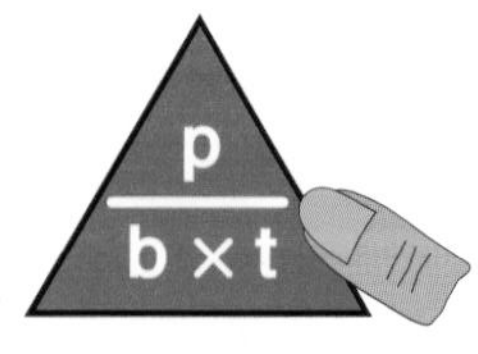

ATEB: Y fformiwla yw "Buanedd = Pellter/Amser" neu "b = p/t". Mae angen darganfod y pellter, p. Gwyddom yr amser 0.6 s a'r buanedd (sŵn mewn aer). Felly p = b × t (o'r triongl).
Cawn: $p = 330 \times 0.6 = 198$ m. Ond Gwyliwch! Peidiwch ag anghofio'r ffactor o 2 mewn cwestiynau atsain. Mae 0.6 s ar gyfer ymlaen ac yn ôl, ac nid yw'r swyddfa ond hanner y pellter hwn, sef 99 m o hyd.

Dysgwch am Atseiniau a'r Ffactor o Ddau...Ffactor o Ddau...Ffactor o Ddau...

Dysgwch y manylion ar y dudalen yma, yna *cuddiwch y dudalen* ac *ysgrifennwch*.
1) Mae dyn yn gweld cricedydd yn taro pêl ac yn clywed y glec 0.6 s yn ddiweddarach. Pa mor bell yw'r cricedydd?
2) Mae llong yn anfon signal sonar i wely'r môr ac yn darganfod yr atsain 0.7 s yn ddiweddarach. Beth yw'r dyfnder?

Adlewyrchiad: Priodwedd holl Donnau

Mae'r *Tanc Crychdonnau* yn dda am *Arddangos Tonnau*

Dysgwch yr holl ddiagramau hyn sy'n dangos *adlewyrchiad tonnau*. Gallant ofyn i chi gwblhau *unrhyw un ohonynt* yn yr Arholiad. Nid yw mor *hawdd* ag y tybiwch os nad ydych wedi *ymarfer* â'r gwaith *ymlaen llaw*.

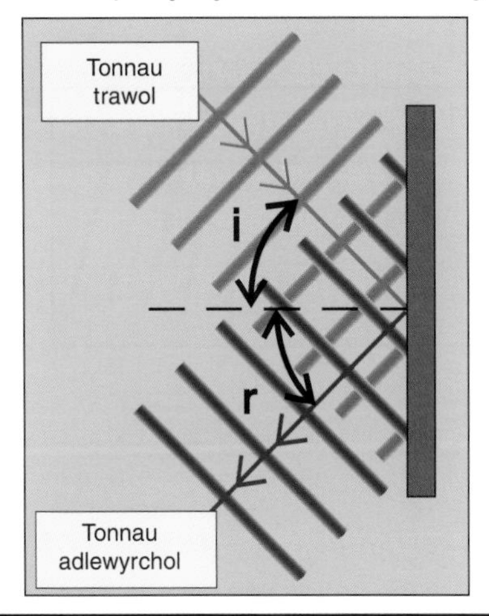

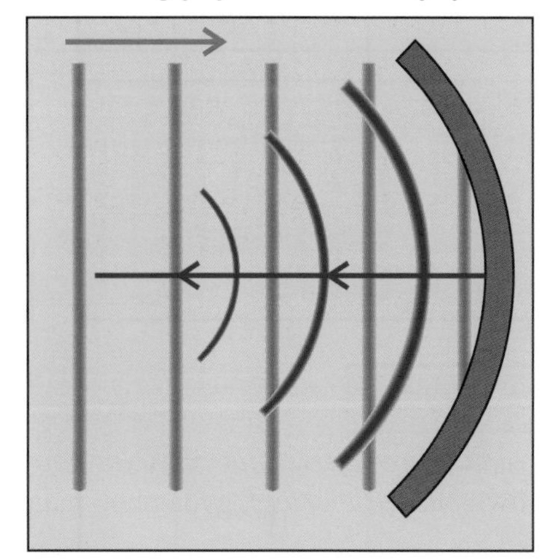

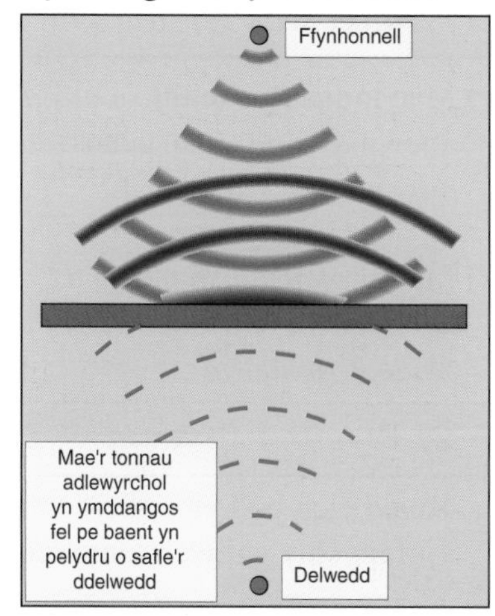

Adlewyrchiad Goleuni

1) *Adlewyrchiad goleuni* sy'n ein galluogi i *WELD* gwrthrychau.
2) Pan fo golau yn adlewyrchu oddi ar *arwyneb garw* megis *darn o bapur* mae'r golau yn adlewyrchu *ar onglau gwahanol* a cheir *ADLEWYRCHIAD TRYLEDOL.*
3) Pan fo golau yn adlewyrchu oddi ar *arwyneb llyfn a disglair* (megis *drych*) mae'r golau i gyd yn adlewyrchu ar *yr un ongl* a cheir *adlewyrchiad clir.*
4) Ond peidiwch ag anghofio, mae *DEDDF ADLEWYRCHIAD* yn gymwys i *bob pelydryn a gaiff ei adlewyrchu*:

Ongl DRAWIAD = Ongl ADLEWYRCHIAD

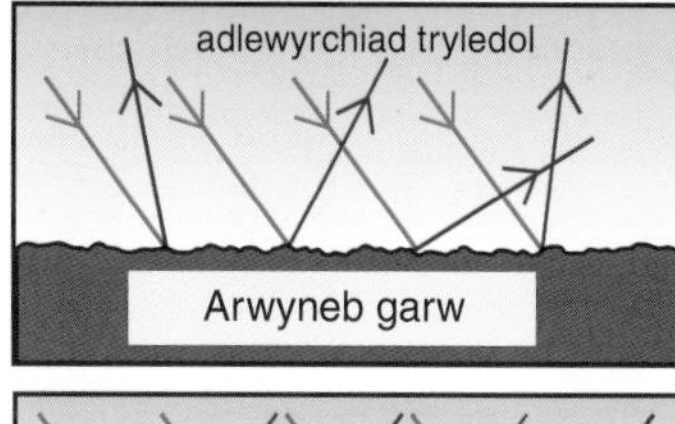

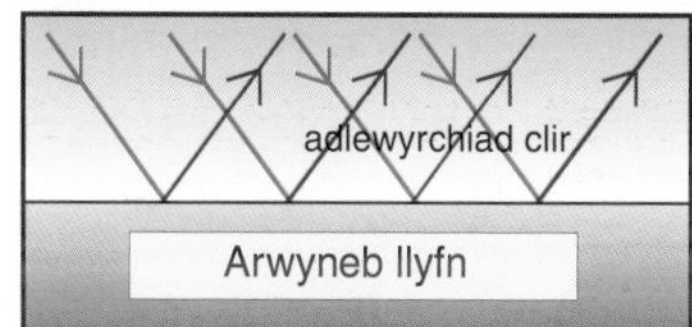

Adlewyrchiad mewn *Drych Plân* — Sut i *Leoli'r Ddelwedd*

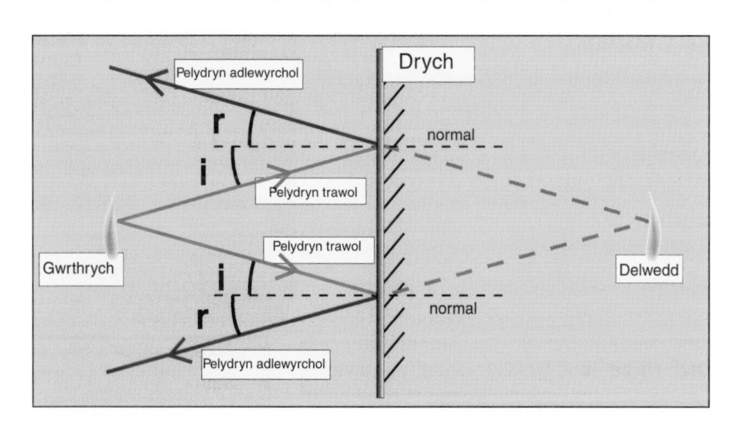

Bydd angen i chi allu *atgynhyrchu'r* diagram hwn sy'n dangos *sut caiff delwedd ei ffurfio* mewn *DRYCH PLÂN.* Dysgwch y *tri phwynt pwysig hyn*:

1) Mae'r *ddelwedd* yr *UN FAINT* â'r *gwrthrych.*
2) Mae *MOR BELL Y TU ÔL* i'r drych ag y mae'r gwrthrych *o'i flaen.*
3) Fe'i ffurfir o *belydrau dargyfeiriol,* sy'n golygu ei bod yn *ddelwedd rithwir.*

1) *I lunio unrhyw belydryn adlewyrchol*, gofalwch fod yr *ongl adlewyrchiad*, *r*, yn hafal i'r *ongl drawiad*, *i.*
2) Sylwch fod y ddwy ongl hyn *BOB AMSER* rhwng y pelydryn ei hun a'r *NORMAL ddotiog.*
3) *Peidiwch byth* â labelu'r rhain fel onglau rhwng y pelydryn a'r *arwyneb.*

Dysgwch adlewyrchiad yn dda — edrychwch arno o bob ochr...

Gwnewch yn siŵr y gallwch lunio'r diagramau o'r cof. Gwnewch yn siŵr hefyd eich bod wedi dysgu'r gweddill yn ddigon da i ateb cwestiynau Arholiad megis: *"Eglurwch sut yr ydych yn gallu gweld darn o bapur." "Beth yw adlewyrchiad tryledol?" "Pam mai delwedd rithwir a geir gan ddrych plân?"*

Plygiant: Priodwedd holl Donnau

1) Digwydd *plygiant* pan fo tonnau'n *newid cyfeiriad* wrth fynd *i mewn i gyfrwng gwahanol*.
2) Achosir hyn *yn gyfan gwbl* gan y *newid ym muanedd* y tonnau.
3) Mae hefyd yn achosi i'r *donfedd* newid, ond cofiwch *nad* yw'r *amledd* yn newid.

1) Dangosir Plygiant gan Donnau'n Arafu mewn Tanc Crychdonnau

1) Mae tonnau yn teithio'n *arafach* mewn *dŵr bas*, gan achosi *plygiant* fel y dangosir.

2) Mae'r *cyfeiriad yn newid* a'r *donfedd yn newid*, ond *NID yw'r amledd yn newid.*

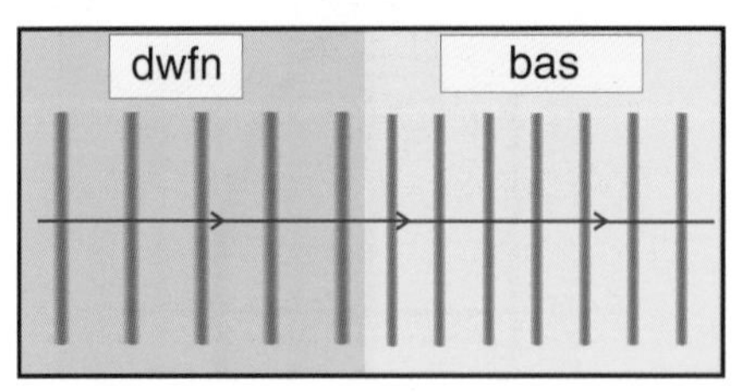

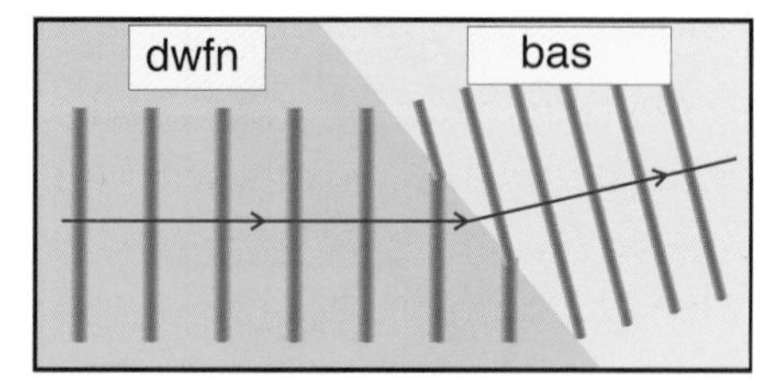

2) Plygiant Goleuni — Y Blocyn Gwydr

Rhaid eich bod yn cofio *"pelydryn o olau yn mynd trwy flocyn gwydr petryalog"*.
Gofalwch y gallwch lunio'r diagram hwn *oddi ar eich cof*, gyda phob manylyn yn *berffaith*.

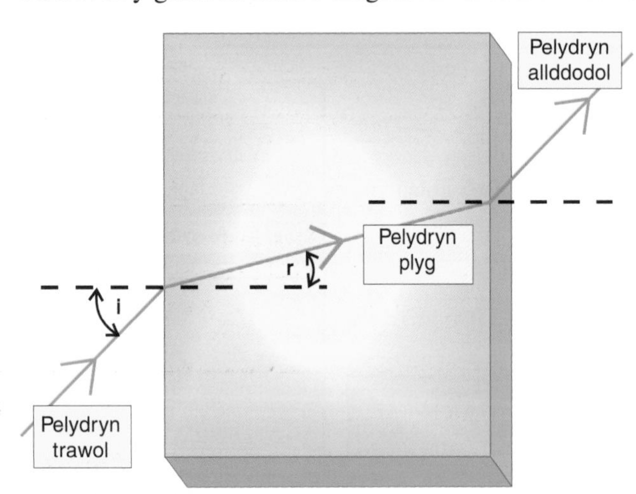

1) *Sylwch yn fanwl* ar safleoedd y *normalau* ac *union leoliadau* yr onglau *trawiad* a *phlygiant* (a sylwch mai ongl *blygiant* sydd yma — nid ongl adlewyrchiad).
2) Mae'n bwysig iawn cofio *pa ffordd* mae'r pelydryn *yn plygu*.
3) Mae'r pelydryn yn plygu *tuag at y normal* wrth iddo fynd i mewn i'r *cyfrwng dwysaf*, ac *i ffwrdd* o'r normal wrth iddo *ddod allan* i'r cyfrwng *llai dwys*.
4) Ceisiwch *weld* siâp y *neidr* yn y diagram — gall hyn fod yn haws na chofio'r rheol mewn geiriau.

3) Caiff Plygiant ei Achosi bob amser gan Donnau'n Newid Buanedd

1) Pan fo tonnau yn *arafu* maent yn plygu *tuag at* y normal.
2) Pan fo *golau* yn mynd i mewn i *wydr* mae'n *arafu* i tua *2/3 o'i fuanedd arferol* (mewn aer) h.y. mae'n arafu i tua 2×10^8 *m/s* yn hytrach na 3×10^8 *m/s*.
3) Pan fo tonnau yn taro'r ffin *ar hyd normal*, h.y. ar *union 90º*, *ni fydd newid* yn y cyfeiriad. Mae'n werth cofio hyn, gan ei fod yn aml *yn cael ei gynnwys mewn cwestiwn* yn rhywle.
Serch hynny bydd newid yn y *buanedd* a'r *donfedd*.
4) Caiff *peth* golau hefyd ei *adlewyrchu* pan fo'n taro *cyfrwng gwahanol* megis gwydr.

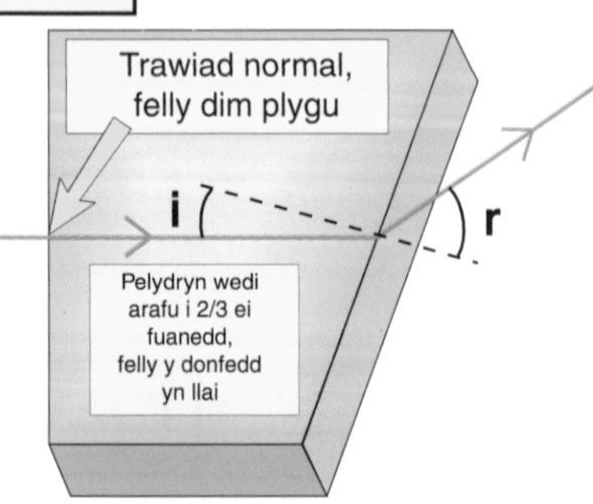

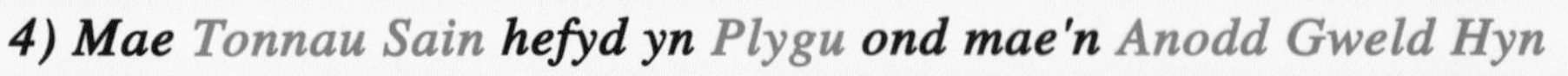

4) Mae Tonnau Sain hefyd yn Plygu ond mae'n Anodd Gweld Hyn

Mae *tonnau sain* hefyd yn plygu (newid cyfeiriad) wrth iddynt fynd i mewn i *gyfryngau gwahanol*. Fodd bynnag, gan fod tonnau sain bob amser yn *lledaenu cymaint*, mae'r newid cyfeiriad yn *anodd i'w weld* o dan yr amgylchiadau.
Ond cofiwch, *mae tonnau sain yn plygu*. IAWN?

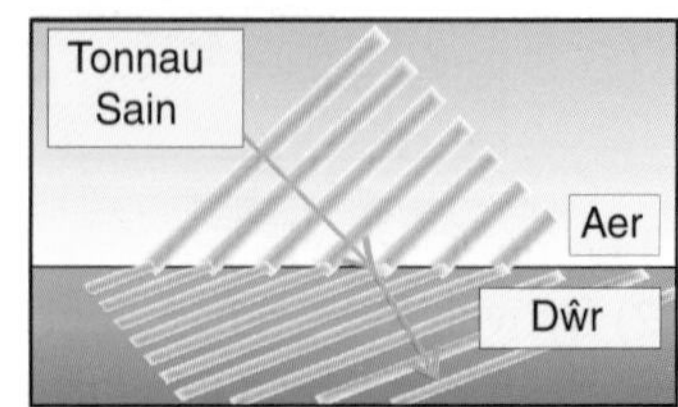

Adolygwch Blygiant — ond peidiwch â gadael iddo eich arafu...

Y peth cyntaf i'w wneud yw gwneud yn siŵr eich bod yn gweld y gwahaniaeth rhwng y geiriau *plygiant* ac *adlewyrchiad*. Yna mae angen i chi *ddysgu'r holl waith am blygiant* — fel eich bod yn gwybod yn union beth ydyw. Gwnewch yn siŵr eich bod yn gwybod yr holl *ddiagramau*. *Cuddiwch ac ysgrifennwch.*

Plygiant: Dau Achos Arbennig

Mae *Gwasgariant* yn Cynhyrchu *Enfys*

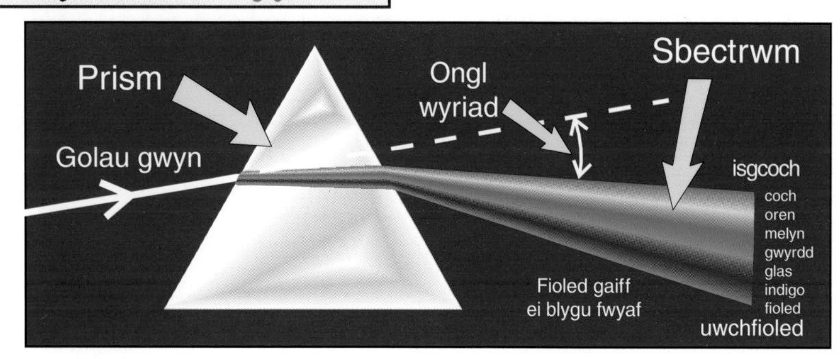

1) Caiff *goleuadau o wahanol liw* eu *plygu* i *wahanol raddau*.
2) Digwydd hyn oherwydd eu bod yn teithio ar *fuaneddau ychydig yn wahanol* mewn *cyfrwng* a roddir.
3) Gellir defnyddio *prism* i wneud i wahanol liwiau golau gwyn ddod allan ar *onglau gwahanol*.
4) Mae hyn yn cynhyrchu *sbectrwm* sy'n dangos holl liwiau'r *enfys*.
   Yr enw ar yr effaith hon yw *GWASGARIANT*.
5) Mae angen i chi wybod mai *golau coch* gaiff ei blygu *leiaf* — a *fioled* gaiff ei blygu *fwyaf*.
6) Hefyd dysgwch *drefn y lliwiau* rhyngddynt: Coch Oren Melyn Gwyrdd Glas Indigo Fioled
   a gaiff ei gofio gan: Cafodd Owain Moris Garped Glas I'w Fam
   Efallai y bydd gofyn i chi eu rhoi yn gywir mewn diagram.
7) Hefyd dysgwch lle byddai golau *isgoch* ac *uwchfioled* yn ymddangos pe gallech eu canfod.

Adlewyrchiad Mewnol Cyflawn a'r *Ongl Gritigol*

1) Dim ond pan fydd *golau* yn *dod allan* o rywbeth *dwys* fel *gwydr* neu *ddŵr* neu *berspecs* y bydd hyn *yn digwydd*.
2) Os yw'r *ongl* yn *ddigon bychan ni ddaw'r* pelydryn *allan o gwbl* ond caiff ei *adlewyrchu'n* ei ôl i'r gwydr (neu beth bynnag). Gelwir hyn yn *adlewyrchiad mewnol cyflawn* oherwydd caiff *YR HOLL* olau *ei adlewyrchu'n ei ôl i mewn*.
3) Mae angen i chi ddysgu'r set hon o *DRI DIAGRAM* sy'n dangos y tair sefyllfa:

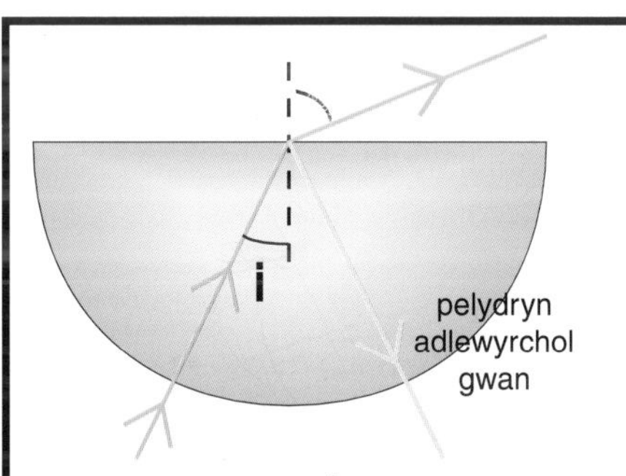

Ongl Drawiad (i) *yn LLAI na'r Ongl Gritigol.*
Y rhan fwyaf o'r golau yn *mynd drwodd* i'r aer ond caiff *ychydig* ohono ei *adlewyrchu'n fewnol.*

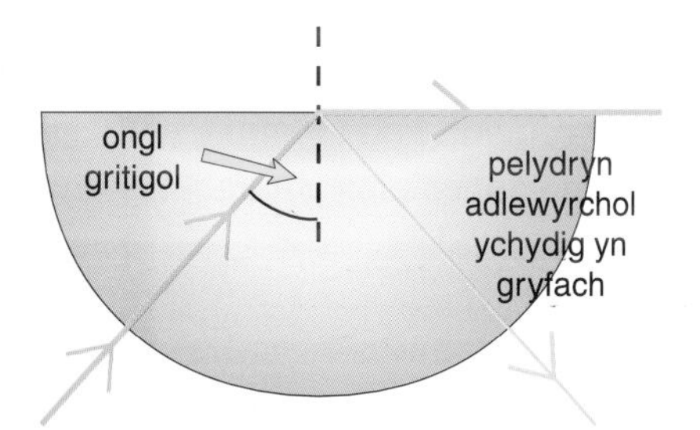

Ongl Drawiad yn HAFAL i'r Ongl Gritigol.
Daw'r pelydryn allan *ar hyd yr arwyneb*. Mae cryn dipyn o *adlewyrchiad mewnol.*

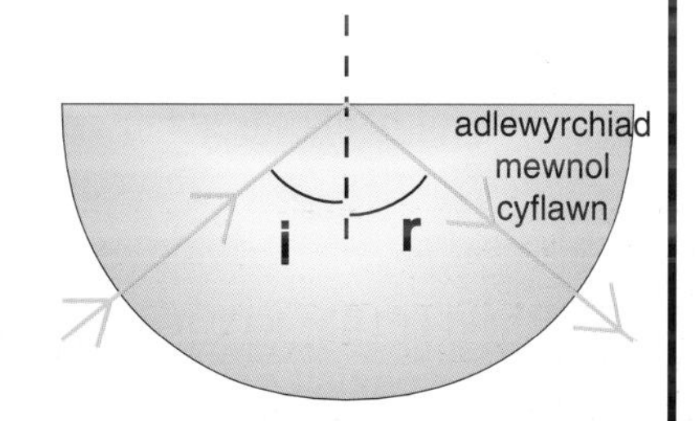

Ongl Drawiad (i) *yn FWY na'r Ongl Gritigol.*
Dim golau yn dod allan.
Caiff *y cyfan* ei adlewyrchu'n fewnol, h.y. *adlewyrchiad mewnol cyflawn.*

1) Yr *Ongl Gritigol* ar gyfer *gwydr* yw tua 42°. Mae hyn yn *hwylus iawn* gan y gellir defnyddio *onglau 45°* i gael *adlewyrchiad mewnol cyflawn* fel sydd yn digwydd mewn *prismau* yn y *binocwlars* a'r *perisgop,* a ddangosir ar y dudalen nesaf.
2) Mewn *DIEMWNT* mae'r *Ongl Gritigol* yn llawer *llai*, tua *24°*. Dyma'r rheswm pam mae diemyntau yn disgleirio cymaint, oherwydd bod llawer o *adlewyrchiadau mewnol.*

Adolygu — wrth gwrs mae'n Gritigol...

Yn gyntaf gwnewch yn siŵr eich bod yn gallu atgynhyrchu'r *holl ddiagramau* a'r holl fanylion. Yna *ysgrifennwch draethawd byr* ar bob topig, gan nodi popeth y gallwch ei gofio. Yna gwiriwch i weld beth rydych wedi ei *fethu*. Yna *dysgwch y gwaith* a *rhowch gynnig arall arni*.

Defnyddio Adlewychiad Mewnol Cyflawn

Defnyddir *Adlewyrchiad Mewnol Cyflawn* mewn *binocwlars, perisgopau* ac *adlewyrchyddion beic*. Maent i gyd yn defnyddio prismau *45°*.

Binocwlars

Perisgop

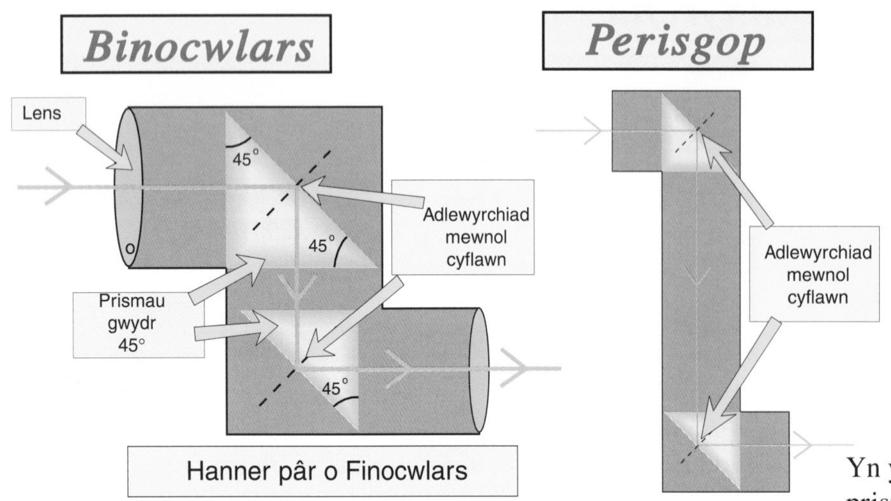

Yn achos *binocwlars* a *pherisgop* mae'r prismau yn rhoi *ychydig gwell adlewyrchiad* nag y byddai *drych* yn ei roi, ac maent yn *haws* i'w dal yn gywir *yn eu lle*. Dysgwch *union leoliad* y prismau.
Gellir gofyn i chi *gwblhau* diagram o finocwlars neu berisgop, ac os nad ydych wedi *ymarfer* ymlaen llaw fe'i cewch yn *anodd* i lunio'r prismau *yn gywir*.

Adlewyrchyddion

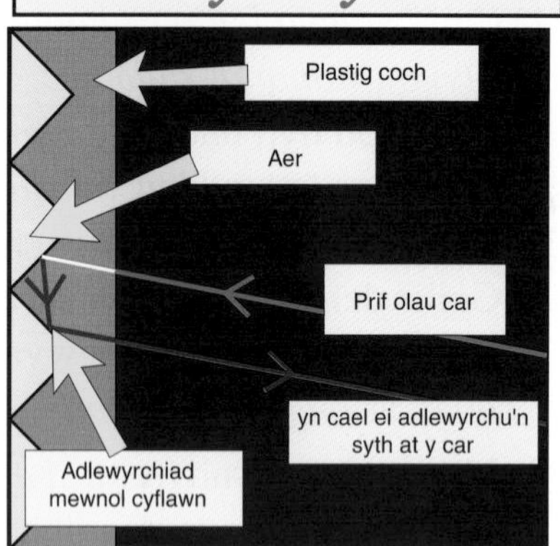

Yn yr *adlewyrchyddion beic* mae'r prismau yn gweithio trwy anfon y golau yn ei ôl i'r *union gyfeiriad croes* i'r cyfeiriad y daeth ohono (fel y dangosir yn y diagram). Mae hyn y golygu y byddai pwy bynnag sy'n *gyrru'r golau* yn derbyn *adlewyrchiad cryf* yn union i'w lygaid.

Ffibrau Optegol — Cyfathrebiadau ac Endosgopau

1) Gall *ffibrau optegol* gludo *gwybodaeth* dros *bellteroedd mawr* trwy ailadrodd *adlewyrchiadau mewnol cyflawn.*
2) Mae gan gyfathrebiadau optegol *amryw o fanteision* dros *signalau trydanol* mewn gwifrau:
   a) nid oes angen *cryfhau'r* signal mor aml.
   b) gall cebl *o'r un diamedr* gario llawer *mwy o wybodaeth.*
   c) ni ellir *torri i mewn* i'r signalau nac effeithio arnynt gan *ymyrraeth* o ffynonellau trydanol.
3) Yn arferol ni chollir golau ar bob adlewyrchiad. Fodd bynnag *collir peth golau* oherwydd *amherffeithrwyddau* yn yr arwyneb, fel bo angen ei *gryfhau* bob *ychydig o gilometrau.*

Rhaid i'r ffibr fod yn *ddigon cul* i gadw'r onglau *o dan yr ongl gritigol* fel y dangosir, felly rhaid gofalu nad yw'r ffibr yn plygu'n *rhy sydyn* yn unrhyw fan.

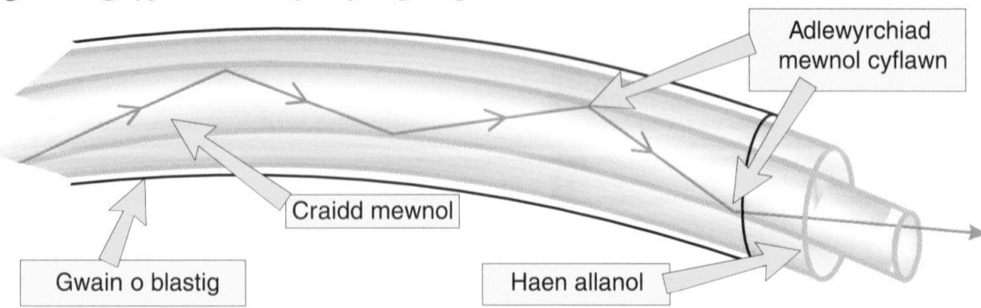

Defnyddir Endosgopau i Weld y Tu Mewn i Bobl

Bwnsh cul o *ffibrau optegol* â *system lens* ar bob pen yw hwn. Mae bwnsh arall o ffibrau optegol yn cludo golau i lawr *y tu mewn* er mwyn gweld.
Gwelir y ddelwedd fel *delwedd symudol lliw llawn* ar sgrin deledu. Argraff arbennig iawn. Gallant wneud llawdriniaethau *heb* dorri tyllau mawr mewn pobl. Nid oedd hyn yn bosibl cyn bod ffibrau optegol.

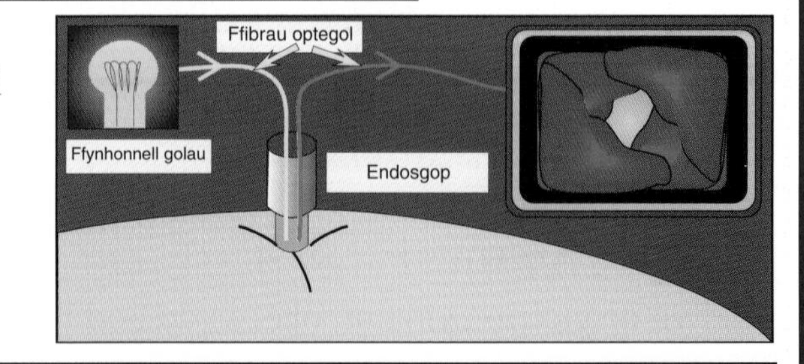

Adlewyrchiad Mewnol Cyflawn...

Mae tair adran i'w dysgu yma, a diagramau i bob un. Yn yr Arholiad mae *o leiaf un* o gymwysiadau adlewyrchiad cyflawn mewnol. Dysgwch nhw i gyd. Nid yw'r gwaith yn anodd — ond gwnewch yn siŵr eich bod yn gwybod y manylion i gyd.

Diffreithiant: Priodwedd holl Donnau

Mae'r term yn swnio'n fwy technegol nag y mae go iawn.

Diffreithiant yw Tonnau yn "Lledaenu"

Mae *tonnau i gyd* yn tueddu i *ledaenu* ar yr *ymylon* pan fônt yn mynd trwy *fwlch* neu *heibio i wrthrych*. Yn hytrach na dweud bod ton yn *"lledaenu"* neu'n *"plygu"* o amgylch cornel dylech ddweud ei bod yn *DIFFREITHIO* o amgylch y gornel. Mae mor hawdd â hyn. Dyna ystyr diffreithiant.

Mae ton yn Lledaenu Mwy os yw'n Mynd trwy Fwlch Cul

Mae *tanc crychdonnau* yn dangos yr effaith yma yn glir. Mae'r un effaith i'w gweld gan donnau *goleuni* a *sain* hefyd.

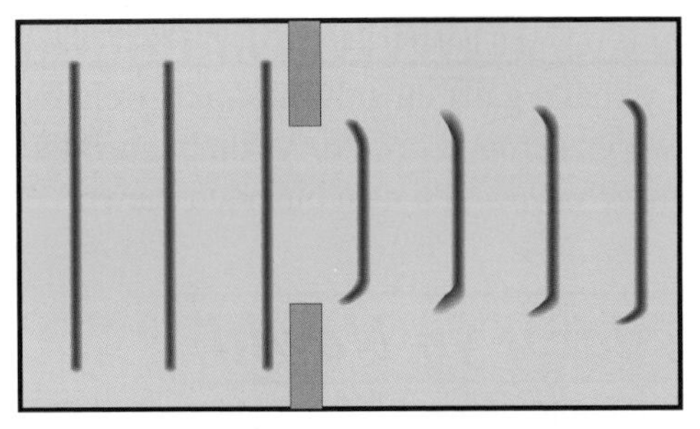

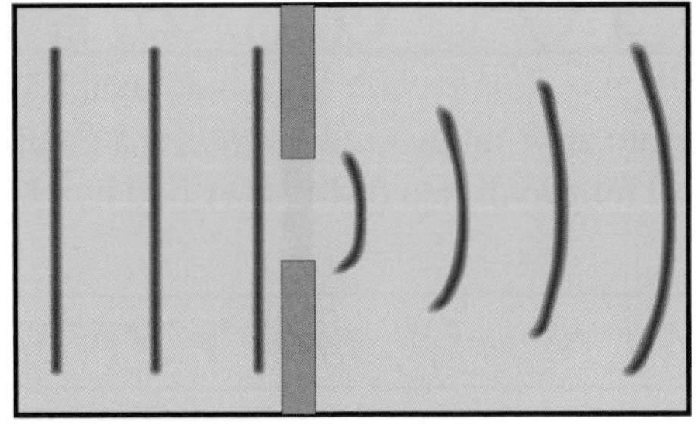

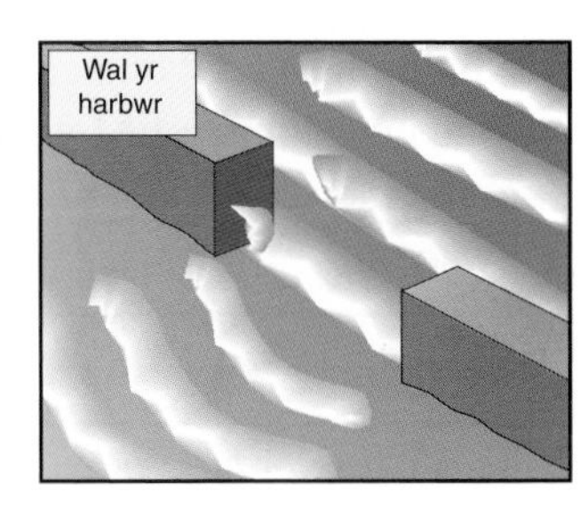

1) Bwlch "*cul*" yw bwlch sydd tua'r *un maint* â'r *donfedd* neu *lai*.
2) Mae penderfynu a yw bwlch yn "*gul*" neu beidio yn dibynnu ar y *don* dan sylw. Byddai bwlch sy'n *gul* ar gyfer *ton ddŵr* yn *fwlch enfawr* ar gyfer *ton goleuni*.
3) Mae'n amlwg *po hiraf yw tonfedd* ton *y mwyaf y bydd yn diffreithio.*

Mae Seiniau Bob Amser yn Diffreithio Llawer, Oherwydd fod λ yn Fawr

1) Mae gan y rhan fwyaf o seiniau *donfeddi mewn aer* o ryw *0.1 m*, sy'n eithaf hir.
2) Golyga hyn eu bod yn *lledaenu o amgylch corneli* fel y gallwch ddal i *glywed* pobl er na allwch eu *gweld* yn union (mae'r seiniau fel arfer hefyd yn *adlewyrchu* oddi ar waliau, ac mae hyn o gymorth).
3) Mae gan *seiniau amledd uchel donfeddi byrrach* ac nid ydynt yn diffreithio cymaint, sy'n egluro pam y mae pethau'n swnio'n fwy *"aneglur"* wrth eu clywed o amgylch corneli.

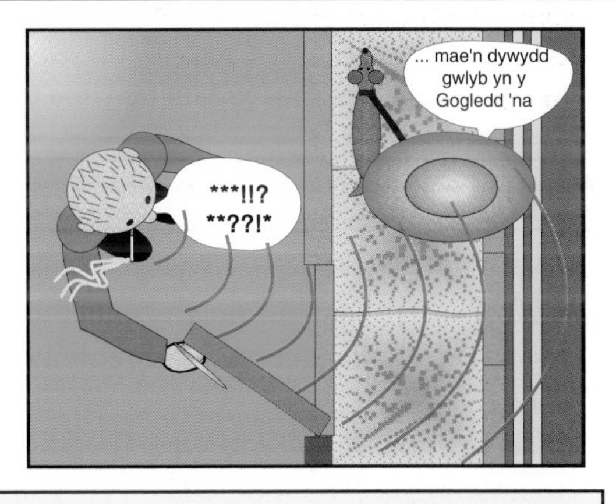

Mae Tonnau Radio Tonfedd Hir yn Diffreithio'n Hawdd Dros Fryniau ac i mewn i Adeiladau:

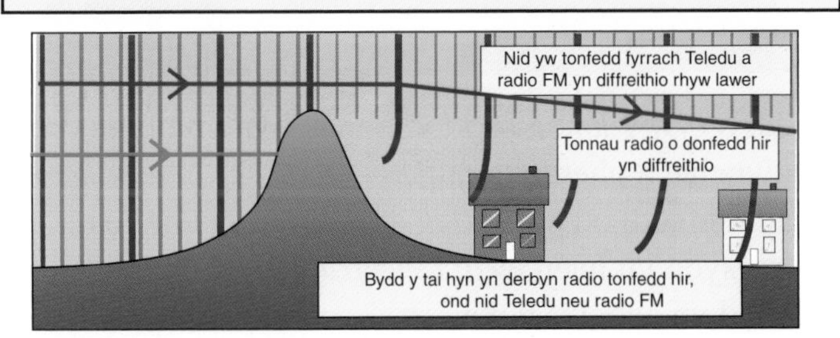

Mae gan Olau Gweladwy ar y llaw arall...

donfedd fer iawn ond dim ond drwy *hollt cul iawn* y bydd yn diffreithio:

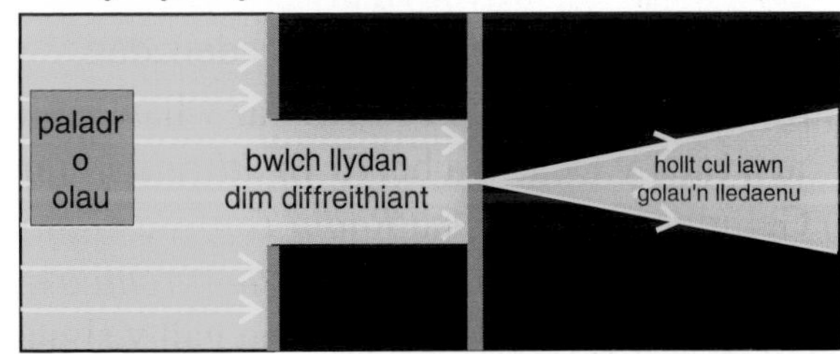

Mae lledaeniad neu *ddiffreithiant* goleuni (a thonnau radio) yn *dystiolaeth gref* dros *natur donyddol goleuni*.

Diffreithiant...

Fel arfer dydy pobl ddim yn gwybod llawer am ddiffreithiant, yn bennaf am mai ychydig o arbrofion y gallwch eu gwneud i'w brofi ac oherwydd bod cyn lleied i'w ddweud amdano — dim ond rhyw un dudalen! Os *dysgwch y dudalen hon yn drylwyr*, yna byddwch yn gwybod *y cyfan sydd ei angen arnoch*.

Y Sbectrwm Electromagnetig

Mae Saith Math Sylfaenol o Don Electromagnetig

Mae *priodweddau* tonnau electromagnetig (tonnau EM) *yn newid* wrth i'r *amledd (neu donfedd) newid.* Cânt eu rhannu'n *saith math sylfaenol* fel y dangosir isod.
Mae'r tonnau EM hyn yn ffurfio *sbectrwm di-dor* fel bo'r gwahanol adrannau yn *ymdoddi* i'w gilydd.

TONNAU RADIO	MICRO-DONNAU	IS GOCH	GOLAU GWELADWY	UWCH FIOLED	PELYDRAU X	PELYDRAU GAMA
1 m – 10^4 m	10^{-2} m (3 cm)	10^{-5} m (0.01 mm)	10^{-7} m	10^{-8} m	10^{-10} m	10^{-12} m

Ni all ein *llygaid* ond canfod *amrediad bychan iawn* o donnau EM, sef y rhai a gaiff eu galw'n *olau* (gweladwy).
Mae holl donnau EM yn teithio ar yr un *buanedd yn union* â golau mewn *gwactod*, a *bron ar* yr un buanedd â golau mewn *cyfryngau eraill* fel gwydr neu ddŵr — er bod hyn bob amser *yn arafach* na'u buanedd mewn gwactod.

Wrth i'r Donfedd Newid, mae'r Priodweddau yn Newid

1) Wrth i *donfedd* pelydriad EM newid, mae ei *ryngweithiad â mater* yn newid. Yn arbennig mae'r modd y caiff unrhyw don EM ei *hamsugno*, *adlewyrchu* neu *drawsyrru* gan unrhyw sylwedd penodol yn *dibynnu'n gyfan gwbl* ar ei *thonfedd* — dyna bwrpas y tair tudalen hyn wrth gwrs!
2) Fel rheol mae'r tonnau EM ar *bob pen* o'r sbectrwm yn tueddu i allu *teithio trwy ddefnydd*, tra caiff y rhai sydd *agosaf i'r canol* eu *hamsugno.*
3) Hefyd, mae'r rhai sydd ar y *pen uchaf* (amledd uchel, tonfedd fer) yn tueddu i fod y mwyaf *peryglus*, tra bo'r rhai sy'n is i lawr *fel arfer yn ddiogel.*
4) Pan gaiff *unrhyw belydriad EM* ei *amsugno* gall achosi *dau effaith*:
   a) *Gwresogi* b) Creu *cerrynt eiledol bychan iawn* â'r *un amledd* â'r pelydriad.
5) Mae angen i chi wybod yr holl fanylion canlynol am wahanol rannau'r sbectrwm EM:

Defnyddir Tonnau Radio yn bennaf ar gyfer Cyfathrebu

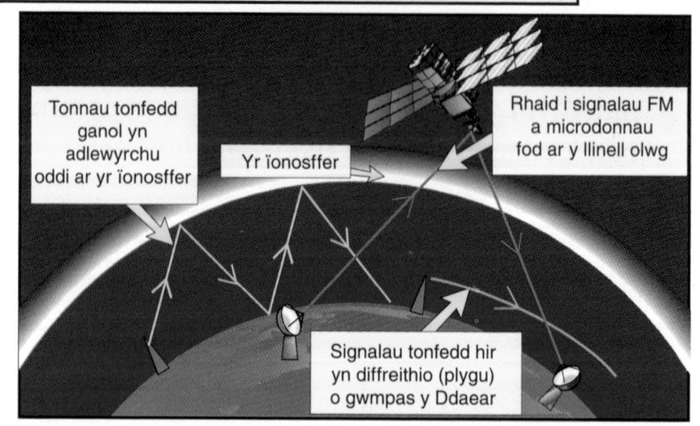

1) Defnyddir *Tonnau Radio* yn bennaf ar gyfer *cyfathrebu* ac fe'u defnyddir i reoli awyrennau model.
2) Mae *Teledu a Radio FM* yn defnyddio tonnau radio *tonfedd fer* â thonfedd o ryw *1 m.*
3) I dderbyn y tonfeddi hyn rhaid i chi fod fwy neu lai *o fewn golwg uniongyrchol y trawsyrrydd*, oherwydd *nad* ydynt yn plygu (diffreithio) dros fryniau na theithio'n bell *trwy* adeiladau.
4) Mae gan *radio "Tonfedd Hir"* ar y llaw arall donfeddi o ryw *1 km*, a *bydd* y tonnau hyn yn plygu dros arwyneb y Ddaear a hefyd yn *diffreithio* i mewn i dwnelau a phethau eraill.
5) Gellir derbyn signalau *Radio Tonfedd Ganol* sydd â thonfeddi o ryw *300 m* ar *bellterau mawr* o'r trawsyrrydd gan y cânt eu *hadlewyrchu o'r ionosffer*, sydd yn haen *wedi'i gwefru'n drydanol* yn atmosffer uchaf y Ddaear. Ond gall y signalau hyn fod yn aneglur iawn.

Y Sbectrwm...

Mae llawer o fanylion ar y dudalen yma y dylech eu gwybod. Mae'r diagram uchaf yn gwbl angenrheidiol. *Dysgwch* y tair adran ar y dudalen yma ac yna *ysgrifennwch draethawd byr* ar gyfer pob un i weld beth rydych yn ei wybod.

Microdonnau ac Isgoch

Defnyddir Microdonnau Ar Gyfer Coginio a Signalau Lloeren

1) *Dau ddefnydd* sydd i *Ficrodonnau* yn bennaf: *coginio bwyd* a *thrawsyriannau lloeren*.
2) Mae'r ddau gymhwysiad hyn yn defnyddio microdonnau o *ddau amledd gwahanol*.
3) Mae trawsyriannau lloeren yn defnyddio amledd sy'n *mynd yn hawdd* trwy *atmosffer y Ddaear*, gan gynnwys *cymylau*, sy'n ymddangos yn synhwyrol.
4) Mae'r amledd a ddefnyddir i *goginio*, ar y llaw arall, yn un y mae *molecylau dŵr* yn ei *amsugno*. Dyma sut mae popty microdon yn gweithio. Mae'r microdonnau yn mynd yn rhwydd *i mewn i'r bwyd*, ac yna cânt eu *hamsugno* gan y *moleciwlau dŵr* a'u troi'n wres *y tu mewn i'r bwyd*.
5) Felly, gall microdonnau fod yn *beryglus* oherwydd gallant gael eu hamsugno gan *feinwe byw*, a bydd y gwres yn *niweidio neu'n lladd y celloedd* gan achosi math o "*losg*".

Pelydriad Isgoch — Gweld yn y Tywyllwch a Rheolyddion Pell

1) Caiff *Isgoch* (neu IG) ei adnabod hefyd fel *pelydriad gwres*. Caiff hwn ei *yrru allan* gan holl *wrthrychau poeth* a byddwch yn *ei deimlo* ar eich *croen* fel *gwres pelydrol*. Caiff isgoch ei *amsugno* gan *holl ddefnyddiau* ac y mae'n *achosi gwresogi*.
2) Mae'r *gwresogyddion pelydrol* (h.y. y rhai sy'n *tywynnu'n goch*) sy'n defnyddio pelydriad isgoch, yn cynnwys *tostyddion* a *griliau*.
3) Mae *gorddinoethiad* i isgoch yn achosi *niwed i'r celloedd*. Dyma sy'n achosi *llosg haul*. Sylwch mai'r pelydriad *isgoch* sy'n achosi *llosg haul* ond yr *uwchfioled* sy'n achosi *canser y croen*.
4) Defnyddir isgoch hefyd mewn *offer gweld yn y tywyllwch*. Mae hwn yn canfod y *pelydriad gwres* a roddir gan *holl wrthrychau*, hyd yn oed yn nhywyllwch y nos, a'i droi yn *signal trydanol* a *arddangosir ar sgrin* fel llun clir. Po *boethaf* yw'r gwrthrych, y *disgleiriaf* y bydd yn ymddangos. Mae'r *Heddlu* a'r lluoedd arfog yn defnyddio hwn i ganfod drwgweithredwyr yn *rhedeg i ffwrdd*, fel y gwelwch ar y teledu.
5) Defnyddir isgoch hefyd yn *rheolyddion pell* y *setiau teledu a fideos*. Mae'n ddelfrydol ar gyfer anfon *signalau diniwed* dros *bellteroedd bychain* heb *ymyrryd* ag amleddau radio eraill (fel y sianelau teledu).

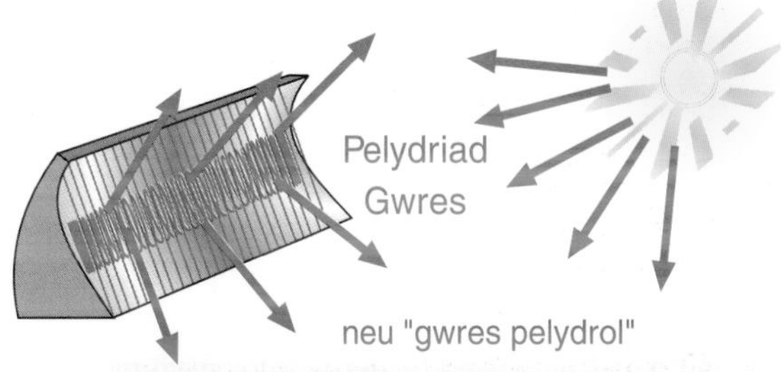

Dim dianc rhag Isgoch — os nad yw'r Haul yn eich dal, bydd yr Heddlu...

Mae pob rhan o'r sbectrwm EM yn wahanol, a rhaid i chi wybod y manylion am bob math o belydriad. Mae'n debyg y cewch gwestiwn ar y rhain yn yr Arholiad. Ysgrifennwch *draethodau byr* ar ficrodonnau ac IG. Yna *gwiriwch* i weld sut y gwnaethoch. Yna *triwch eto... ac eto...*

Golau Gweladwy ac UF, Pelydrau X a Phelydrau γ

Defnyddir Golau Gweladwy i Weld ac mewn Ffibrau Optegol

Mae golau gweladwy yn ddefnyddiol iawn. Yn un peth fe'i defnyddiwn i weld. Gallwch ddweud (fel y gwna un maes llafur!) fod ei ddefnydd yn yr *endosgop* i weld y tu mewn i gorff y claf, ond lle mae tynnu llinell? — caiff ei ddefnyddio hefyd mewn *microsgopau*, *telesgopau*, *caleidosgopau*, telesgopau dychmygol wedi'u gwneud o silindrau cardbord, i weld yn y tywyllwch (torts, goleuadau etc.), i gyfarch pobl heb siarad, ac, efallai'n fwyaf pwysig, i reoli awyrennau model. Fe'i defnyddir mewn *Cyfathrebu Digidol Ffibr Optegol* sef yr un gorau ar gyfer eich ateb *yn yr Aholiad*.

Mae Golau Uwchfioled yn Achosi Canser y Croen

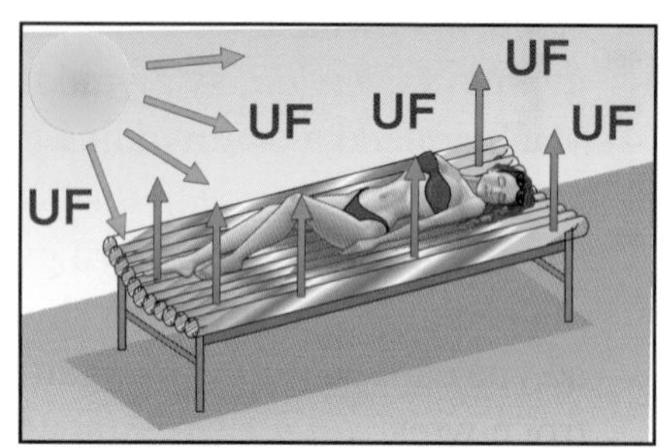

1) Dyma sy'n achosi *canser y croen* (ac o bosibl ddallineb) os ydych yn treulio *gormod o amser* yn yr *Haul*.
2) Mae hefyd yn achosi i'ch croen *gael lliw haul*. Mae *gwelyau haul* yn rhoi allan belydrau UF, ond rhai sy'n *llai peryglus* na phelydrau'r Haul.
3) Mae *croen tywyll* yn diolgelu rhag pelydrau UF trwy eu *rhwystro* rhag cyrraedd y *meinweoedd croen mwy sensitif* sydd yn ddyfnach i lawr.
4) Mae *haenau arbennig* sy'n *amsugno golau UF* ac yna'n *rhoi allan olau gweladwy* yn ei le. Caiff y rhain eu defnyddio y tu mewn i *diwbiau fflwroleuol* a lampau.
5) Mae uwchfioled hefyd yn ddefnyddiol ar gyfer *marciau diogelwch cudd* a ysgrifennir mewn inc arbennig y gellir ei weld â golau uwchfioled yn unig.

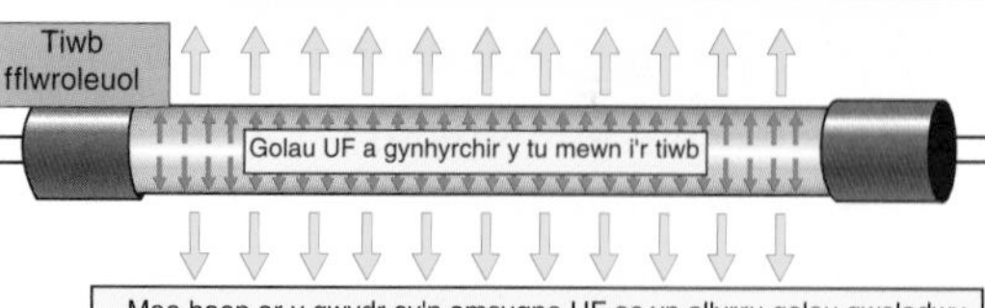

Caiff Pelydrau X eu Defnyddio mewn Ysbytai, ond maent yn Beryglus

1) Defnyddir y rhain mewn *ysbytai* i gymryd *ffotograffau pelydrau X* o bobl i weld a oes *esgyrn wedi torri*.
2) Mae pelydrau X yn mynd *yn hawdd trwy gnawd* ond nid trwy *ddefnyddiau dwysach* megis *esgyrn* neu *fetel*.
3) Gall pelydrau X achosi *canser*, felly mae *radiograffyddion* sy'n tynnu lluniau pelydrau X *trwy'r dydd* yn gwisgo *ffedogau plwm,* ac yn sefyll y tu ôl i *sgrin blwm* fel nad ydynt yn *dinoethi* eu hunain *yn ormodol* i belydrau X.
4) Gall pelydrau X gael eu defnyddio hefyd mewn *ymchwiliadau gwyddonol* i archwilio i *adeiladwaith grisialau* a defnyddiau eraill.

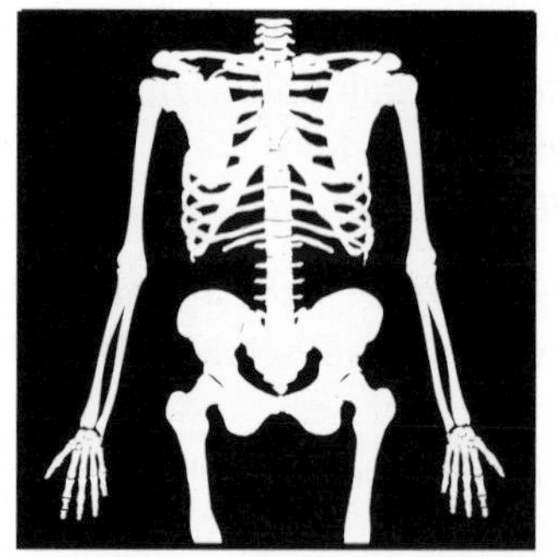

Y *rhannau disgleiriaf* yw lle mae'r *lleiaf o belydrau X* yn mynd trwodd. Dyma *ddelwedd negatif*. Mae'r plât i ddechrau yn *gwbl wyn*.

Mae Pelydrau Gama yn Achosi Canser ond cânt eu Defnyddio i'w Wella Hefyd

1) Defnyddir pelydrau gama i ladd *bacteria niweidiol* mewn bwyd i'w gadw'n *ffres am fwy o amser*.
2) Cânt hefyd eu defnyddio i *ddiheintio offer meddygol*, eto trwy *ladd y bacteria*.
3) Gellir hefyd eu defnyddio i *drin canser* am eu bod yn *lladd celloedd canser*.
4) Mae pelydrau gama yn tueddu i *fynd trwy* feinwe meddal ond caiff *rhai* eu *hamsugno* gan y celloedd.
5) Mewn *dognau uchel*, gall pelydrau gama (a hefyd pelydrau X a phelydrau UF) *ladd celloedd normal*.
6) Mewn *dognau llai* gall y tri math o Donnau EM achosi i gelloedd normal droi'n *ganser*.

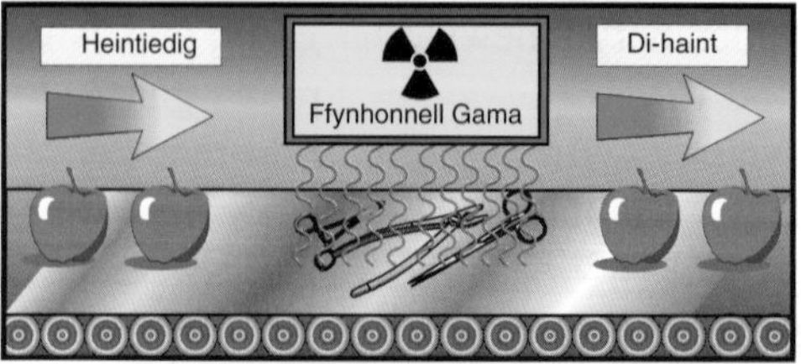

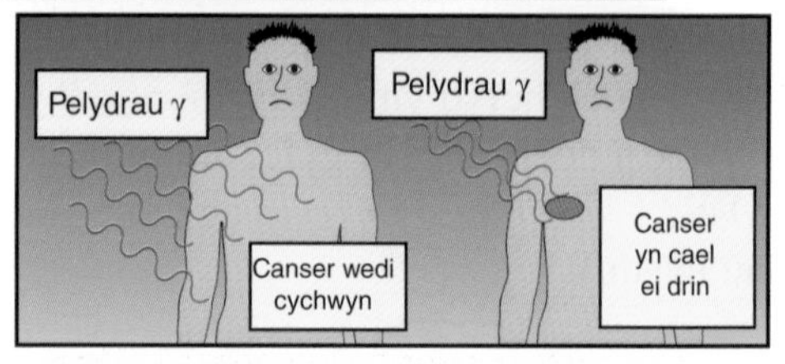

Mae Radiograffwyr fel Athrawon— gallant weld drwyddoch chi...

Dyma'r pedair rhan arall o'r sbectrwm EM i chi eu dysgu.
Mae pedair adran ar y dudalen hon. Ysgrifennwch *draethawd byr* ar bob adran, yna *gwiriwch*, *ailddysgwch*, *ailysgrifennwch*, *ailwiriwch*, etc. etc.

Tonnau Seismig

Achosir Tonnau Seismig Gan Ddaeargrynfeydd

1) Gallwn ddrilio hyd at *ryw 10 km* yn unig i gramen y Ddaear, sydd ddim yn ddwfn iawn, felly defnyddio *tonnau seismig* yw'r *unig* ffordd o ymchwilio i'r *adeiledd mewnol*.
2) Pan fo *Daeargryn* yn rhywle bydd *tonnau sioc* yn teithio allan a gallwn *ganfod* y rhain *dros holl arwyneb* y blaned gan ddefnyddio *seismograffau*.
3) Byddwn yn mesur yr *amser* mae'n ei gymryd i *ddau fath gwahanol* o donnau sioc gyrraedd pob *seismograff*.
4) Rydym hefyd yn nodi rhannau o'r Ddaear *nad ydynt yn derbyn y tonnau sioc* o gwbl.
5) O'r wybodaeth hon gallwn ddarganfod *pob math o wybodaeth* am yr hyn sydd y tu mewn i'r Ddaear fel y dangosir isod:

Mae Tonnau S a Thonnau P yn cymryd Llwybrau Gwahanol

Mae Tonnau P yn Arhydol

Mae *tonnau P* yn teithio trwy *solidau a hylifau ill dau*. Maent yn teithio'n *gyflymach* na *thonnau S*.

Mae Tonnau S yn Ardraws

Mae *tonnau S* yn teithio trwy *solidau yn unig*. Maent yn *arafach* na *thonnau P*.

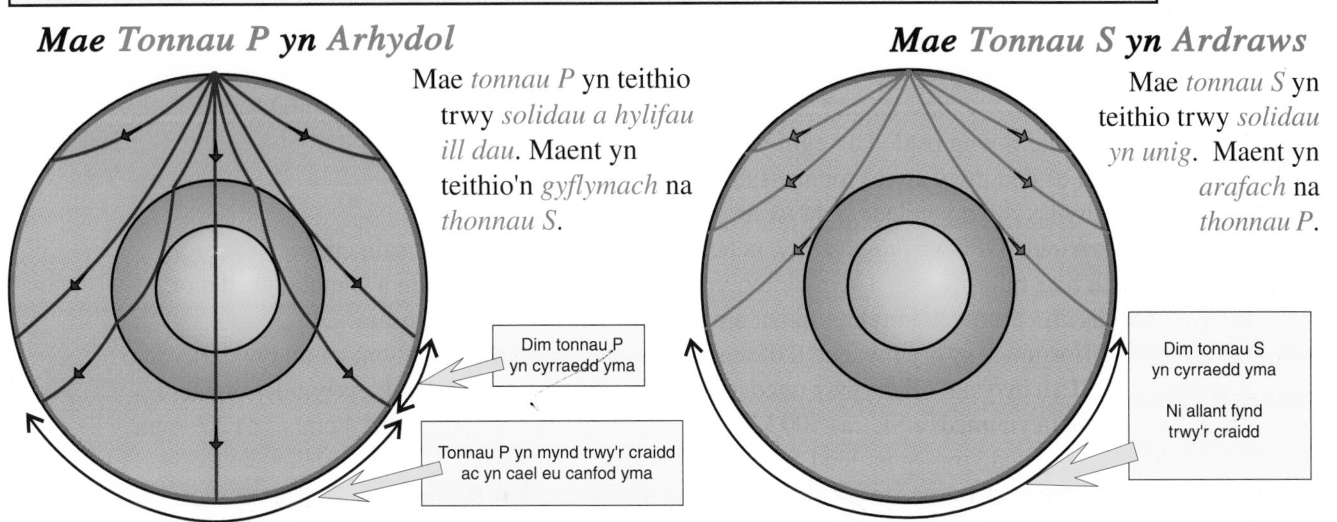

Mae Canlyniadau Seismograff yn dweud beth sydd i Lawr Yna

1) Tua *hanner ffordd trwy'r* Ddaear, mae *newid sydyn yng nghyfeiriad* y ddau fath o don. Dengys hyn fod *newid sydyn mewn dwysedd* yn y pwynt hwnnw — y *CRAIDD*.
2) Mae'r ffaith *nad yw* tonnau S *i'w canfod* yng *nghysgod* y craidd hwn yn dweud wrthym ei fod yn *hylifol* iawn.
3) Ceir hefyd fod *tonnau P* yn teithio *ychydig yn gyflymach* trwy *ganol* y craidd, sy'n awgrymu'n gryf fod yna *graidd mewnol solid*.
4) Sylwch fod *tonnau S* yn teithio trwy'r *fantell* sy'n awgrymu ei fod yn fath o *solid*, er y credwn ei fod wedi'i wneud o *lafa tawdd* sy'n edrych yn eithaf *hylifol* pan yw'n *rhuthro* allan o losgfynyddoedd.

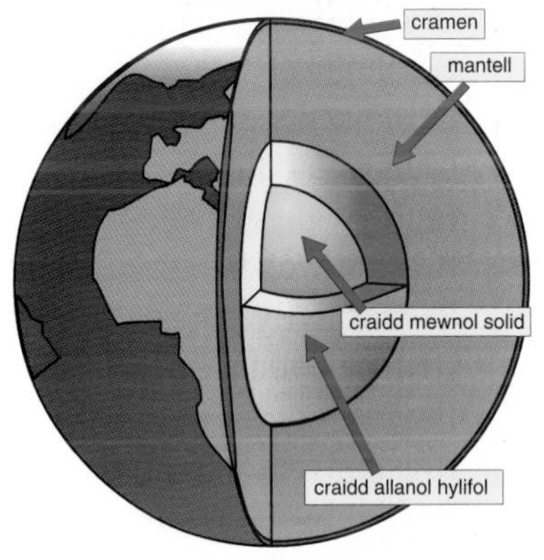

Mae'r Llwybrau'n Crymu Oherwydd Dwysedd Cynyddol (gan achosi Plygiant)

1) Mae *tonnau S* a *thonnau P* yn teithio'n *gyflymach* mewn defnyddiau *mwy dwys*.
2) Mae eu *llwybrau yn crymu* oherwydd *dwysedd cynyddol* y *fantell* a'r *craidd* gyda dyfnder.
3) Pan fo'r dwysedd yn newid yn *sydyn*, mae'r tonnau yn newid cyfeiriad *yn sydyn* fel y dangosir uchod.
4) Mae'r llwybrau yn *crymu* oherwydd bod dwysedd y fantell a'r craidd *yn cynyddu'n gyson* gyda dyfnder cynyddol. Mae'r tonnau *yn newid cyfeiriad yn raddol* oherwydd bod eu buanedd yn *newid yn raddol*, oherwydd newidiadau graddol yn *nwysedd* y cyfrwng. Dyma *blygiant*, wrth gwrs.

Tonnau Seismig — maent yn dangos y gwirionedd cynhyrfus...

Dyma'r dudalen olaf ar donnau. Unwaith eto mae pedair prif adran i'w dysgu. *Dysgwch* y penawdau'n gyntaf, yna ceisiwch *ysgrifennu'r* holl fanylion ar gyfer pob pennawd, gan gynnwys y diagramau. Cofiwch fod tonnau S yn donnau ardrawS — felly rhaid i donnau P fod yn donnau arhydol.

Crynodeb Adolygu Adran 3

Mae yna lawer o ffeithiau hawdd i'w dysgu am donnau. Mewn gwirionedd, mae'r rhan fwyaf yn waith hawdd sydd raid ei ddysgu. Peidiwch ag anghofio, mae'r llyfr hwn yn cynnwys yr holl wybodaeth bwysig sydd wedi'i nodi yn y maes llafur, a dyma'r gwaith a gewch yn yr Arholiad. Rhaid i chi ymarfer y cwestiynau hyn drosodd a throsodd nes gallwch eu gwneud yn hawdd.

1) Brasluniwch don a marciwch arni yr osgled a'r donfedd.
2) Brasluniwch don ardraws. Rhowch y diffiniad. Rhowch bedair enghraifft o donnau ardraws.
3) Brasluniwch don arhydol. Rhowch y diffiniad. Rhowch ddwy enghraifft o donnau arhydol.
4) Diffiniwch amledd a chyfnod amser ton. Rhowch dair enghraifft o donnau yn cludo egni.
5) Ysgrifennwch rai buaneddau sain nodweddiadol mewn defnyddiau gwahanol.
6) Disgrifiwch arbrawf y glochen. Beth mae'n ei ddangos?
7) Brasluniwch graffiau clyw normal a chlyw wedi'i niweidio. Disgrifiwch fygythiad llygredd sain.
8) Beth yw atsain? Beth yw datseinedd? Beth sy'n effeithio ar ddatseinedd mewn ystafell?
9) Beth yw'r cysylltiad rhwng osgled a'r egni y mae ton yn ei gludo?
10) Beth yw effaith osgled mwy ar a) tonnau sain b) tonnau goleuni?
11) Beth yw'r berthynas rhwng amledd a thraw ar gyfer ton sain?
12) Brasluniwch sgriniau OPC yn dangos traw uchel a thraw isel, sain tawel a sain cryf.
13) Eglurwch beth mae microffonau a seinyddion yn eu gwneud â thonnau sain a signalau trydanol.
14) Beth yw uwchsain? Rhowch fanylion llawn am bedwar cymhwysiad uwchsain.
15) Beth yw'r tair fformiwla sy'n ymwneud â thonnau? Sut fyddech yn penderfynu pa un i'w defnyddio?
16) A yw unedau SI yn bwysig? Beth yw'r unedau SI ar gyfer: tonfedd; amledd; cyflymder; amser?
17) Newidiwch y rhain yn unedau SI: a) 500 kHz, b) 35 cm, c) 4.6 MHz, ch) 4 cm/s, d) $2^1/_2$ mun.
18) Darganfyddwch fuanedd ton ag amledd 50 kHz a thonfedd 0.3 cm.
19) Darganfyddwch gyfnod amser ton o donfedd 1.5 km a buanedd 3×10^8 m/s.
20) Sut mae buaneddau sain a goleuni yn cymharu? Rhowch bump enghraifft lle sylwch ar hyn.
21) Mae sŵn taran i'w glywed 6 eiliad ar ôl fflach y fellten. Pa mor bell i ffwrdd yw'r fellten?
22) Os yw gwaelod y môr 600 m i lawr, faint o amser fydd yn ei gymryd i dderbyn atsain sonar ohono?
23) Brasluniwch y patrymau pan fo crychdonnau plân yn adlewyrchu ar a) arwyneb plân, b) arwyneb crwm.
24) Brasluniwch adlewyrchiad crychdonnau crwm ar arwyneb plân.
25) Beth yw deddf adlewyrchiad? Rhowch fraslun yn dangos adlewyrchiad tryledol goleuni.
26) Lluniwch ddiagram taclus o belydrau yn dangos sut i leoli safle delwedd mewn drych plân.
27) Beth yw plygiant? Beth sy'n ei achosi? Sut mae'n effeithio ar donfedd ac amledd?
28) Brasluniwch belydryn o olau yn mynd trwy floc gwydr petryalog, gan ddangos yr onglau *i* ac *r*.
29) Pa mor gyflym mae golau yn teithio mewn gwydr? Pa ffordd mae'n plygu wrth fynd i mewn i'r gwydr? Beth pe byddai $i = 90°$?
30) Beth yw gwasgariant? Brasluniwch ddiagam sy'n ei ddangos â'r holl labeli.
31) Brasluniwch y tri diagram i ddangos Adlewyrchiad Mewnol Cyflawn a'r Ongl Gritigol.
32) Brasluniwch dri chymhwysiad o adlewyrchiad mewnol cyflawn sy'n defnyddio prismau 45°, ac eglurwch y rhain.
33) Rhowch fanylion am y ddau brif ddefnydd o ffibrau optegol. Sut mae ffibrau optegol yn gweithio?
34) Beth yw diffreithiant? Brasluniwch ddiffreithiant a) tonnau dŵr b) tonnau sain c) goleuni.
35) Pa agweddau ar donnau EM sy'n penderfynu eu nodweddion gwahanol?
36) Brasluniwch sbectrwm EM â'i holl fanylion. Beth sy'n digwydd pan gaiff tonnau EM eu hamsugno?
37) Rhowch fanylion llawn am ddefnyddio tonnau radio. Sut mae'r tri math "yn mynd o gwmpas"?
38) Rhowch y manylion llawn am y ddau brif fath o ficrodonnau, a'r tri phrif ddefnydd o isgoch.
39) Rhowch enghraifft synhwyrol o ddefnydd golau gweladwy. Beth yw ei brif ddefnydd?
40) Rhowch fanylion am dri defnydd o olau UF, dau ddefnydd o belydrau X a thri defnydd o belydrau gama.
41) Pa niwed wna UF, pelydrau X a phelydrau gama mewn dognau *uchel*? Beth am ddognau *isel*?
42) Beth sy'n achosi tonnau seismig? Brasluniwch ddiagramau yn dangos llwybrau'r ddau fath, ac esboniwch.

Y System Solar

Mae angen i chi ddysgu *trefn* y planedau:

Mercher,	Gwener,	Y Ddaear,	Mawrth,	(Asteroidau),	Iau,	Sadwrn,	Wranws,	Neifion,	Plwton
(Meddai	Gwen	Dafis,	"Mae'r	Athro	Ianto	Smith	Wrthi'n	Naddu	Pensiliau")

MERCHER, *GWENER*, *Y DDAEAR* a *MAWRTH* yw'r *PLANEDAU MEWNOL*.
IAU, *SADWRN*, *WRANWS*, *NEIFION* a *PHLWTON* yw'r *PLANEDAU ALLANOL* sy'n llawer pellach i ffwrdd.

Adlewyrchu Golau'r Haul wna'r Planedau – Nid oes ganddynt eu Golau eu Hunain

1) Gallwch *weld* rhai o'r planedau agosaf â'r *llygad noeth* yn y nos, e.e. Mawrth a Gwener.
2) Maent yn edrych *fel sêr*, ond maent wrth gwrs yn *gwbl wahanol*.
3) Mae'r sêr yn enfawr ac yn *bell iawn i ffwrdd* ac *yn rhoi* llawer o olau.
   Mae'r planedau yn *llai ac yn nes* ac maent yn *adlewyrchu golau'r haul* sy'n disgyn arnynt.
4) Mae planedau bob amser yn *orbitio o amgylch sêr*. Yn ein System Solar ni mae'r planedau yn orbitio'r *Haul*.
5) Mae'r orbitau hyn i gyd *yn elipsau*.
5) Mae'r holl blanedau yn ein System Solar yn orbitio yn yr *un plân* ac eithrio Plwton (fel y dangosir).
7) Po *bellaf* yw'r blaned o'r Haul, y *mwyaf* yw'r amser orbitio (gweler y dudalen nesaf).

Seren yw'r Haul Sy'n Rhoi Allan Pob Math o Belydriad EM

1) Mae'r Haul, fel sêr eraill, yn cynhyrchu *gwres* o *adweithiau ymasiad niwclear* sy'n troi *hydrogen yn heliwm*. Mae hyn yn ei wneud yn boeth iawn.
2) Mae'n rhoi allan *sbectrwm cyflawn* o *belydriad electromagnetig*.

Meintiau Cymharol y Planedau a'r Haul

Dysgwch am y Planedau — gallant eich goleuo...

Tydi'r System Solar yn enfawr! Yr holl blanedau lliwgar a'r gwagle mawr du. Gallwch edrych ymlaen am gwestiwn neu ddau hawdd ar y planedau. Byddwch yn barod, *dysgwch* yr holl *fanylion*.

Y Planedau

Peth Data am y Planedau y mae angen i chi eu Gwybod

Er nad oes disgwyl i chi ddysgu'r holl rifau sydd isod, fe ddylai fod gennych syniad da pa blanedau yw'r mwyaf, neu bellaf allan etc. Crynodeb yw'r tabl hwn o'r data pwysicaf am blanedau:

	PLANED	DIAMEDR (km)	MÀS (× Màs y Ddaear)	P. CYMEDRIG O'R HAUL (miliwn o km)	AMSER ORBITIO
PLANEDAU MEWNOL	MERCHER	4 800	0.05	58	88 d
	GWENER	12 100	0.8	108	225 d
	DAEAR	12 800	1.0	150	365 d
	MAWRTH	6 800	0.1	228	687 d
PLANEDAU ALLANOL	IAU	143 000	318.0	778	12 bl
	SADWRN	120 000	95.0	1430	29 bl
	WRANWS	51 000	15.0	2870	84 bl
	NEIFION	40 000	17.0	4500	165 bl
	PLWTON	2 400	0.003	5900	248 bl

d = dydd Daear; bl = blwyddyn Daear

Disgyrchiant yw'r Grym sy'n cadw popeth Ar Orbit

1) *Grym atyniad* yw *disgyrchiant* sy'n gweithredu rhwng *pob màs.*
2) Gyda *masau mawr iawn* fel *sêr* a *phlanedau*, mae'r grym yn *anferth* ac yn gweithredu *dros bellter mawr.*
3) Po *agosaf* yr ewch at blaned, y *cryfaf* yw'r *grym atyniad.*
4) I *wrthsefyll* disgyrchiant cryfach, rhaid i'r blaned deithio'n *gyflymach* a gwneud ei horbit *mewn llai o amser.*
5) Caiff *comedau* hefyd eu dal mewn *orbit* gan ddisgyrchiant, a *lleuadau, lloerennau* a *gorsafoedd gofod.*
6) Mae maint grym disgyrchiant yn dilyn y berthynas enwog "*sgwâr gwrthdro*".
   Y prif effaith yw fod y grym yn *lleihau'n gyflym iawn* gyda chynnydd yn y *pellter.*
   Y *fformiwla* yw $F \propto 1/d^2$, ond mae'n *haws* cofio'r syniad sylfaenol *mewn geiriau*:

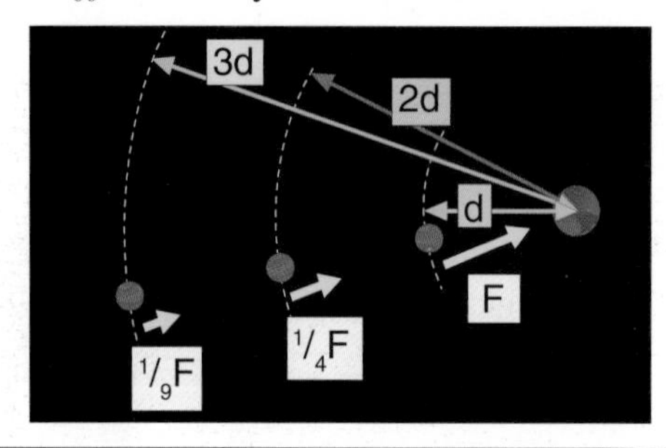

a) Os ydych yn *DYBLU'R pellter* o blaned, bydd maint y *grym* yn *lleihau* gan *ffactor o BEDWAR* (2^2).

b) Os ydych yn *TREBLU'R pellter*, bydd y *grym* disgyrchiant yn *lleihau* gan *ffactor o NAW* (3^2), ac felly ymlaen.

c) Ar y llaw arall, os ewch *DDWYWAITH mor agos* bydd y disgyrchiant *BEDAIR gwaith yn gryfach.*

Mae Planedau yn Awyr y Nos yn edrych fel pe baent yn Symud ar draws y Cytser

1) Mae'r sêr yn yr awyr yn ffurfio *patrymau cyson* o'r enw *cytser.*
2) Maent yn *sefydlog* mewn *perthynas â'i gilydd* ac yn "*troi*" wrth i'r Ddaear droi.
3) Mae'r *planedau* yn edrych *fel sêr* ac eithrio eu bod yn *teithio* ar draws y cytser dros gyfnodau o *ddyddiau neu wythnosau*, gan fynd yn aml i'r *cyfeiriad dirgroes.*
4) Mae eu safle a'u mudiant yn dibynnu ar ble y maent *ar eu horbit* o'u cymharu â ni.
5) Gwnaeth *mudiant hynod y planedau* i'r *hen seryddwyr* sylweddoli nad y Ddaear *yw canol y bydysawd* wedi'r cyfan, ond yn hytrach y *drydedd graig o'r Haul.* Mae hyn yn *dystiolaeth gref* dros fodel *Haul-ganolog* y System Solar.
6) Nid oedd y bechgyn yn *Yr Ymholiad Sbaenaidd* yn hapus am hyn, a chafodd Copernicus amser caled. Yn y diwedd, daeth *"y gwir i'r amlwg"*.

Dysgwch y Dudalen Yma...

Mae'r planedau yn wych. Fe ddylech fod yn gyfarwydd â llawer o'r manylion sydd yma. Fe welwch un neu ragor o'r planedau yn awyr y nos, dim ond i chi godi eich llygaid i edrych. *Dysgwch* yr holl fanylion, yna *cuddiwch* y dudalen ac *ysgrifennwch.*

Lleuadau, Meteorynnau, Asteroidau a Chomedau

Cyrff Wybrennol yw Lleuadau sy'n Orbitio Planedau

1) Dim ond *un Lleuad* sydd gan y Ddaear wrth gwrs, ond mae *mwy nag un* gan rai o'r *planedau eraill*.
2) Gallwn *weld* y Lleuad oherwydd ei bod yn *adlewyrchu golau'r haul*.
3) Mae gwahanol *weddau'r Lleuad* yn dibynnu ar *faint* o'r Lleuad *a oleuwyd* y gallwn ei *weld*, fel y mae'r diagram yn ei ddangos:

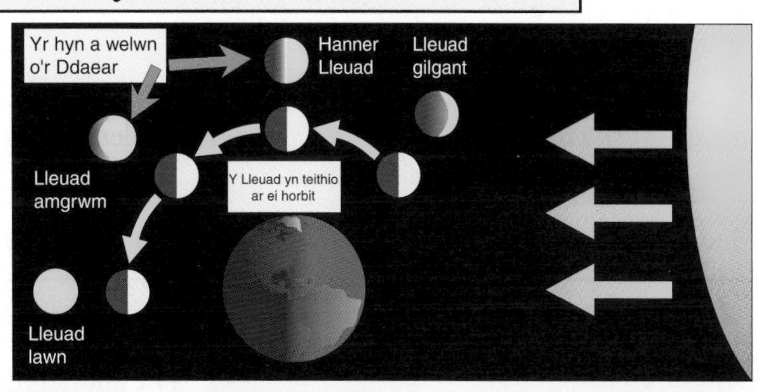

Asteroidau yw Gwregys o Greigiau yn Orbitio Rhwng Mawrth ac Iau

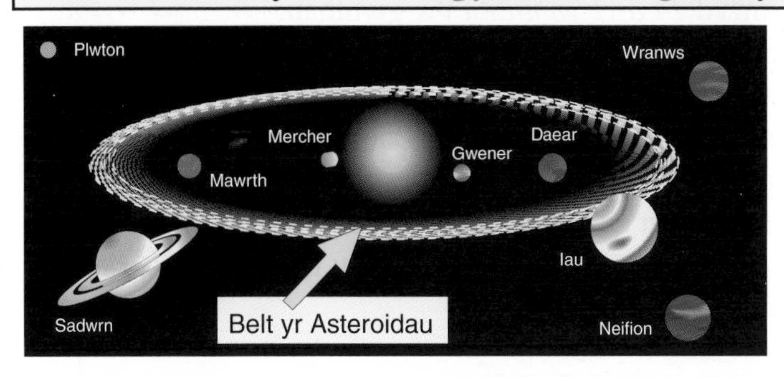

1) Mae *miloedd* o ddarnau o *graig* yn orbitio'r Haul mewn *gwregys* rhwng orbitau *Mawrth* ac *Iau*.
2) Maent yn *amrywio o ran maint* o ryw *1,000 km* i lawr i *1 km* yn eu diamedr.
3) Mae'r *asteroid* fel arfer *yn aros yn ei orbit,* ond os yw'n *taro* yn erbyn rhywbeth arall ac yn cael ei *daro allan* o'i orbit, caiff ei alw'n *feteoryn*...

Meteoryn yw Darn o Graig sy'n Disgyn i Lawr i'r Ddaear

1) Peidiwch â chymysgu rhwng *meteoryn* ac *asteroid*.
2) Mae *asteroid* yn teithio ar *orbit sefydlog* o amgylch yr Haul.
3) *Meteoryn* yw asteroid sydd wedi'i *daro allan* o'i orbit sefydlog ac yna'n *taro'r Ddaear*.
4) Pan fydd yn mynd drwy *atmosffer y Ddaear* bydd yn *llosgi*, ac yna fe'i gwelwn fel *seren wib*.
5) Os yw'n *ddigon mawr* bydd yn cyrraedd *wyneb y Ddaear*. Er mai yn *anaml* y digwydd hyn, gall fod yn ddifrifol pan ddigwydd.

Mae Comed yn Orbitio'r Haul, gydag Orbit Echreiddig (hir)

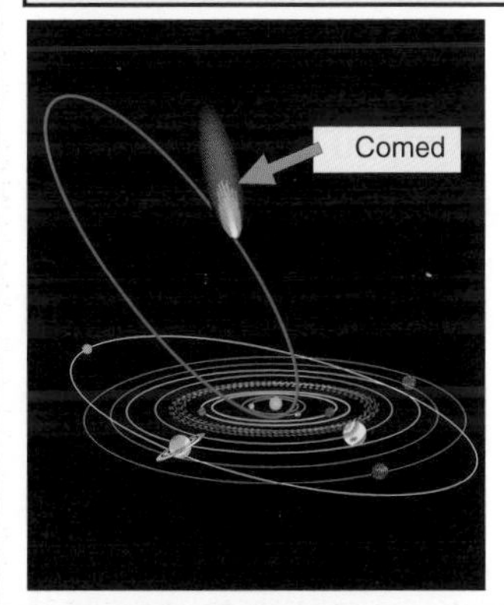

1) Mae *Comedau* yn ymddangos *bob ychydig o flynyddoedd* oherwydd bod eu *horbitau* yn eu cymryd *ymhell o'r Haul* ac yna'n *ôl yn agos*, a dyna pryd y byddwn *ni* yn eu gweld.
2) *Nid* yw'r Haul *yng nghanol* yr orbit ond *yn nes i un pen* fel y dangosir.
3) Gall *orbitau comedau* fod mewn *planau gwahanol* i orbitau'r planedau.
4) Mae comedau wedi'u gwneud o *iâ a chreigiau,* ac wrth iddynt nesáu at yr haul mae'r *iâ yn hydoddi* gan adael *cynffon lachar o sbwriel* a all fod yn *filiynau o km o hyd.*
5) Mae comed yn teithio'n *llawer cyflymach* pan yw *agosaf at yr Haul* yn hytrach nag ar fannau *pellaf* ei horbit.
   Digwydd hyn am fod *tyniad disgyrchiant* yn gwneud iddi *gyflymu* wrth ddod yn *nes* i'r Haul, ac yna *arafu* wrth iddi fynd *ymhellach i ffwrdd* o'r Haul.

Dysgwch am y Darnau hyn o Graig — a gwyliwch nhw...

Pedwar darn o wybodaeth gosmig i chi eu dysgu. Mae mwy i'r System Solar na'r planedau y gwyddoch amdanynt. Gwnewch yn siŵr eich bod yn dysgu'r holl fanylion am y darnau hyn o graig. Mae'r cyfan yn y maes llafur. Pedwar *traethawd byr* os gwelwch yn dda. Nawr.

Lloerennau

Weithiau caiff *Lleuadau* eu galw'n *lloerennau naturiol*.
Anfonir *lloerennau artiffisial* gan ddyn am *bedwar rheswm*:

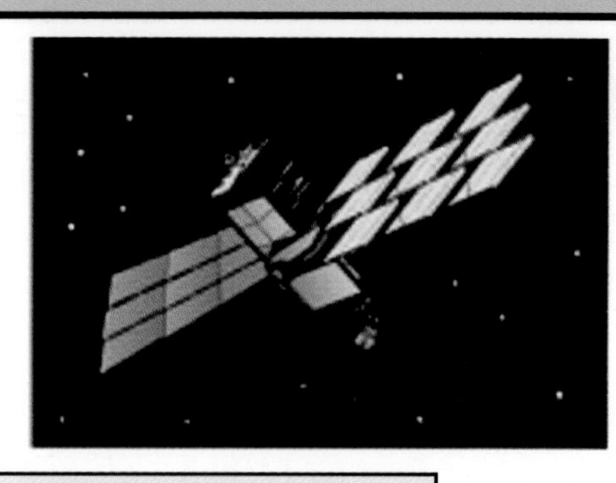

1) Monitro'r *Tywydd*.
2) *Cyfathrebu*, e.g. ffôn a theledu.
3) *Gwaith ymchwil ar y gofod* megis y Telesgop Hubble.
4) *Sbïo* ar ddrwgweithredwyr.

Mae *dau wahanol orbit* sy'n ddefnyddiol ar gyfer lloerennau:

1) Defnyddir Lloerennau Geosefydlog ar gyfer Cyfathrebu

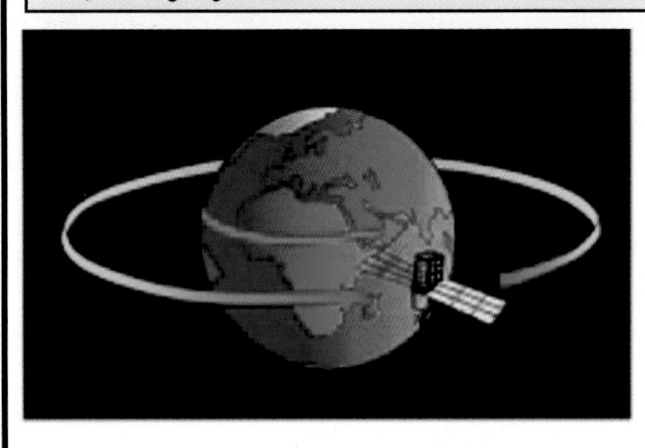

1) Cânt hefyd eu galw'n *lloerennau geosyncronus*.
2) Cânt eu lleoli ar *orbit uchel* dros y *cyhydedd* sy'n cymryd *24 awr yn union* i'w gwblhau.
3) Golyga hyn eu bod yn *aros uwchben yr un pwynt* ar arwyneb y Ddaear oherwydd bod y Ddaear *yn troi gyda nhw* — ac felly'r enw Geo-(Daear) sefydlog.
4) Maent yn *ddelfrydol* ar gyfer systemau *Teleffon a Theledu* am eu bod bob amser *yn yr un man* a gallant *drosglwyddo signalau* o un ochr y Ddaear i'r ochr arall mewn *ffracsiwn o eiliad*.

2) Defnyddir Lloerennau Orbit Polar Isel ar gyfer Tywydd a Sbïo

1) Mae lloeren ar *orbit polar isel* yn ysgubo dros y *ddau begwn* tra bo'r Ddaear *yn cylchdroi oddi tani*.
2) Yr amser ar gyfer pob orbit llawn yw *ychydig o oriau*.
3) Bob tro y daw'r lloeren o amgylch mae'n gallu *sganio'r* rhan nesaf o'r Ddaear.
4) Gall *holl arwyneb* y blaned gael *ei wylio* bob dydd.
5) Mae lloerennau geosefydlog yn *rhy uchel* i dynnu lluniau da o'r tywydd ac i sbïo, ond nid felly'r lloerennau sydd ar *orbitau polar isel*.

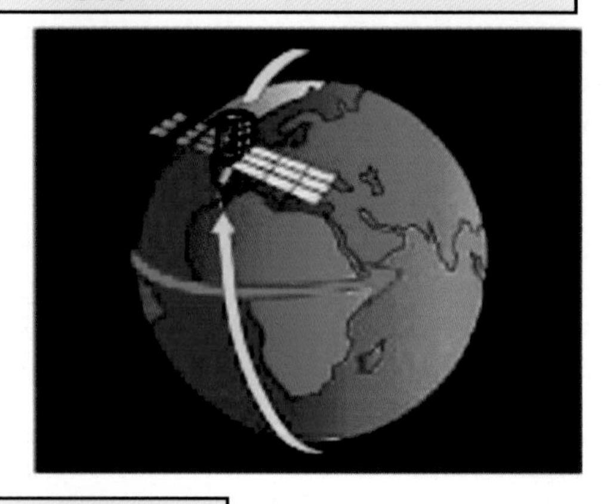

3) Nid oes Atmosffer yn ffordd y Telesgop Hubble

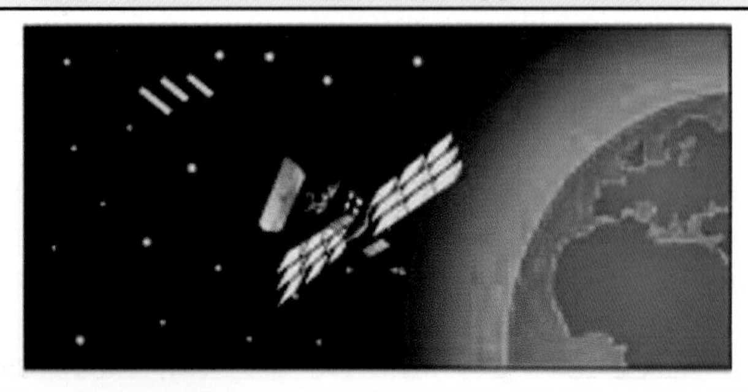

1) *Mantais fawr* cael telesgopau ar *loerennau* yw y gallant edrych allan i'r gofod *heb* yr *ystumio* a'r *pylu* a achosir gan *atmosffer* y Ddaear.
2) Mae hyn yn caniatáu i ni weld *llawer mwy o fanylion* y *sêr pell* a hefyd y *planedau* yn y System Solar.

Dysgwch am y Lloerennau...

Gallwch weld y lloerennau orbit polar isel ar noswaith dywyll glir. Maen nhw'n edrych fel sêr ac eithrio eu bod yn teithio'n gyflym mewn llinell syth ar draws yr awyr. Welwch chi byth mo'r rhai geosefydlog serch hynny! *Dysgwch y manylion* am loerennau, er mwyn ennill marciau yn yr arholiad.

O Ddydd i Ddydd ac o Dymor i Dymor

Y Ddaear yn Cylchdroi sy'n Rhoi i ni Ddydd a Nos

1) Fel y dengys y diagram, wrth i'r Ddaear *droi'n araf* bydd pwynt ar arwyneb y Ddaear yn symud o'r *ochr olau* yng *ngolau'r Haul* i'r *ochr dywyll* allan o'r Haul ac yn ôl i olau'r Haul eto ar yr ochr arall. Y dilyniant hwn sy'n rhoi'r patrwm *dydd-cyfnos-nos-gwawr*.
2) Mae *cylchdroad cyflawn* yn cymryd *24 awr* wrth gwrs — diwrnod cyfan. Y tro nesaf y byddwch yn gwylio'r *Haul yn machlud*, ceisiwch *ddychmygu eich hun* yn ddiymadferth ar *bêl fawr yn cylchdroi* wrth i chi symud yn dawel o'r *cyfnos* i'r *cysgodion*.
3) Sylwch hefyd, oherwydd *goledd yr echelin*, fod llefydd yn *Hemisffer y Gogledd* yn treulio *mwy o amser* yng *ngolau'r Haul* nag yn y *cysgod* (sef y nos), tra bo llefydd yn *Hemisffer y De* yn treulio mwy o amser yn y *tywyllwch*. Digwydd hyn oherwydd yr *amser o'r flwyddyn*. Gweler isod.

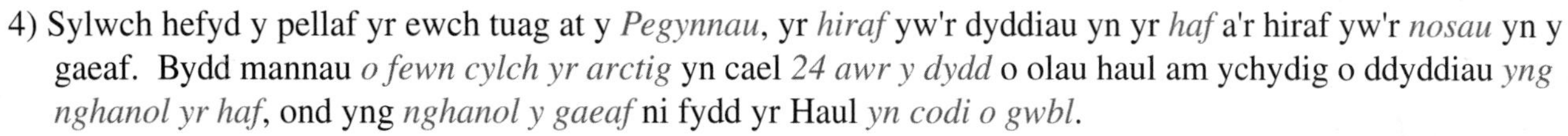

4) Sylwch hefyd y pellaf yr ewch tuag at y *Pegynnau*, yr *hiraf* yw'r dyddiau yn yr *haf* a'r hiraf yw'r *nosau* yn y gaeaf. Bydd mannau *o fewn cylch yr arctig* yn cael *24 awr y dydd* o olau haul am ychydig o ddyddiau *yng nghanol yr haf*, ond yng *nghanol y gaeaf* ni fydd yr Haul *yn codi o gwbl*.
5) Ar y *Cyhydedd,* fel cyferbyniad, ni fydd hyd y dydd *byth yn newid* o un tymor i'r nesaf. Mi fydd hi bob amser yn ddydd yno am *12 awr* ac yn nos am *12 awr*. Mae safle'r *cysgodion* yn dangos hyn i gyd.

Achosir y Tymhorau gan y Goledd yn Echelin y Ddaear

1) Wrth i'r Ddaear *symud ar ei horbit* o amgylch yr Haul mae *goledd ei hechelin* yn achosi i Hemisfferau'r Gogledd a'r De *newid* rhwng cael *oriau hir o olau dydd* a *dyddiau byr*.
2) Mae'r diagram *UCHOD* yn dangos *Hemisffer y Gogledd* yn mwynhau dyddiau hir — h.y. *haf*.
3) Mae'r diagram *ISOD* yn dangos *pedwar safle gwahanol* yn y flwyddyn gyda'r Gogledd a'r De yn cael *tymhorau dirgroes* yr holl amser.

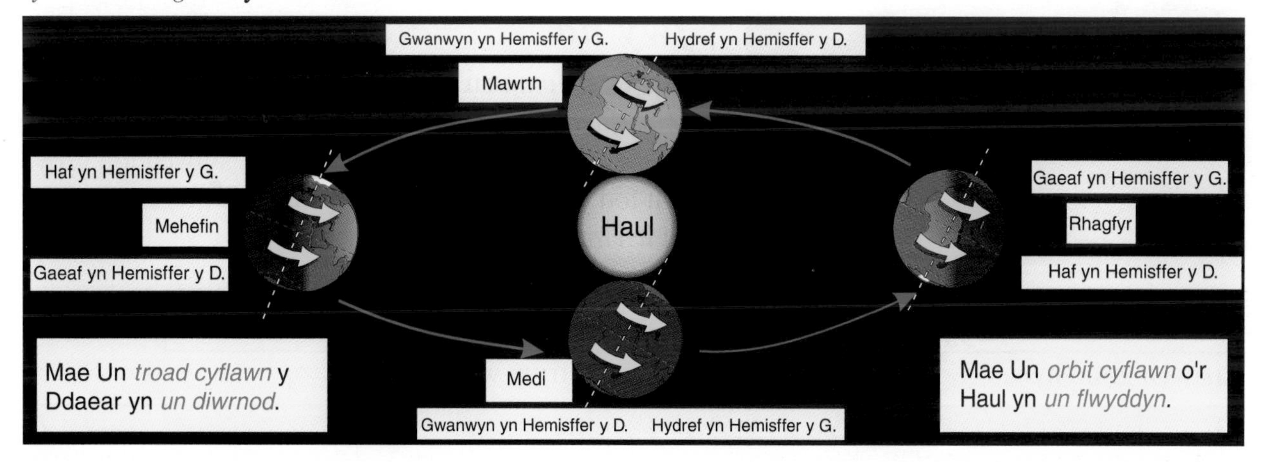

4) Pan fydd hi'n *haul di-baid drwy gydol dyddiau hir* yn y naill hemisffer neu'r llall, bydd y tymhereddd yn codi ac mi fydd hi'n *haf* yno.
5) Yn y *gaeaf* mi fydd hi'n oer yno oherwydd eu bod *allan o'r haul* am gymaint o'r amser yn wynebu *duwch oer* y gofod. Mae *ongl* pelydrau'r Haul *ar y Ddaear* hefyd yn *ffactor pwysig*.
6) Ym *mis Mawrth* a *mis Medi*, mae'r echelin yn *gogwyddo* tua'r Haul felly mae *pob man*, yn y Gogledd a'r De, yn cael *12 awr o olau Haul*.

Ewch i Norwy dros y Nadolig — ond ewch â thorts gyda chi...

Mae'r gwaith hynod o ddiddorol hwn yn egluro beth sy'n achosi i'r Haul "godi" a "machlud" a beth sy'n achosi'r tymhorau. Bydd edrych ar y wawr yn torri yn sicr o roi ysbrydoliaeth i chi.

Y Bydysawd

Caiff Sêr a Systemau Solar eu ffurfio o Gymylau o Lwch

1) Caiff *sêr eu ffurfio* o *gymylau o lwch* sy'n *sbiralu i mewn gyda'i gilydd* oherwydd *atyniad disgyrchiant.*

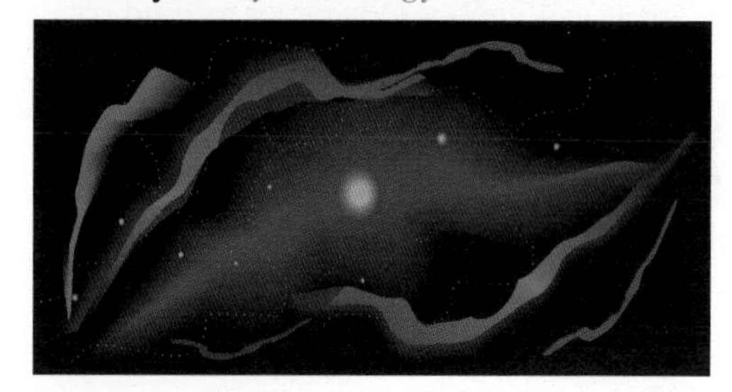

2) Mae'r disgyrchiant yn *cywasgu'r* mater cymaint fel bo *gwres llethol* yn datblygu ac yn cychwyn *adweithiau ymasiad niwclear,* a bydd y seren yn dechrau *allyrru golau* a *phelydriadau eraill.*
3) Ar yr *un pryd* ag y mae'r seren yn ffurfio, *gall lympiau eraill* ddatblygu yn y cymylau llwch troellog, a bydd y rhain yn y diwedd yn hel at ei gilydd i ffurfio *planedau* sy'n orbitio *o amgylch y seren.*

Mae ein Haul yng Ngalaeth y Llwybr Llaethog

1) Mae'r *Haul* yn un o'r *miliynau* o *sêr* sy'n ffurfio *Galaeth y Llwybr Llaethog.*

2) Mae'r *pellter* rhwng sêr cyfagos fel arfer *filiynau gwaith yn fwy* na'r pellter rhwng y *planedau* sydd yn ein System Solar ni.
   Mae'r Llwybr Llaethog tua *100,000 blwyddyn golau* ar ei draws.
3) *Disgyrchiant* wrth gwrs yw'r *grym* sy'n dal y sêr wrth ei *gilydd* mewn *galaethau* ac, fel y rhan fwyaf o bethau yn y Bydysawd, *mae'r galaethau i gyd yn cylchdroi*, fel olwyn "catherine" ond yn *llawer arafach.*
4) Mae ein Haul ni tua *phen draw* un o *freichiau sbiral* galaeth y Llwybr Llaethog.

Mae gan y Bydysawd Cyfan fwy na Biliwn o Alaethau

1) Mae *Galaethau* eu hunain yn aml *filiynau o weithiau ymhellach o'i gilydd* nag yw'r *sêr* o fewn galaeth.
2) Mae'n siŵr y byddwch wedi dechrau sylweddoli erbyn hyn fod y *rhan fwyaf* o'r Bydysawd *yn lle gwag,* a'i fod yn *wirioneddol anferth.*

Pellter, NID Cyfnod o Amser, yw "Blwyddyn Golau"

Ceisiwch gofio hyn. *Blwyddyn Golau* yw *pellter mawr* trwy wactod:

BLWYDDYN GOLAU yw'r PELLTER mae golau'n ei deithio MEWN UN FLWYDDYN

1) Mae'r *seren agosaf* atom (ac eithrio'r Haul wrth gwrs) *4.2 blwyddyn golau* i ffwrdd.
2) I gael hwn mewn *km,* yn gyntaf *lluoswch fuanedd golau* â *nifer yr eiliadau mewn blwyddyn*:
   Un flwyddyn golau = 300,000,000 m/s $\times$ ($60 \times 60 \times 24 \times 365^1/_4$) s = *$9.5 \times 10^{15}$ m*
   Felly bydd *4.2 blwyddyn golau* yn $4.2 \times (9.5 \times 10^{15}) = 4 \times 10^{16}$ m neu *40 000 000 000 000 km.*

Galaethau, Y Llwybr Llaethog

Mae'r Bydysawd mor fawr — edrychwch ar y rhifau: Un flwyddyn golau yw *$9^1/_2$ miliwn miliwn km,* mae un alaeth *100,000* o'r rhain ar ei thraws, ac mae'r Bydysawd yn cynnwys *biliynau* o alaethau, pob un ohonynt *filiynau* o weithiau ymhellach oddi wrth ei gilydd na 100,000 blwyddyn golau.

Cylchred Bywyd y Sêr

Mae sêr yn mynd trwy *sawl cam trawmatig* yn eu bywydau.

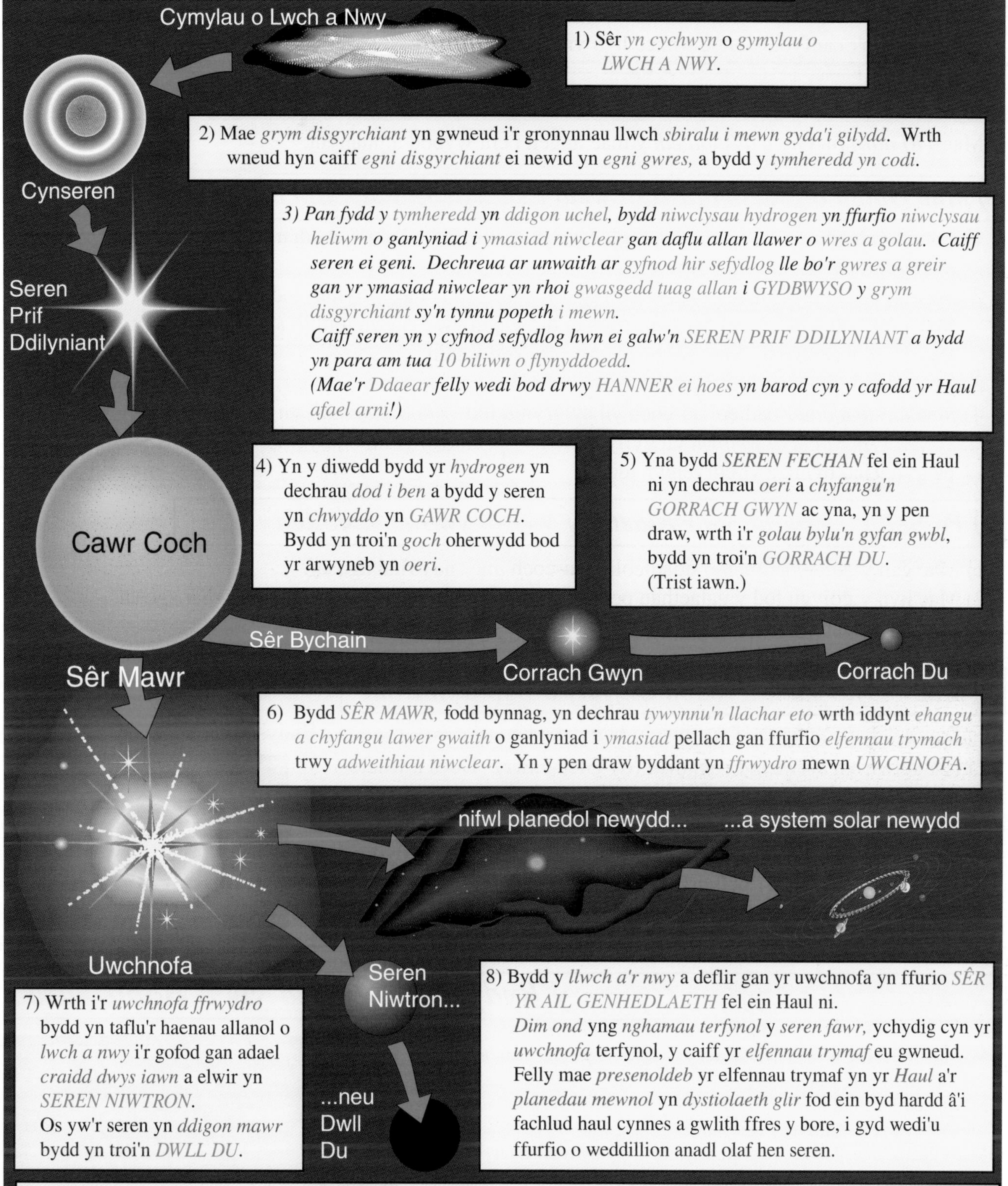

Cymylau o Lwch a Nwy

1) Sêr *yn cychwyn* o *gymylau o LWCH A NWY.*

2) Mae *grym disgyrchiant* yn gwneud i'r gronynnau llwch *sbiralu i mewn gyda'i gilydd.* Wrth wneud hyn caiff *egni disgyrchiant* ei newid yn *egni gwres,* a bydd y *tymheredd yn codi.*

Cynseren

3) *Pan fydd y tymheredd yn ddigon uchel, bydd niwclysau hydrogen yn ffurfio niwclysau heliwm o ganlyniad i ymasiad niwclear gan daflu allan llawer o wres a golau. Caiff seren ei geni. Dechreua ar unwaith ar gyfnod hir sefydlog lle bo'r gwres a greir gan yr ymasiad niwclear yn rhoi gwasgedd tuag allan i GYDBWYSO y grym disgyrchiant sy'n tynnu popeth i mewn.*
Caiff seren yn y cyfnod sefydlog hwn ei galw'n SEREN PRIF DDILYNIANT a bydd yn para am tua 10 biliwn o flynyddoedd.
(Mae'r Ddaear felly wedi bod drwy HANNER ei hoes yn barod cyn y cafodd yr Haul afael arni!)

Seren Prif Ddilyniant

Cawr Coch

4) Yn y diwedd bydd yr *hydrogen* yn dechrau *dod i ben* a bydd y seren yn *chwyddo* yn *GAWR COCH.* Bydd yn troi'n *goch* oherwydd bod yr arwyneb yn *oeri.*

5) Yna bydd *SEREN FECHAN* fel ein Haul ni yn dechrau *oeri* a *chyfangu'n GORRACH GWYN* ac yna, yn y pen draw, wrth i'r *golau bylu'n gyfan gwbl,* bydd yn troi'n *GORRACH DU.* (Trist iawn.)

Sêr Bychain

Corrach Gwyn

Corrach Du

Sêr Mawr

6) Bydd *SÊR MAWR,* fodd bynnag, yn dechrau *tywynnu'n llachar eto* wrth iddynt *ehangu a chyfangu lawer gwaith* o ganlyniad i *ymasiad* pellach gan ffurfio *elfennau trymach* trwy *adweithiau niwclear.* Yn y pen draw byddant yn *ffrwydro* mewn *UWCHNOFA.*

nifwl planedol newydd... ...a system solar newydd

Uwchnofa

Seren Niwtron...

...neu Dwll Du

7) Wrth i'r *uwchnofa ffrwydro* bydd yn taflu'r haenau allanol o *lwch a nwy* i'r gofod gan adael *craidd dwys iawn* a elwir yn *SEREN NIWTRON.*
Os yw'r seren yn *ddigon mawr* bydd yn troi'n *DWLL DU.*

8) Bydd y *llwch a'r nwy* a deflir gan yr uwchnofa yn ffurio *SÊR YR AIL GENHEDLAETH* fel ein Haul ni.
Dim ond yng *nghamau terfynol* y *seren fawr,* ychydig cyn yr *uwchnofa* terfynol, y caiff yr *elfennau trymaf* eu gwneud. Felly mae *presenoldeb* yr elfennau trymaf yn yr *Haul* a'r *planedau mewnol* yn *dystiolaeth glir* fod ein byd hardd â'i fachlud haul cynnes a gwlith ffres y bore, i gyd wedi'u ffurfio o weddillion anadl olaf hen seren.

9) Mae'r *mater* y mae *sêr niwtron* a *chorachod gwyn* a *chorachod du* wedi'u gwneud ohono *FILIYNAU O WEITHIAU'N DDWYSACH* nag unrhyw fater ar y Ddaear oherwydd bod y *disgyrchiant mor gryf* fel bod hyd yn oed *atomau* yn cael eu malu.

Seren Fechan yn y Nos... — DYSGWCH AMDANI...

Sut mae gwyddonwyr yn gwybod y cyfan? Mae'n syndod eu bod yn gwybod nid yn unig am holl hanes y Ddaear am y pum biliwn o flynyddoedd diwethaf, ond hefyd holl gylchred bywyd sêr pan ydynt biliynau a biliynau o gilometrau i ffwrdd. Mae'n anhygoel.

Tarddiad y Bydysawd

Damcaniaeth y Bydysawd, sef *Damcaniaeth y Glec Fawr,* yw'r un *fwyaf credadwy* ar hyn o bryd. Mae yna ddamcaniaeth arall, sef *Damcaniaeth y Cyflwr Cyson* sy'n eithaf derbyniol, ond *nid yw'n egluro* rhai o'r canfyddiadau a wnaed hyd yma yn dda iawn.

Rhaid Egluro Dadleoliad Tua'r Coch a Phelydriad Cefndirol

Mae *TRI darn pwysig o dystiolaeth* y mae angen i chi wybod amdanynt:

1) Mae Golau o Alaethau Eraill wedi'i Ddadleoli tua'r Coch

1) Pan edrychwn ar *olau o alaethau pell* cawn fod *yr holl amleddau* wedi'u *dadleoli* tua *phen coch* y sbectrwm.
2) Mewn geiriau eraill mae'r *amleddau* i gyd *ychydig yn is* nag y dylent fod. Mae'r un fath â *hwter car* yn swnio'n is ei draw pan yw'r car yn teithio *i ffwrdd* oddi wrthych. Mae *gostyngiad yn amledd* y sain.
3) Yr enw ar hyn yw *effaith Doppler*.
4) Mae *mesuriadau'r* dadleoliad-coch yn awgrymu fod *yr holl alaethau* yn *symud i ffwrdd oddi wrthym* yn gyflym iawn — a chawn yr *un canlyniad* pa gyfeiriad bynnag yr edrychwn iddo.

2) Po Bellaf i Ffwrdd yw'r Alaeth, y Mwyaf yw'r Dadleoliad-Coch

1) Mae gan y *galaethau pellaf* ddadleoliadau-coch *mwy* na'r rhai agosaf.
2) Mae hyn y golygu fod y galaethau pellaf yn *symud i ffwrdd yn gyflymach* na'r rhai agosaf.
3) Mae'n ymddangos mai'r *casgliad amlwg* yw fod yr holl Fydysawd yn *chwyddo.*

3) Mae Pelydriad Microdon Unffurf o Bob Cyfeiriad

1) Daw'r *pelydriad amledd isel* hwn o *bob cyfeiriad* ac o *holl rannau'r* Bydysawd.

2) Fe'i gelwir yn *belydriad cefndirol* (o'r Glec Fawr). Does a wnelo hyn ddim oll â phelydriad cefndirol ymbelydredd ar y Ddaear.
3) Am resymau cymhleth mae'r pelydriad cefndirol yn *dystiolaeth gref* dros y *Glec Fawr gychwynnol* ac, wrth i'r Bydysawd *ehangu ac oeri*, mae'r pelydriad cefndirol yn "*lleihau*" ac yn *gostwng o ran ei amledd.*

Damcaniaeth Cyflwr Cyson y Bydysawd — Nid yw'n Boblogaidd

1) Mae hon wedi'i seilio ar y syniad fod y Bydysawd yn ymddangos *bron yr un fath yn awr ag y bu erioed.*
2) Mewn geiriau eraill mae'r Bydysawd *wedi bod yno erioed,* ac *mi fydd yno am byth* yn yr un ffurf ag y mae nawr.
3) Mae'r ddamcaniaeth hon yn egluro'r syniad fod y bydysawd fel *petai'n ehangu o hyd* trwy awgrymu fod *mater* yn cael ei *greu* yn y gwagleoedd wrth i'r Bydysawd ehangu.
4) Fodd bynnag, hyd yma, nid oes *eglurhad pendant* i esbonio *o ble* y *daw'r mater newydd.*
5) Nid oes fawr o gefnogaeth i'r ddamcaniaeth Cyflwr Cyson, oherwydd bod darganfyddiad y *pelydriad cefndirol* yn ffitio'n *llawer gwell* i syniad y Glec Fawr.
6) Ond *wyddom ni ddim...*

Tarddiad a Dyfodol y Bydysawd

Damcaniaeth y Glec Fawr — y Ddamcaniaeth sy'n Boblogaidd

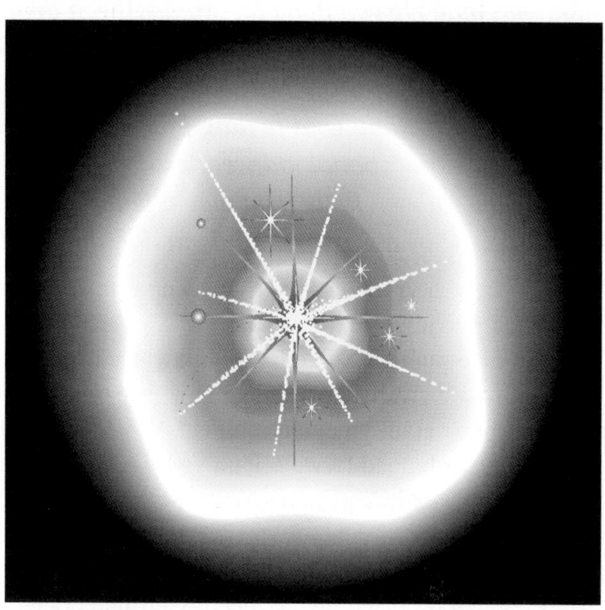

1) Gan fod yr holl alaethau yn ymddangos fel pe baent yn *symud oddi wrth ei gilydd* yn gyflym iawn, y *casgliad amlwg* yw y digwyddodd *ffrwydriad mawr ar y dechrau*: y *Glec Fawr*.
2) Mae'n rhaid fod yr foll fater yn y Bydysawd wedi'i *gywasgu i ofod bychan iawn* ac yna *ffrwydro* ac mae'n *dal i ehangu* hyd heddiw.
3) Credir bod y Glec Fawr wedi digwydd tuag *15 biliwn o flynyddoedd yn ôl*.
4) Gellir *amcangyfrif* oed y Bydysawd o'r *gyfradd ehangu bresennol*.
5) Nid yw'r amcangyfrifon hyn *yn gywir iawn* gan ei bod yn anodd dweud faint mae'r ehangu *wedi arafu* ers y Glec Fawr.
6) Mae'r gyfradd y mae'r ehangu yn *arafu* yn *ffactor pwysig* wrth benderfynu ar *ddyfodol* y Bydysawd.
7) *Heb ddisgyrchiant* byddai'r Bydysawd yn ehangu ar yr *un gyfradd am byth*.
8) Fodd bynnag, mae'r *atyniad* rhwng yr holl fasau yn y Bydysawd yn tueddu i *arafu'r* ehangiad.

Dyfodol y Bydysawd:

Gall Ehangu am Byth — neu Gyfangu nes dod i'r Crebachiad Mawr

1) Mae dyfodol y Bydysawd yn dibynnu ar *ba mor gyflym mae'r galaethau yn symud oddi wrth ei gilydd* a faint yw'r *màs cyflawn* sydd ynddo.
2) Gallwn *fesur* pa mor gyflym mae'r galaethau yn *gwahanu* yn ddigon hawdd, ond hoffem wybod hefyd *faint o fàs* sydd yn y Bydysawd er mwyn *rhagfynegi ei ddyfodol*.
3) Mae hyn yn *anodd* gan fod y rhan fwyaf o'r màs yn *anweledig*, e.e. *tyllau du*, *planedau mawr*, *llwch rhyngserol* etc.

Fodd bynnag, *gan ddibynnu ar faint o fàs sydd*, mae *dwy ffordd* y gall y Bydysawd fynd:

1) Y Crebachiad Mawr — Ond Dim ond os oes Digon o Fàs

Os oes *digon o fàs* yn gymharol â *pha mor gyflym* mae'r galaethau yn symud ar hyn o bryd, bydd y Bydysawd yn y diwedd yn *stopio ehangu* ac yna'n *dechrau cyfangu*. Diwedd y cyfangu fyddai'r *Crebachiad Mawr*. Gall y Crebachiad Mawr gael ei ddilyn gan Glec Fawr arall, ac yna *cylchredau diddiwedd* o *ehangiadau a chyfangiadau*.

2) Os oes Rhy Ychydig o Fàs —

Os oes *rhy ychydig o fàs* yn y Bydysawd i arafu'r ehangiad, yna gallai'r Bydysawd *ehangu am byth* a *lledu fwyfwy* i dragwyddoldeb. Mae hyn yn syniad sy'n *llawer rhy ddigalon!* Gwell o lawer yw'r syniad o'r Bydysawd yn gwneud *cylchredau yn ddiddiwedd*.

Ond beth oedd yna *cyn* y Bydysawd? Neu beth sydd *y tu allan* i'r Bydysawd? *Anhygoel meddwl!*

Amser a Gofod — mae'n rhyfedd...

Mae'n dda bod llawer o waith ar y gofod yn y maes llafur. Dyma faes sy'n wirioneddol ddiddorol! Dysgwch ychydig o fanylion am y Bydysawd er mwyn swnio'n glyfar pan fyddwch chi'n sgwrsio â phobl eraill. "Wel, mae'n ymwneud â dadleoliad-coch Doppler sydd wedi lleihau dros y 15 biliwn diwethaf o flynyddoedd".

Crynodeb Adolygu Adran 4

Mae'r Bydysawd yn hynod o ddyrys ynddo'i hun. Ond y peth mwyaf dyrys i gyd yw'r ffaith ein bod ni yma, yn trafod ac yn ystyried gwir annhebygolrwydd ein bodolaeth ni. Os nad yw eich dychymyg ar dân, yna mae rhywbeth o'i le. Meddyliwch dros hyn. 15 biliwn o flynyddoedd yn ôl roedd ffrwydriad, ond nid oedd yn rhaid wrth yr holl ddigwyddiadau a fu'n fodd (neu a achosodd?) i fywyd deallus esblygu a datblygu i'r pwynt lle daeth yn ymwybodol o'i fodolaeth ei hun, heb sôn am annhebygolrwydd brawychus y cyfan. Ond fe ddigwyddodd ac ry'n ni yma. Gallai'r Bydysawd yn hawdd fod wedi bodoli heb i fywyd ymwybodol fod wedi esblygu erioed. Ond nid oes raid i'r Bydysawd fodoli o gwbl. Dim ond tywyllwch dudew. Felly pam mae'n bod? A pham rydym ni yma? A pham mae'n rhaid i ni adolygu cymaint? Pwy a ŵyr — ond dyna ddigon ar y breuddwydio, ewch ymlaen â'ch gwaith.

1) Rhestrwch yr un ar ddeg rhan sy'n perthyn i'r System Solar gan gychwyn gyda'r Haul, a'u rhoi yn y drefn gywir.
2) Sut mae planedau yn edrych yn awyr y nos? Pa rai y gellir eu gweld â'r llygad noeth?
3) Beth yw'r gwahaniaeth mawr rhwng y planedau a'r sêr?
4) Sut mae'r Haul yn cynhyrchu ei holl wres? Beth mae'r Haul yn ei roi allan?
5) P'un yw'r blaned fwyaf? P'un yw'r lleiaf? Brasluniwch feintiau cymharol y cyfan.
6) Beth sy'n cadw'r planedau ar eu horbitau? Pa bethau eraill sy'n cael eu dal ar orbitau?
7) Beth yw'r berthynas enwog "sgwâr gwrthdro"? Tynnwch ddiagram i'w hegluro.
8) Beth yw cytser? Beth mae'r planedau yn ei wneud yn y cytser?
9) Pwy gafodd drwbl gyda'r bechgyn dillad coch? Pam y cafodd y fath drwbl?
10) Tynnwch ddiagram i elgluro gweddau'r Lleuad.
11) Beth yw asteroid a ble mae'r rhain? Beth yw meteoryn a ble mae'r rhain? A oes gwahaniaeth rhyngddyn nhw?
12) Beth yw comed a ble mae'r rhain? O ba ddefnydd y cawson nhw eu gwneud? Brasluniwch ddiagram o orbit comed.
13) Beth yw lloerennau naturiol ac artiffisial? Beth yw'r pedwar pwrpas sydd gennym i'r lloerennau?
14) Eglurwch yn llawn beth mae lloeren geosefydlog yn ei wneud, a dywedwch beth yw ei ddefnydd.
15) Eglurwch yn llawn beth mae lloeren orbit polar isel yn ei wneud, a dywedwch beth yw ei ddefnydd.
16) Beth yw telesgop Hubble a ble mae? Beth yw ei bwrpas?
17) Brasluniwch ddiagram i egluro sut mae dydd a nos yn digwydd.
18) Pa rannau o'r byd sydd â'r dyddiau hiraf a pha rannau sydd â'r dyddiau byrraf?
19) Brasluniwch ddiagram i ddangos sut mae'r tymhorau yn digwydd.
20) Faint o amser mae cylchdroad llawn y Ddaear yn ei gymryd? Faint o amser mae'n ei gymryd i orbitio'r Haul?
21) Beth sy'n ffurfio sêr a systemau solar? Pa rym sy'n peri i hyn ddigwydd?
22) Beth yw'r Llwybr Llaethog? Brasluniwch hwn a dangoswch ein Haul mewn perthynas â hwn.
23) O beth mae'r Bydysawd wedi'i wneud? Pa mor fawr ydyw?
24) Beth yw Blwyddyn Golau? Cyfrifwch sawl km sydd mewn un flwyddyn golau.
25) Faint o amser a gymerai i fynd i'r seren agosaf (4.2 blwyddyn golau i ffwrdd) ar 20,000 km/h?
26) Disgrifiwch gamau cyntaf ffurfio seren. O ble daw'r egni cychwynnol?
27) Pa broses sy'n digwydd ymhen amser mewn seren i wneud iddi gynhyrchu cymaint o wres a golau?
28) Beth yw seren "prif ddilyniant"? Am faint y mae'n para? Beth sy'n digwydd wedyn?
29) Beth yw dau gam olaf bywyd seren fechan?
30) Beth yw dau gam olaf bywyd seren fawr?
31) Beth a olygir wrth seren "ail genhedlaeth"? Sut y gwyddoch fod ein Haul yn un o'r rhain?
32) Beth yw dwy brif ddamcaniaeth tarddiad y Bydysawd? P'un sydd fwyaf tebygol?
33) Beth yw'r tri darn pwysig o wybodaeth sydd raid eu hegluro gan y damcaniaethau hyn?
34) Rhowch fanylion bras y ddwy ddamcaniaeth. Pa mor bell yn ôl yr awgrymodd pob damcaniaeth y dechreuodd y Bydysawd?
35) Beth yw'r ddau ddyfodol posibl i'r Bydysawd?
36) Ar beth mae'r ddau ddyfodol posibl hyn yn dibynnu?
37) Pa mor rhyfedd yw'r Bydysawd? Beth yw'r peth mwyaf anhygoel a ddigwyddodd?

Trosglwyddo Egni

Dysgwch y Deg Math o Egni

Dylech wybod y rhain *yn ddigon da* i'w rhestru *oddi ar eich cof*, gan gynnwys enghreifftiau:

1) EGNI *TRYDANOL* .... — pryd bynnag y mae *cerrynt* yn llifo.
2) EGNI *GOLAU* .... — o'r *Haul*, *bylbiau golau* etc.
3) EGNI *SAIN* .... — o *uchelseinyddion* neu rywbeth *swnllyd*.
4) EGNI *CINETIG*, neu EGNI *SYMUDIAD* .... — sydd gan unrhyw beth sy'n *symud*.
5) EGNI *NIWCLEAR* .... — sy'n cael ei ryddhau o *adweithiau niwclear* yn unig.
6) EGNI *THERMOL* neu EGNI *GWRES* .... — sy'n *llifo* o *wrthrychau poeth* i rai oer.
7) EGNI *GWRES PELYDROL* neu WRES *ISGOCH* — sy'n cael ei roi allan fel *pelydriad EM* gan *wrthrychau poeth*.
8) EGNI *POTENSIAL DISGYRCHIANT*.......... — sydd gan unrhyw beth sy'n gallu *disgyn*.
9) EGNI *POTENSIAL ELASTIG* .... — *sbringiau*, *elastig*, *bandiau rwber*, etc. wedi'u hestyn.
10) EGNI *CEMEGOL* .... — ar gael mewn *bwydydd*, *tanwyddau* a *batrïau*.

Ffurfiau o Egni wedi'i Storio yw Egni Potensial ac Egni Cemegol

Mae'r *tri olaf* uchod yn ffurfiau o *egni a storiwyd* oherwydd nad yw'r egni yn amlwg yn *gwneud* unrhyw beth, mae'n fath sydd *ar gael i'w ddefnyddio*, h.y. mae'n aros i'w drawsnewid i ffurfiau *eraill*.

Mae Cwestiynau Arholiad ar Drosglwyddo Egni yn Boblogaidd

Mae'r rhain yn *enghreifftiau pwysig iawn*. Rhaid i chi *eu dysgu* nes gallwch ailadrodd y cyfan yn *rhwydd*.

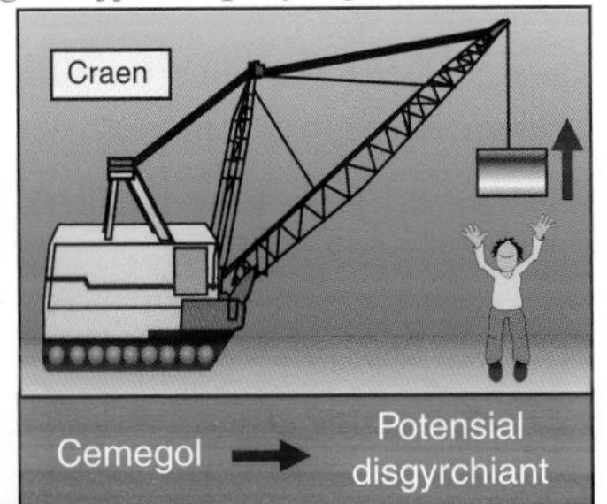

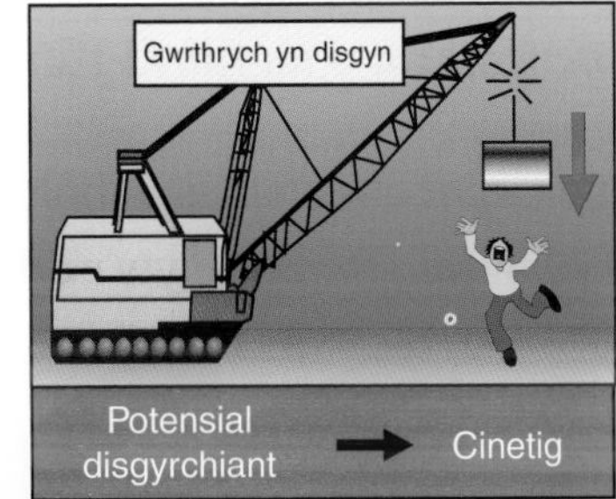

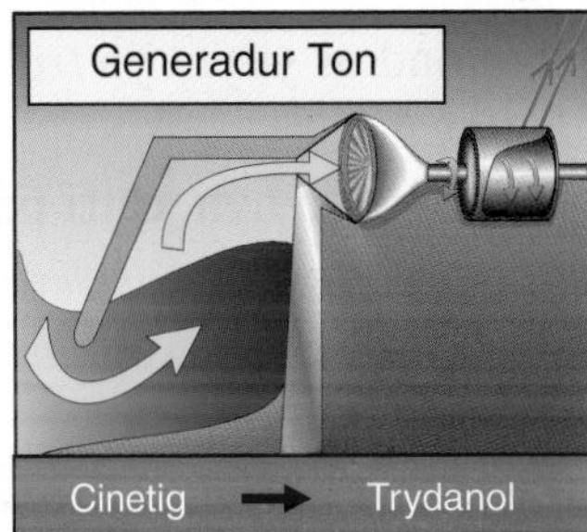

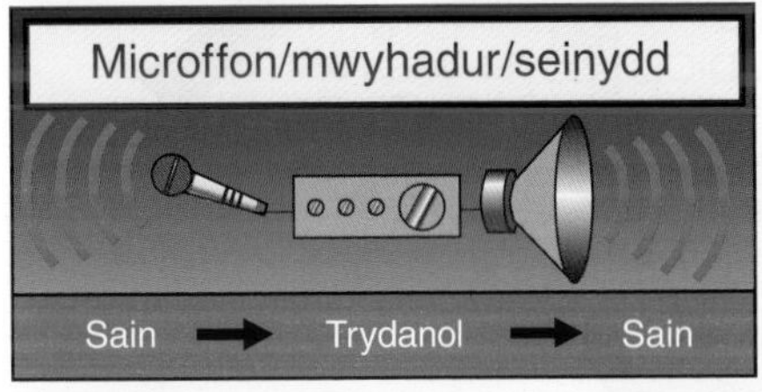

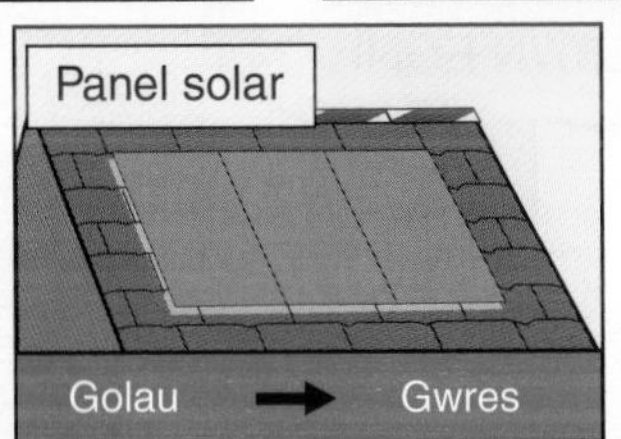

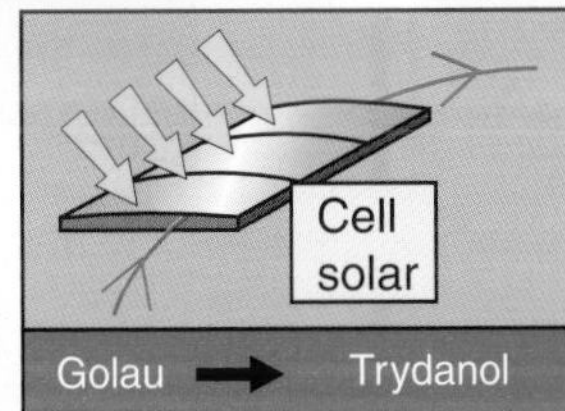

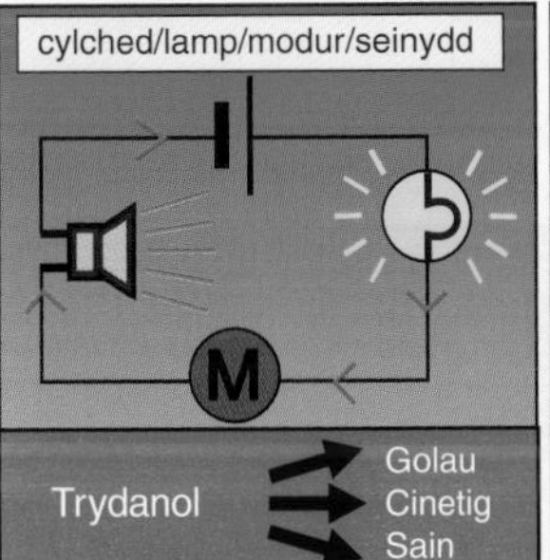

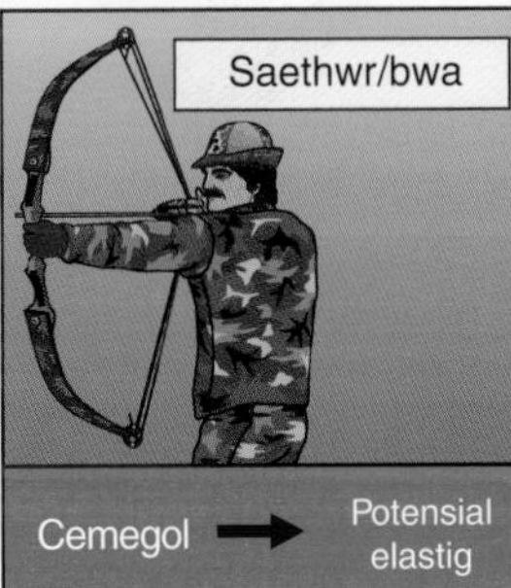

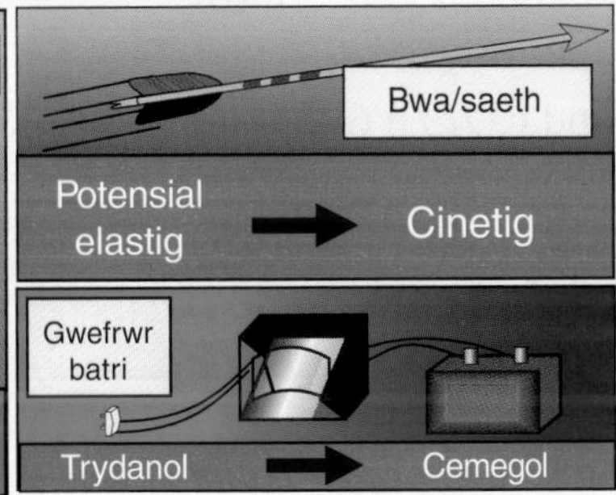

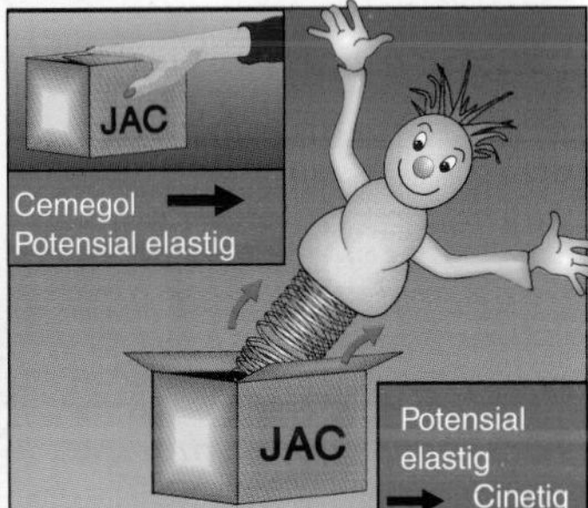

PEIDIWCH AG ANGHOFIO — MESURIR pob math o EGNI mewn JOULEAU

Dysgwch am Egni — a gweithiwch...

Mae'r mathau gwahanol o egni a throsglwyddo egni yn bwysig iawn. Rydych yn sicr o gael cwestiwn yn yr Arholiad ar hyn, ac os dysgwch yr hyn sydd ar y dudalen yma, fe ddylech chi fod yn barod ar ei gyfer. *Dysgwch, cuddiwch, ysgrifennwch, gwiriwch, dysgwch, cuddiwch, ysgrifennwch*, etc. etc.

Cadwraeth Egni

Mae Dau Fath o "Gadwraeth Egni"

Sylwch yn fanwl ar y gwahaniaeth rhwng y ddau.

1) Mae "*CADWRAETH EGNI*" yn golygu *defnyddio llai o danwydd ffosil* oherwydd y difrod y mae'n ei wneud ac oherwydd gall y tanwydd *orffen*. Mae'n fater sy'n gysylltiedig â'r *amgylchedd* yn bennaf, ond ar *raddfa gosmig* mae'n ddigon di-nod.
2) "*EGWYDDOR CADWRAETH EGNI*" ar y llaw arall yw un o *gonglfeini pwysicaf* Ffiseg Fodern. Mae'n *egwyddor hollbwysig* sy'n rheoli'r *holl Fydysawd ffisegol*. Pe na byddai'r egwyddor hon, yna byddai bywyd fel yr ydym ni'n ei adnabod yn peidio â bod.
3) *Peidiwch ag anghofio'r uchod.*

Gellir mynegi Egwyddor Cadwraeth Egni fel hyn:

> *NI ELLIR* byth *CREU* na *DINISTRIO EGNI*
> — dim ond ei DRAWSNEWID o un ffurf i ffurf arall.

Egwyddor bwysig arall sydd raid i chi ei *dysgu* yw hon:

> Dim ond pan gaiff ei *DRAWSNEWID* o un ffurf i ffurf arall y bydd egni *YN DDEFNYDDIOL*

Mae'r Rhan Fwyaf o Drosglwyddiadau Egni yn cynnwys Colledion, ar ffurf Gwres

1) Dim ond os ydynt yn *trawsnewid egni* o *un ffurf* i ffurf *arall* y bydd *dyfeisiau defnyddiol* yn *ddefnyddiol*.
2) Wrth wneud hyn, caiff peth o'r *egni a fewnbynnir* bob amser *ei golli neu ei wastraffu* fel *gwres*.
3) Po *leiaf o egni* a *wastreffir*, y *mwyaf effeithlon* yw'r ddyfais.
4) Mae'r *diagram llif egni* bron â bod yr un fath ar gyfer yr *holl ddyfeisiau*. *RHAID* i chi ddysgu'r *DIAGRAM LLIF EGNI SYLFAENOL HWN:*

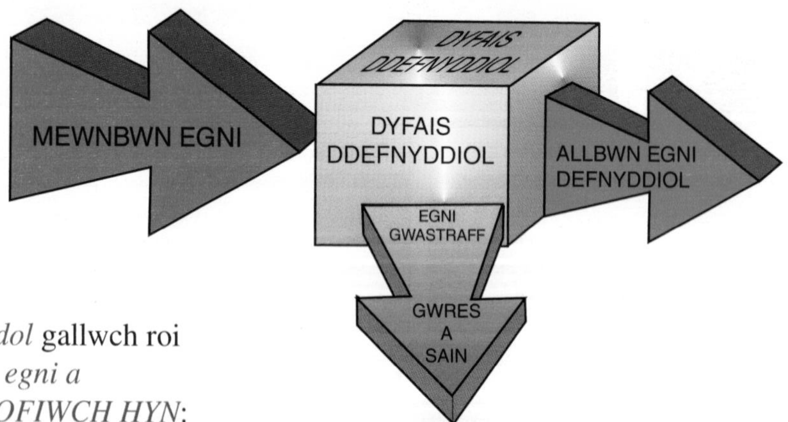

Ar gyfer unrhyw *enghraifft benodol* gallwch roi *rhagor o fanylion* am y *mathau o egni a fewnbynnir* ac a *allbynnir*, ond *COFIWCH HYN*:

> *NID OES* yr un ddyfais sy'n 100% effeithlon
> ac *afradlonir* yr *EGNI A WASTREFFIR bob* amser fel *GWRES* a *SŴN*.

Gwresogyddion trydan yw'r *eithriadau*. Maent yn *100% effeithlon* oherwydd caiff *yr holl* drydan ei drawsnewid yn wres *"defnyddiol"*. *Beth arall y gallai ei wneud?* Yn y pen draw mae'r *holl* egni *yn darfod fel egni gwres*. Bydd dril trydan yn cynhyrchu *gwahanol fathau* o egni ond byddant i gyd mewn dim o dro yn gorffen fel *gwres*. Mae'n bwysig sylweddoli hyn — a *pheidiwch â'i anghofio*.

Dysgwch am afradloni egni...

Mae colli egni bob amser yr un peth — mae bob amser yn diflannu fel gwres a sŵn, ac mae hyd yn oed y sŵn yn troi mewn dim o dro yn wres. Pan ofynnir "Pam mae'r egni sy'n cael ei fewnbynnu yn fwy na'r egni defnyddiol sy'n cael ei allbynnu?", mae'r ateb yr un fath bob tro... *Dysgwch a mwynhewch.*

Effeithlonedd Peiriannau

Dyfais yw *peiriant* sy'n newid *un math o egni* yn *fath arall*.
Diffinnir *effeithlonedd* unrhyw ddyfais fel:

$$\text{Effeithlonedd} = \frac{\text{Egni DEFNYDDIOL a ALLBYNNIR}}{\text{Egni CYFLAWN a FEWNBYNNIR}}$$

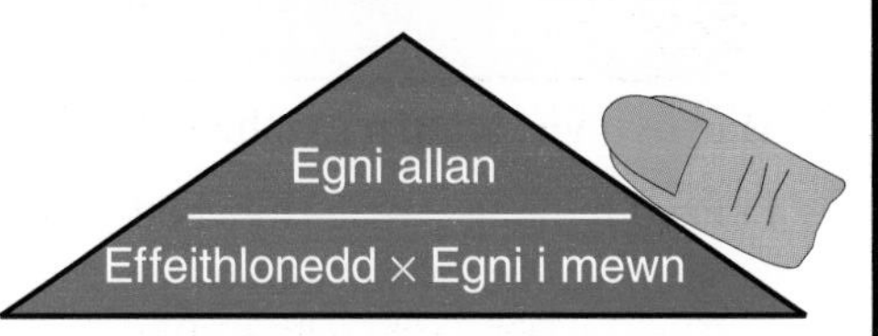

Gallwch fynegi effeithlonedd fel *ffracsiwn*, *degolyn* neu *ganran*. E.e. ³⁄₄ neu *0.75* neu *75%*

Mae Effeithlonedd yn Eithaf Hawdd...

1) Rydych yn darganfod faint o egni a *gyflenwir* i beiriant. (Egni Cyflawn a *FEWNBYNNIR*)
2) Rydych yn darganfod faint o *egni defnyddiol* y mae'r peiriant yn ei *roi*. (Egni Defnyddiol a *ALLBYNNIR*) Byddant naill ai'n dweud hyn wrthych yn uniongyrchol neu'n dweud faint *a gaiff ei wastraffu* fel gwres/sŵn.
3) Sut bynnag, ar ôl cael y *ddau rif pwysig hyn, rhannwch* y *lleiaf* â'r *mwyaf* i gael gwerth ar gyfer *effeithlonedd* sydd rywle rhwng *0 ac 1* (neu rhwng *0 a 100%*). Hawdd.
4) Ffordd arall fyddai rhoi i chi *effeithlonedd* a'r *egni a fewnbynnir* a gofyn am yr *egni a allbynnir*. Bydd yn werth i chi *ddysgu'r fersiwn arall* o'r fformiwla:

$$\text{Egni DEFNYDDIOL a ALLBYNNIR} = \text{Effeithlonedd} \times \text{Egni CYFLAWN a FEWNBYNNIR}$$

Pump Enghraifft Bwysig ar Effeithlonedd i chi eu Dysgu

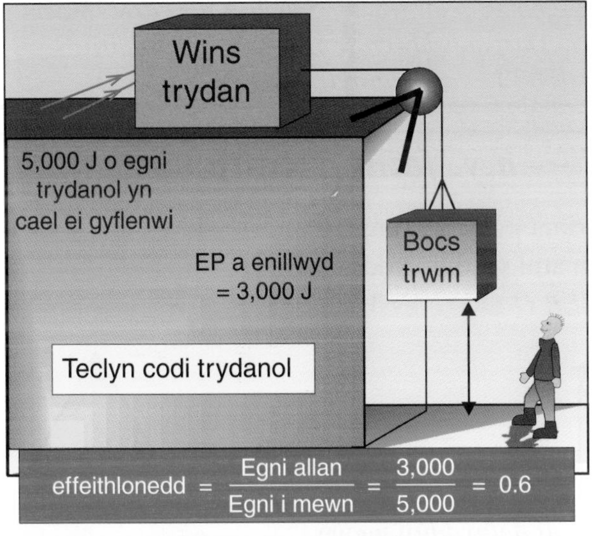

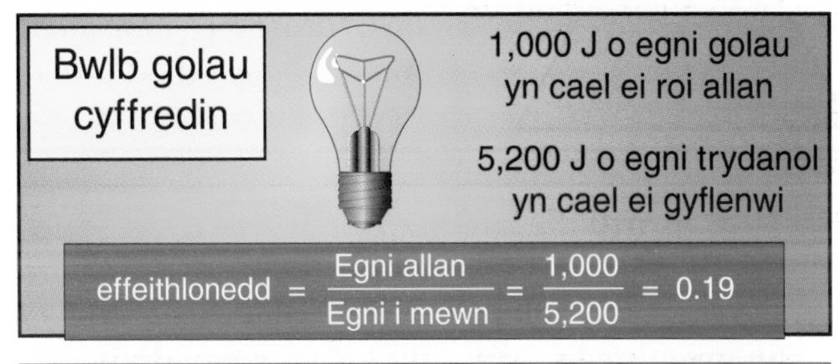

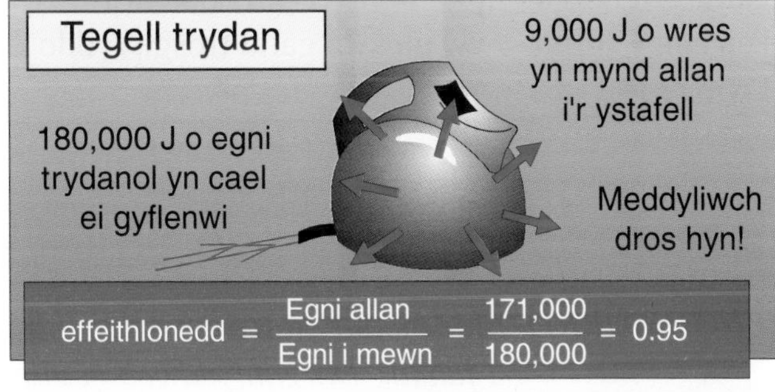

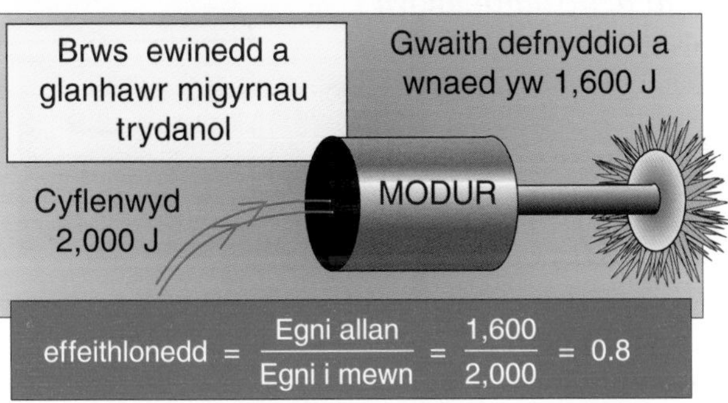

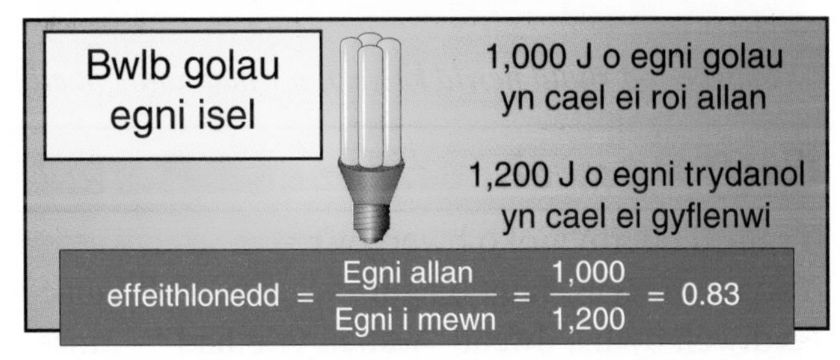

Dysgwch am drosglwyddo egni — gwnewch hyn yn effeithlon...

Mae effeithlonedd yn gysyniad hawdd. Mae'n derm hir, ond nid yw hyn yn golygu ei fod yn anodd. Y cyfan sydd ei angen yw rhannu E_{all} ag E_{mewn}. Dysgwch y dudalen, yna cuddiwch y dudalen ac ysgrifennwch yr hyn a wyddoch chi.

Gwaith a wneir, Egni a Phŵer

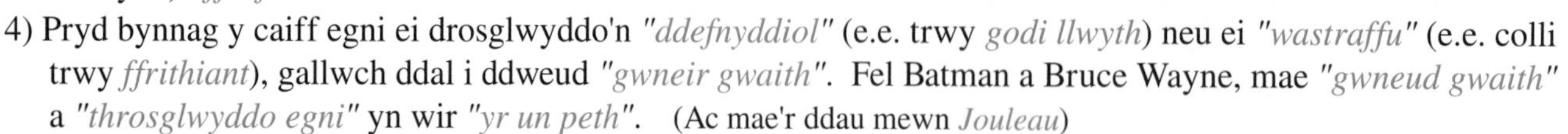

Mae hyn yn swnio'n gymhleth ond mae'n rhwydd. Sylwch:

1) Pryd bynnag y mae rhywbeth yn *symud*, mae rhywbeth arall yn rhoi rhyw fath o *"ymdrech"* i'w symud.
2) Rhaid i'r hyn sy'n gwneud *ymdrech* gael *cyflenwad o egni* (megis *tanwydd* neu *fwyd* neu *drydan* etc.).
3) Yna mae'n gwneud *"gwaith"* trwy *symud* y gwrthych — a thrwy hyn mae'n *trosglwyddo yr egni* mae'n ei gael (megis tanwydd) i *ffurfiau eraill.*
4) Pryd bynnag y caiff egni ei drosglwyddo'n *"ddefnyddiol"* (e.e. trwy *godi llwyth*) neu ei *"wastraffu"* (e.e. colli trwy *ffrithiant*), gallwch ddal i ddweud *"gwneir gwaith"*. Fel Batman a Bruce Wayne, mae *"gwneud gwaith"* a *"throsglwyddo egni"* yn wir *"yr un peth"*. (Ac mae'r ddau mewn *Jouleau*)

Fformiwla Hawdd Arall:

Gwaith a wneir = Grym × Pellter

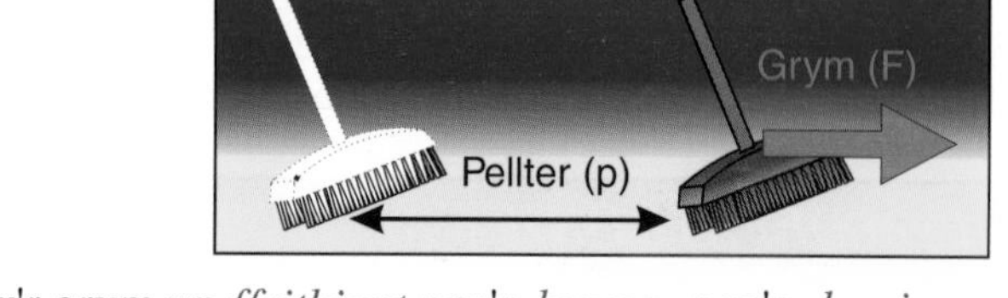

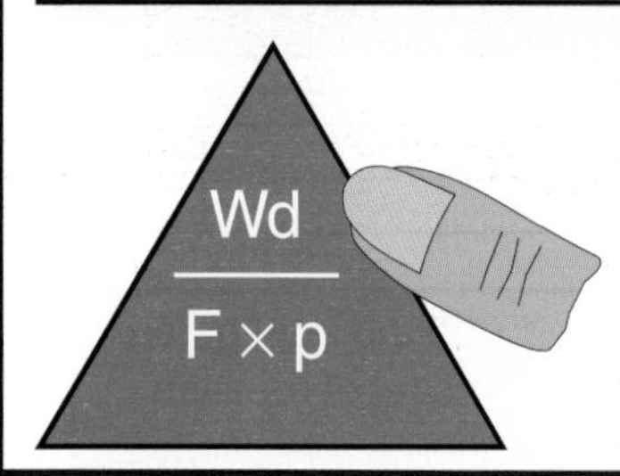

Mae bob amser yr un fath os yw'r grym yn *ffrithiant* neu'n *bwysau* neu'n *densiwn mewn rhaff*. I ddarganfod faint o *egni* a *drosglwyddir* (mewn Jouleau), rhaid lluosi'r *grym mewn N* â'r *pellter a symudwyd mewn m*. Edrychwch...

ENGHRAIFFT: Mae plant yn llusgo hen deiar tractor 5 m dros dir garw. Maent yn tynnu gyda grym cyflawn o 340 N. Darganfyddwch yr egni a drosglwyddir.
ATEB: Wd = F × p = 340 × 5 = 1700 J. *Hawdd?*

PŴER yw "Cyfradd Gwneud Gwaith" — h.y. faint o waith bob eiliad

Nid yw *pŵer* yr un peth â *grym*, nac *egni*. Nid yw peiriant *pwerus* o angenrheidrwydd yn un sy'n gallu gweithredu *grym* cryf (er yn y pen draw dyna sy'n aml yn digwydd).
Peiriant *PWERUS* yw un sy'n gallu trosglwyddo *LLAWER O EGNI MEWN AMSER BYR.*
Dyma'r *fformiwla hawdd* ar gyfer pŵer:

$$\text{Pŵer} = \frac{\text{Gwaith a wneir (Wd)}}{\text{Amser a gymerir (t)}}$$

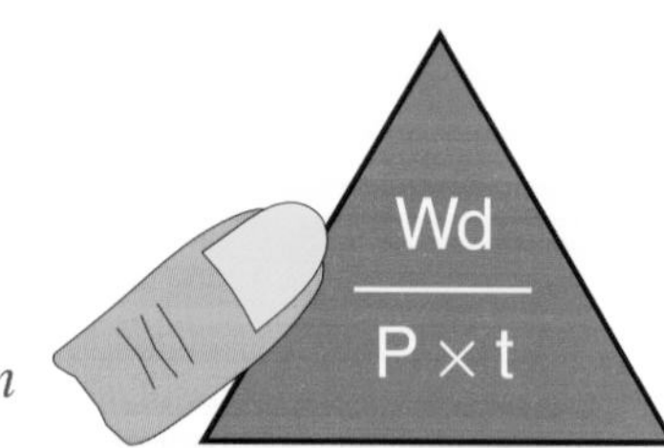

ENGHRAIFFT: Mae modur yn trosglwyddo 4.8 kJ o egni defnyddiol mewn 2 funud. Darganfyddwch ei allbwn pŵer.
ATEB: P = Wd/t = 4,800/120 = 40 W (neu 40 J/s)
(Sylwch fod rhaid newid kJ yn J, a'r munudau yn eiliadau.)

Modur
4.8 kJ o egni defnyddiol mewn 2 funud

Caiff Pŵer ei Fesur mewn Watiau (neu J/s)

Yr uned dderbyniol o bŵer yw'r *Wat*. *Un Wat = 1 Joule o egni yn cael ei drosglwyddo bob eiliad.*
Ystyr *Pŵer* yw "faint o egni *yr eiliad*", felly mae *Watiau* yr un peth â *"Jouleau yr eiliad"* (J/s).
Peidiwch byth â dweud *"watiau yr eiliad"* — mae'n *ddisynnwyr.*

Adolygu gwaith a wneir — beth arall...

Mae "egni a drosglwyddir" a "gwaith a wneir" yr un peth. Cofiwch hyn.
Pŵer yw "gwaith a wneir wedi'i rannu â'r amser a gymerwyd". Dysgwch hyn hefyd...

Egni Cinetig ac Egni Potensial

Egni Cinteig yw Egni Symudiad

Mae *egni cinetig* gan unrhyw beth sy'n *symud*.
Mae iddo *fformiwla sydd braidd yn gymhleth*, felly rhaid i chi ganolbwyntio *ychydig yn fwy* ar hon.
Dyma'r fformiwla:

Egni Cinetig = $^1/_2$ × màs × cyflymder^2

EC
$^1/_2 \times m \times v^2$

ENGHRAIFFT: Mae car o fàs 2450 kg yn teithio ar 38 m/s.
Cyfrifwch ei egni cinetig.

ATEB: Mae'n weddol hawdd. Rhowch rifau yn y fformiwla ond gwyliwch y "v^2"!

$EC = {}^1/_2\, mv^2 \quad = {}^1/_2 \times 2450 \times 38^2 \quad = 1\ 768\ 900$ J (*Jouleau* oherwydd ei fod yn *egni*)

(Pan fo'r car yn stopio'n sydyn, afradlonir yr egni hwn fel gwres yn y breciau — cryn dipyn o wres)

Cofiwch, mae *egni cinetig* rhywbeth yn dibynnu ar *FÀS* a *BUANEDD*.
Po *fwyaf y mae'n ei bwyso* a'r *cyflymaf y mae'n symud*, y *mwyaf* fydd ei egni cinetig.

Egni Potensial yw Egni Oherwydd Uchder

Egni Potensial = màs × g × uchder

EP
$m \times g \times h$

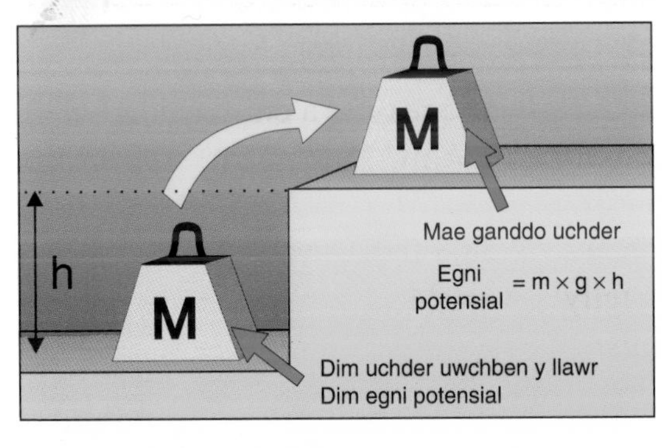

Yr *enw llawn* ar *"Egni Potensial"* yw *EGNI POTENSIAL DISGYRCHIANT*, (sy'n wahanol i "egni potensial *elastig*" neu *"egni potensial cemegol"*).
Yr enw llawn ar g yw *"cryfder maes disgyrchiant"*.
Ar y Ddaear ei werth yw $g = 10$ m/s^2.

ENGHRAIFFT: Caiff dafad o fàs 47 kg ei chodi'n araf trwy 6.3 m. Darganfyddwch gynnydd yr egni potensial.

ATEB: Mae ychydig yn haws nag o'r blaen.
Rhowch y rhifau yn y fformiwla :
$EP = mgh \quad = 47 \times 10 \times 6.3 \quad = 2961$ J
(Jouleau oherwydd ei fod yn *egni* eto.*)*

A bod yn fanwl, y *newid* yn yr egni potensial sy'n bwysig yma, ac wethiau caiff y fformiwla ei hysgrifennu: *"NEWID YN YR EGNI POTENSIAL* = màs × g × *NEWID* yn yr uchder*"*. Ond peth bach yw hyn mewn gwirionedd gan fod y ddwy fformiwla yn rhoi'r un ateb.

Egni Cinetig ac Egni Potensial — dysgwch nhw...

Dwy fformiwla braidd yn gymhleth i chi yma. Ac mae mwy na thair llythyren ynddyn nhw! Ond fe allwch chi eu rhoi mewn triongl fformiwla, felly mae gennych siawns go dda o'i gael yn gywir.

EC ac EP — Dwy Enghraifft Bwysig

1) Cyfrifo eich Pŵer Allbwn

Caiff yr un fformiwla ei defnyddio yn y ddau achos:

PŴER = EGNI DROSGLWYDDWYD / AMSER GYMERWYD neu $P = \frac{E}{t}$

a) Amseru Rhediad i Fyny Grisiau:

Yn yr achos hwn yr *"egni a drosglwyddir"* yw'r *egni potensial a enillwch* (= mgh).
Felly *PŴER = mgh/t*

Allbwn pŵer
= E. drosglwyddwyd/amser
= mgh/t
= (62 × 10 × 12) ÷ 14
= *531 W*

b) Amseru Cyflymiad:

Y tro hwn yr *egni a drosglwyddir* yw'r *egni cinetig a enillwch* (= $\frac{1}{2}mv^2$).
Felly *PŴER = $\frac{1}{2}mv^2/t$*

Allbwn pŵer
= E. drosglwyddwyd/amser
= $\frac{1}{2}mv^2/t$
= $(\frac{1}{2} \times 62 \times 8^2) \div 4$
= *496 W*

2) Cyfrifo Buanedd Gwrthrychau sy'n Disgyn

Pan fydd rhywbeth yn disgyn, caiff ei *egni potensial* ei *newid* yn *egni cinetig* (Egwyddor Cadwraeth Egni — gweler t. 62). Felly *po bellaf* y mae'n disgyn y *cyflymaf* y mae'n symud. Yn arferol, caiff peth o'r EP ei *afradloni* fel *gwres* oherwydd *gwrthiant aer*, ond yn yr Arholiad dywedir wrthoch chi am *anwybyddu* gwrthiant aer, ac felly y cyfan y bydd angen i chi ei wneud fydd cofio'r *fformiwla syml yma sydd hefyd yn eithaf amlwg*:

Egni Cinetig a ENILLWYD = Egni Potensial a GOLLWYD

ENGHRAIFFT: Caiff tomato drwg o fàs 140 g ei ollwng o uchder 1.7 m. Cyfrifwch ei fuanedd wrth iddo daro'r llawr.

ATEB: Mae pedwar cam i'r dull hwn — a rhaid i chi eu dysgu:

Cam 1) Darganfod EP a gollwyd: = mgh = 0.14 × 10 × 1.7 = 2.38 J Dyma'r EC a enillwyd hefyd.

Cam 2) Hafalu nifer y Jouleau o EC a enillwyd i'r fformiwla am EC, " $\frac{1}{2}mv^2$ ":

$$2.38 = \tfrac{1}{2}mv^2$$

Cam 3) Rhoi rhifau i mewn: $2.38 = \frac{1}{2} \times 0.14 \times v^2$ neu $2.38 = 0.07 \times v^2$

$2.38 \div 0.07 = v^2$ felly $v^2 = 34$

Cam 4) Ail isradd: $v = \sqrt{34} = 5.83$ m/s

Hawdd? Ewch ati i ymarfer defnyddio'r pedwar cam.

Pêl yn Bownsio — Yr un Gostyngiad % mewn Egni ac Uchder

1) Mae *pêl sy'n bownsio* yn gyson *yn cyfnewid* ei hegni *rhwng EP ac EC*, fel yn yr enghraifft uchod. Wrth iddi *ddisgyn* mae'n newid *EP yn EC*. Ar ôl bownsio, mae'n *codi eto* ac yn newid ei EC *yn ôl i EP*.

2) Fodd bynnag, bob tro mae'n *bownsio* bydd yn *colli* peth egni yn y bownsiad. Mae hyn yn golygu y bydd yn gadael yr arwyneb *yn arafach* nag y mae'n ei daro, sy'n golygu *llai o EC*, felly *ni fydd yn cyrraedd yr un uchder* â'r bownsiad blaenorol.

3) Mae'r berthynas rhwng *egni cyflawn* ac *uchder a gyrhaeddwyd* yn syml:
Os yw'r bêl yn *colli* dyweder *10%* o'i hegni ar *bob bownsiad*, yna bydd yr *uchder a gyrhaeddwyd* hefyd *10% yn is* bob tro. Mae'n syml.

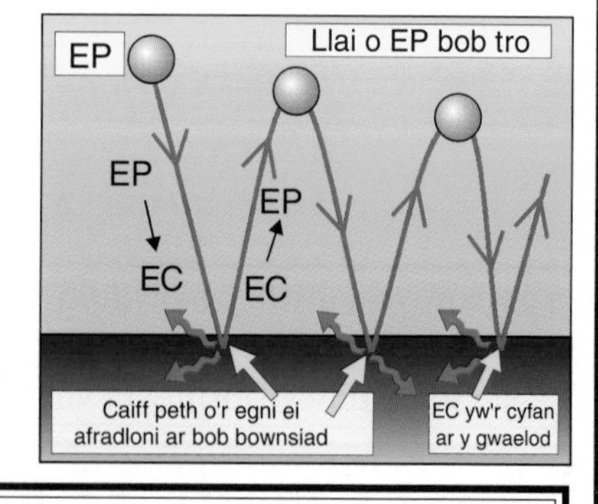

Adolygu Gwrthrychau yn Disgyn...

Dyma frig Ffiseg TGAU. Dyma'r agosaf y mae'n dod at Ffiseg *go iawn* (Safon Uwch). Edrychwch eto ar yr arwydd ar gyfer ail isradd — a'r pedwar cam.

Trosglwyddo Gwres

Mae *tri dull pendant* o drosglwyddo gwres: *DARGLUDIAD, DARFUDIAD a PHELYDRIAD.*
I ateb cwestiynau Arholiad *rhaid* i chi ddefnyddio'r *tri gair allweddol* hyn yn y *llefydd cywir*.
Felly rhaid i chi wybod *yn union beth ydynt*, a'r holl *wahaniaethau* sydd rhyngddynt.

Mae Egni Gwres yn achosi i Folecylau Symud yn Gyflymach

1) Mae *egni Gwres* yn achosi i folecylau *nwy a hylif* symud o gwmpas yn *gyflymach*, ac yn achosi i ronynnau mewn solidau *ddirgrynu'n gyflymach*.
2) Pan fydd gronynnau yn symud yn *gyflymach* caiff ei weld fel *codiad yn y tymheredd*.
3) Mae tuedd i'r *egni cinetig* ychwanegol yn y gronynnau gael ei *afradloni* i'r *amgylchynau*.
4) Mewn geiriau eraill mae tuedd i'r *egni gwres lifo i ffwrdd* o wrthych poeth i'r *amgylchynau claear*. Ond fe wyddoch hyn yn barod, siŵr iawn.

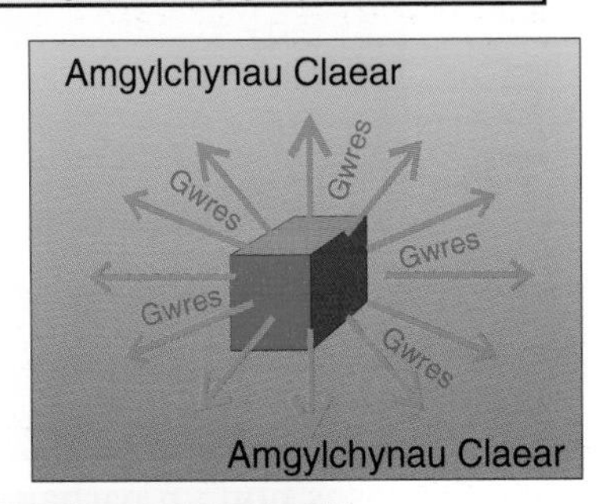

Os oes *GWAHANIAETH YN Y TYMHERDDD* rhwng dau le yna bydd *GWRES YN LLIFO* rhyngddynt.

Cymharu Dargludiad, Darfudiad a Phelydriad

Mae'r gwahaniaethau hyn yn *bwysig iawn — DYSGWCH nhw*:
1) Mae *Dargludiad* yn digwydd yn bennaf mewn *solidau*.
2) Mae *Darfudiad* yn digwydd yn bennaf mewn *nwyon a hylifau*.
3) Mae nwyon a hylifau yn *ddargludyddion gwael* — darfudiad fel arfer yw'r *brif broses*. Lle *na all* darfudiad ddigwydd, caiff gwres ei drosglwyddo trwy *ddargludiad* yn *araf iawn*:

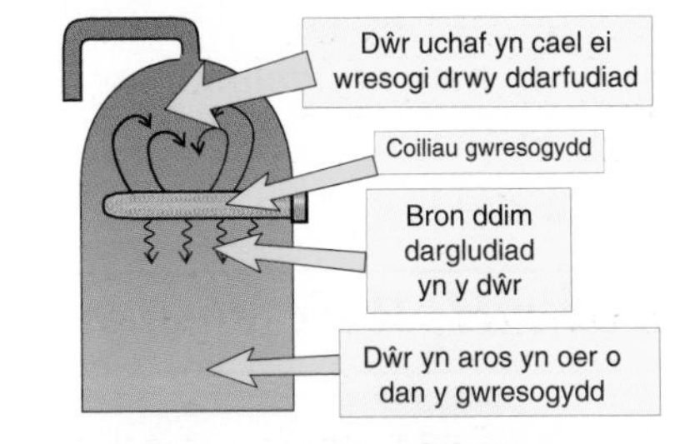

4) Mae *Pelydriad* yn teithio trwy unrhyw beth y gallwch *weld drwyddo* gan gynnwys *gwactod*.
5) Caiff *Pelydriad Gwres* ei roi gan *unrhyw beth* sy'n *gynnes neu'n boeth*.
6) Mae *maint* y pelydriad gwres *a amsugnir neu a allyrrir* yn dibynnu ar *liw* ac *ansawdd* yr *arwyneb*.
Peidiwch ag anghofio, *nid effeithir* ar *ddarfudiad na dargludiad* gan liw neu ansawdd arwyneb. Bydd arwyneb *gwyn sgleiniog* yn *dargludo* cystal ag arwyneb *du di-sglein*.

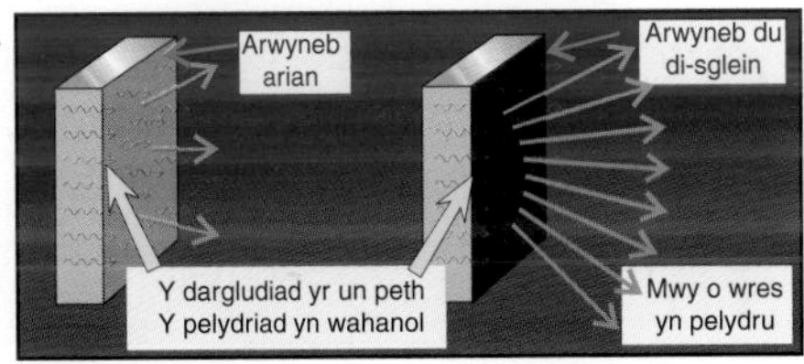

Mae Anweddiad yn Ffordd Arall o Golli Gwres

1) Mewn *hylif* y gronynnau *poethaf* sy'n symud *gyflymaf*.
2) Mae gronynnau *sy'n symud yn gyflym* ger *arwyneb* yr hylif yn debygol o *dorri'n rhydd* o'r hylif ac *anweddu*.
3) Dim ond y gronynnau *cyflymaf* fydd yn gwneud hyn, gan adael y gronynnau *arafaf "oerach" ar ôl*.
4) Bydd hyn yn *gostwng egni cyfartalog* y gronynnau sydd ar ôl yn yr hylif, ac felly â'r *hylif ar y cyfan* yn *oerach*.

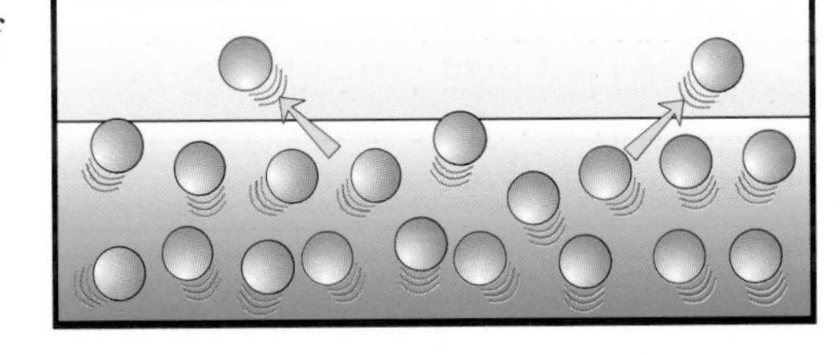

5) Yna mae'n *cymryd gwres* i mewn o'i amgylchynau, and felly mae'n *oeri* beth bynnag y mae'n ei *gyffwrdd*. Dyma sut mae *chwysu'n* gweithio.

Dysgwch y ffeithiau am drosglwyddo gwres — ond peidiwch â chwysu...

Dim mwy o rifau a fformiwlâu, dysgu ffeithiau sydd yma. Llawer llai cymysglyd— ond dim llai o sialens. Rhaid i chi wneud ymdrech i ddeall tair brif broses trosglwyddo gwres fel y gwyddoch yn union beth ydyn nhw a phryd maen nhw'n digwydd.

Dargludiad Gwres

Dargludiad Gwres — Mewn Solidau y Digwydd yn Bennaf

- *DARGLUDIAD GWRES* yw'r broses lle mae *GRONYNNAU SY'N DIRGRYNU* yn rhoi eu *HEGNI DIRGRYNU YCHWANEGOL* i *RONYNNAU CYFAGOS.*

Mae'r broses hon yn parhau *trwy'r solid* ac yn raddol caiff yr *egni dirgrynu ychwanegol* (neu *wres*) ei yrru yr holl ffordd trwy'r solid, gan achosi *cynnydd yn y tymheredd* ar yr ochr arall.

Mae Anfetelau yn Ynysyddion Da

1) Mae'r *broses arferol o ddargludo* fel y dangosir uchod bob amser yn *araf iawn.*
2) Ond yn y mwyafrif o *solidau anfetel* dyma'r *unig* ffordd y gall gwres fynd trwodd.
3) Felly mae *anfetelau*, megis *plastig*, *pren*, *rwber* etc. yn *ynysyddion* da iawn.
4) Mae *nwyon a hylifau* sy'n anfetelau yn *ddargludyddion gwaeth*, fel y byddwch yn sylweddoli wrth i chi ei ddweud yn ddigon aml. Mae metelau, ar y llaw arall, yn hollol wahanol...

Mae'r Holl Fetelau yn Ddargludyddion Da oherwydd eu Helectronau Rhydd

P
O
E
Th

Gwres yn cael ei gludo mewn metelau gan electronau rhydd

O
E
R

1) Mae *metelau "yn dargludo"* oherwydd bod yr electronau yn *rhydd i symud* y tu mewn i'r metel.
2) Ar y *pen poeth* mae'r electronau yn symud *gyflymaf* ac *yn tryledu'n fwy cyflym* trwy'r metel.
3) Felly mae'r electronau yn *cludo eu hegni* dros *bellter hir* cyn *ei roi i fyny* mewn *gwrthdrawiad.*
4) Mae hyn yn *ffordd gyflymach* o *drosglwyddo'r egni* trwy'r metel na'i symud rhwng *atomau cyfagos.* Dyna pam mae *gwres yn teithio mor gyflym* trwy *fetelau.*

Mae Metelau bob amser i'w TEIMLO'N boethach neu'n oerach oherwydd eu bod yn dargludo mor dda

Fe sylwch os caiff *rhaw* ei gadael yn yr *haul* fod y *rhan fetel* bob amser yn *teimlo'n* llawer *poethach* na'r *goes o bren. OND NID YW'N BOETHACH* — mae'n *dargludo'r* gwres *i'ch llaw* yn llawer cyflymach na'r pren, ac felly mae eich llaw *yn twymo'n* llawer cyflymach.
Mewn *tywydd oer*, mae *rhannau metel* rhaw, neu rywbeth arall, bob amser yn *teimlo'n oerach* am eu bod yn *cymryd y gwres i ffwrdd* o'ch llaw yn gyflym. Ond *NID* ydynt yn *OERACH...* Cofiwch hyn.

Mae dargludyddion da bob amser yn fetelau...

Yr unig reswm pam mae metelau yn "ddargludyddion" da yw bod electronau rhydd yn *darfudo'r* gwres trwy'r metel. A yw hyn yn wir? Atebion ar gerdyn post. *Dysgwch y dudalen yma,* ei *chuddio* ac yna *ysgrifennu.*

Darfudiad Gwres

Mae *nwyon a hylifau* fel arfer yn rhydd i *dasgu* — ac mae hyn yn caniatáu iddynt drosglwyddo gwres trwy *ddarfudiad*, sydd yn *broses llawer mwy effeithiol* na dargludiad.

Darfudiad **Gwres** — *Hylifau a Nwyon yn Unig*

Ni all darfudiad ddigwydd mewn solidau oherwydd *ni all y gronynnau symud.*

Digwydd *DARFUDIAD* pan fo'r gronynnau mwyaf egniol yn *SYMUD* o'r *rhanbarth poeth* i'r *rhanbarth oer — GAN GYMRYD EU HEGNI GWRES GYDA NHW*

Pan fo'r gronynnau *mwy egniol* (h.y. *poethach*) yn mynd i le *oerach* maent yn *trosglwyddo eu hegni* trwy'r broses arferol o *wrthdrawiadau* sydd yn twymo'r hyn sydd o'u hamgylch.

Achosir Ceryntau *Darfudiad Naturiol* **gan** *Newidiadau Dwysedd*

Dengys y diagram *gerrynt darfudiad naturiol*. *Dysgwch* yr holl rannau am *ehangiad* a *newidiadau dwysedd* sy'n *achosi'r* cerrynt darfudiad. Mae'n werth *marciau* yn yr Arholiad.

Mae *Darfudiad Naturiol* **yn Cynhyrchu** *Ceryntau yn y Cefnforoedd*

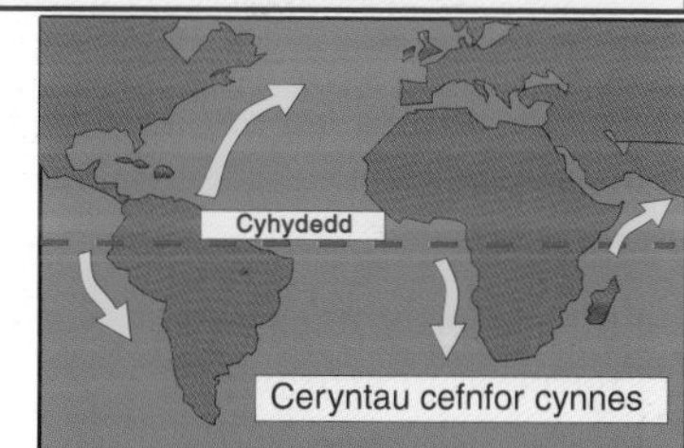

1) Caiff y môr *ger y Cyhydedd* ei wresogi'n *gryf iawn* gan yr Haul ac mae'r dŵr a gynheswyd yn *ehangu ychydig*, yn mynd yn *llai dwys* ac yn *codi* i'r arwyneb. Yna mae'n *gwthio allan* wrth i ragor o ddŵr cynnes oddi tano *wthio i fyny* yn ei le. Gall y *ceryntau arwyneb cynnes* deithio am *gannoedd o filltiroedd.*
2) Mae'r un peth yn digwydd mewn bicer, ond ar raddfa lai.

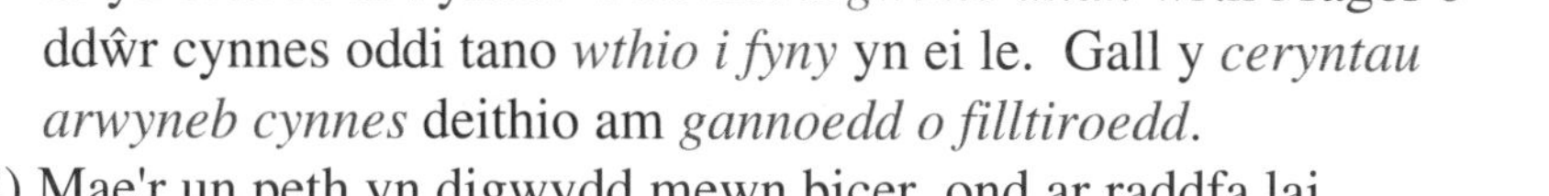

Defnyddir *Darfudiad Gorfod* **i** *Oeri Peiriannau* **a** *Ninnau*

1) Digwydd *darfudiad gorfod* pan fo *ffan* neu *bwmp* yn gwneud i'r nwy neu hylif *symud o gwmpas yn fwy cyflym.*
2) Mewn *injan car* mae'r *pwmp dŵr* yn gwthio'r dŵr o amgylch yn gyflym i *drosglwyddo gwres* i ffwrdd o'r *injan* a chael gwared ohono yn y *rheiddiadur*. Dyna *ddarfudiad gorfod.*

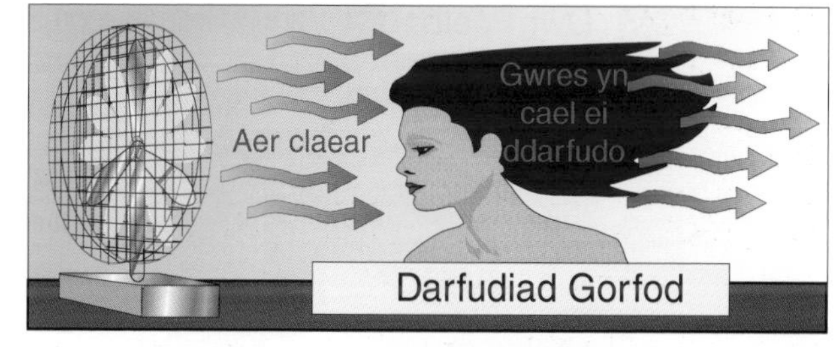

3) Mewn ystafell, defnyddiwn *ffaniau oeri* i chwythu aer drosom i'n *hoeri*, neu fel arall *wresogyddion ffan* i chwythu aer poeth o gwmpas yn *llawer cyflymach* na'r ceryntau darfudiad naturiol.

Ceryntau Darfudiad — hawdd...

Dyma bâr arall o eiriau Ffiseg sy'n edrych mor debyg i'w gilydd ac sy'n cael eu cymysgu.
Edrychwch: DARFUDIAD. Mae'n wahanol i DDARGLUDIAD.
Mae darfudiad a dargludiad yn *brosesau* gwahanol. Yn y naill mae'r gwres yn MUDO gyda'r gronynnau poeth, ac yn y llall caiff y gwres ei GLUDO o ronyn i ronyn. Dysgwch hyn.

Pelydriad Gwres

Gellir galw *pelydriad gwres* hefyd yn *belydriad isgoch*, ac mae'n cynnwys tonnau electromagnetig o amledd penodol yn unig. Mae ychydig o dan y golau gweladwy yn y *sbectrwm electromagnetig*.

Gall Pelydriad Gwres Deithio Trwy Wactod

Mae *pelydriad gwres* yn *wahanol* i'r *ddau ddull arall* o drosglwyddo gwres mewn sawl ffordd:

1) Mae'n teithio mewn *llinellau syth* ar *fuanedd goleuni*.
2) Mae'n teithio trwy *wactod*. Dyma'r *unig ffordd* y gall gwres ein cyrraedd *o'r Haul*.
3) Gellir ei *adlewyrchu i ffwrdd eto* gan *arwyneb arian*.
4) Dim ond trwy *gyfrwng tryloyw*, megis *aer*, *gwydr* a *dŵr* y bydd yn teithio.
5) Mae ei ymddygiad yn *dibynnu'n fawr* ar *liw arwyneb a'i ansawdd*. *Nid yw hyn yn wir* am ddargludiad a darfudiad.
6) Nid oes sôn am *ronynnau*. Caiff *egni gwres* ei *drosglwyddo'n* gyfan gwbl gan *donnau*.

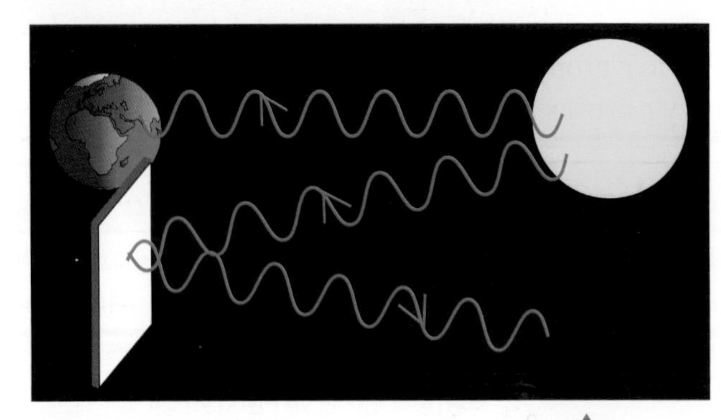

Allyriant ac Amsugniad Pelydriad Gwres

1) Mae *pob gwrthrych* yn allyrru ac yn amsugno *pelydriad gwres* yn *ddi-dor*.
2) Y *poethaf* ydynt y *mwyaf* o belydriad gwres y maent yn ei *allyrru*.
3) Bydd *rhai oerach* o'u cwmpas yn *amsugno'r* pelydriad gwres hwn. Gallwch *deimlo'r pelydriad gwres* hwn os sefwch yn agos at rywbeth *poeth* megis tân.

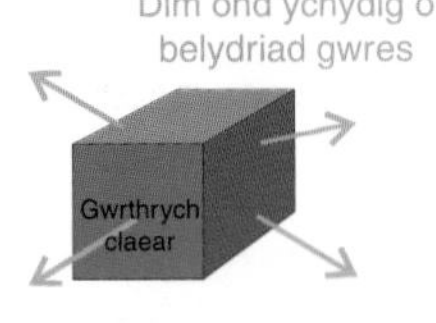

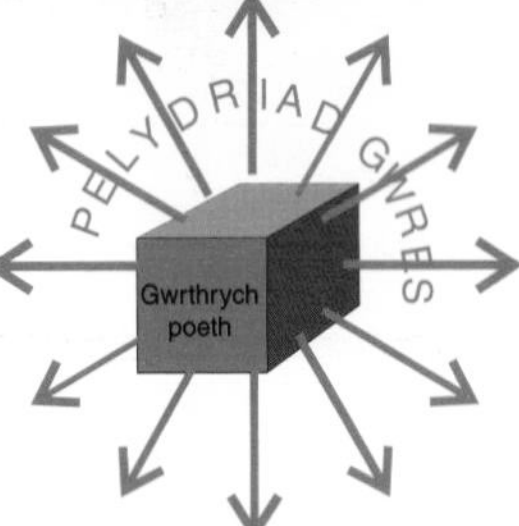

Mae'n Dibynnu Llawer ar Liw ac Ansawdd Arwyneb

1) Mae *arwynebau tywyll di-sglein yn AMSUGNO* pelydriad gwres sy'n disgyn arnynt *lawer yn well* nag *arwynebau golau sgleiniog*, megis *gwyn sgleiniog* neu *arian*. Maent *yn allyrru llawer mwy* o belydriad gwres hefyd.
2) Mae *arwynebau lliw arian yn ADLEWYRCHU* bron yr holl belydriad gwres sy'n disgyn arnynt.
3) Yn y labordy mae llawer o arbrofion i *ddangos effeithiau arwyneb* ar *allyrru ac amsugno pelydriad gwres*. Dyma ddau arbrawf:

Ciwb Leslie

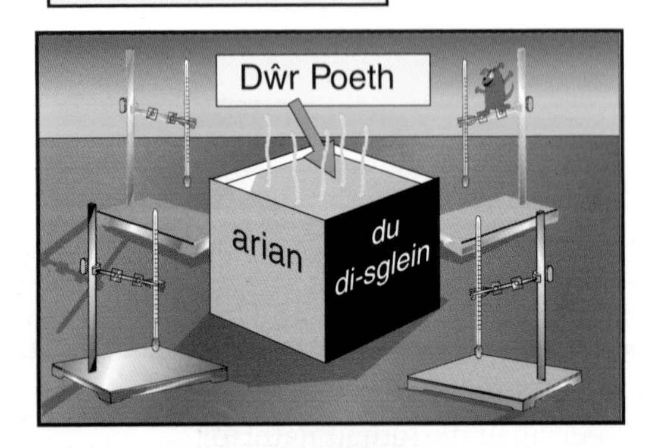

Yr ochr *ddu ddi-sglein* sy'n *ALLYRU'R mwyaf o wres*, felly y thermomedr hwn sy'n *poethi fwyaf*.

Yr arwyneb *du di-sglein* sy'n *AMSUGNO'R mwyaf o wres*, felly mae ei gŵyr yn *ymdoddi* gyntaf a'r pelferyn yn *disgyn*.

Cŵyr yn Ymdoddi

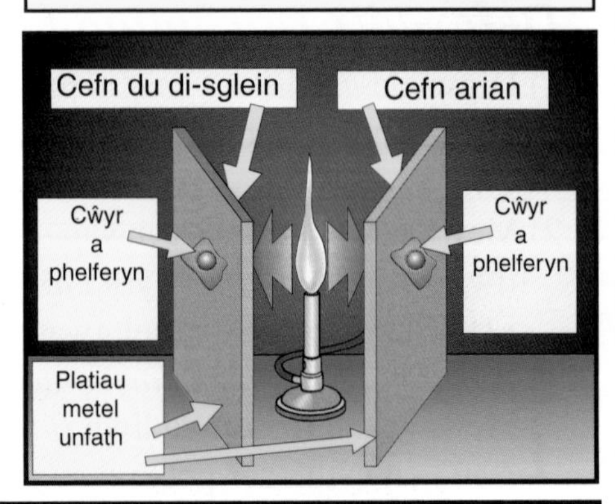

Adolygu Pelydriad Gwres — amsugnwch gymaint ag y gallwch...

Y prif beth i'w ddysgu yma yw y caiff pelydriad gwres ei effeithio'n fawr gan liw ac ansawdd arwynebau. Peidiwch ag anghofio nad yw lliw arwyneb na'i ansawdd yn effeithio *o gwbl* ar y ddau ddull arall o drosglwyddo gwres, dargludiad a darfudiad. Mae pelydriad gwres yn gwbl wahanol i ddargludiad a darfudiad. *Dysgwch* yr holl fanylion sydd ar y dudalen yma, yna *cuddiwch y dudalen* ac *ysgrifennwch*.

Cymwysiadau Trosglwyddo Gwres

Dargludyddion da ac Ynysyddion da

1) Mae'r holl *fetelau* yn *ddargludyddion da* e.e. haearn, pres, alwminiwm, copr, aur, arian etc.
2) Mae'r holl *anfetelau* yn *ynysyddion da.*
3) Mae nwyon a hylifau yn *ddargludyddion gwael,* (ond cofiwch eu bod yn *ddarfudyddion da*).
4) Yr *ynysyddion gorau* yw'r rhai sy'n *trapio pocedi o aer*. Os *na all yr aer symud*, *ni all* drosglwyddo gwres trwy *ddarfudiad* a rhaid i'r gwres *ddargludo'n* araf iawn trwy'r *pocedi o aer*, yn ogystal â'r defnydd rhyngddynt. Mae hyn yn wir yn arafu'r cyfan.
   Dyma sut mae *dillad* a *blancedi* a *deunydd ynysu atig* **a** *wal geudod* a *chwpanau polystyren* a *menig gwlân* ac *anifeiliaid â ffwr* a *hwyaid bach melyn â fflwff* yn gweithio.

Wrth Ynysu dylid ystyried Pelydriad Gwres

1) Mae *gorffeniad o arian* yn effeithiol iawn fel *ynysydd* i atal gwres rhag cael ei drosglwyddo trwy *belydriad.*
2) Gall hyn weithio'r *ddwy ffordd*, naill ai drwy gadw pelydriad gwres *allan* neu gadw gwres *i mewn.*

CADW PELYDRIAD GWRES ALLAN:	*CADW GWRES I MEWN:*
Siwt ofod	Tegellau metel sgleiniog
Ffoil cogino ar y twrci	Blancedi goroesiad
Fflasgiau Thermos	Fflasgiau Thermos (eto)

3) Anaml y defnyddir *du di-sglein* am ei briodweddau thermol o *amsugno* ac *allyrru* pelydriad gwres.
4) Mae'n *ddefnyddiol* yn unig pan fo angen *cael gwared o wres*, e.e. *esgyll oeri* neu *reiddiadur* ar injan.

Y Fflasg Thermos — Yr Eithaf mewn Ynysiad

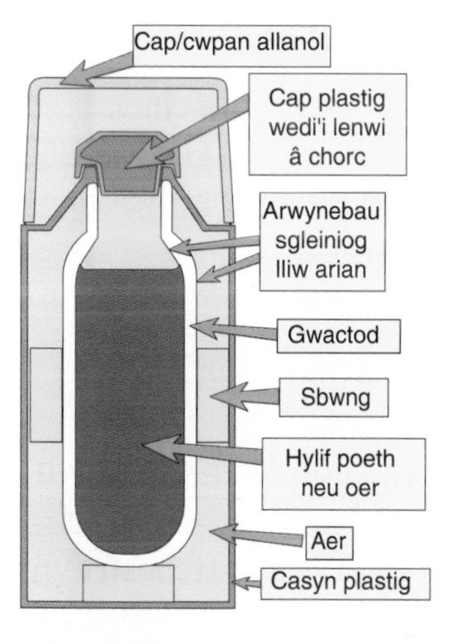

1) Mae *wal ddwbl i'r botel wydr* a *gwactod tenau* rhwng y ddwy wal.
   Mae hyn yn stopio gwres rhag cael ei *ddargludo* trwy'r *ochrau* a rhag cael ei *ddarfudo.*
2) Mae'r waliau bob ochr i'r gwactod o *liw arian* fel bo'r gwres a gollir trwy *belydriad* yn *isel iawn.*
3) Cynhelir y botel gan *ewyn ynysu.*
   Mae hyn yn lleihau faint o wres a gaiff ei *ddargluo* i mewn i'r botel wydr *allanol* neu allan ohoni.
4) Mae'r *cap* wedi'i wneud o *blastig* a'i lenwi gan *gorc neu ewyn* i leihau unrhyw *wres* a gaiff ei *ddargludo* drwyddo.
   Mewn *cwestiynau Arholiad* rhaid i chi *bob amser* ddweud sut y caiff gwres ei drosglwyddo ar unrhyw bwynt, naill ai trwy *ddargludiad*, *darfudiad* neu *belydriad. Ni chewch farciau o gwbl* am ddweud, *"Mae'r gwactod yn stopio gwres rhag mynd allan".*

Gwresogyddion Darfudol a "Phelydryddion"

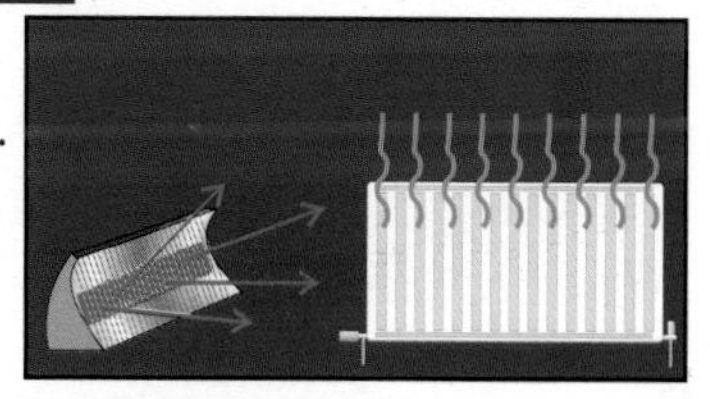

1) A bod yn fanwl, dylai "*pelydrydd*" fod yn rhywbeth sy'n *tywynnu'n goch* ac yn rhoi'r gwres mwyaf allan trwy *belydriad*, megis *tân glo* neu *belydrydd bar trydan.*
2) Mae *enw anghywir* ar *reiddiadur* gwres canolog oherwydd nad yw fel yna o gwbl. Mae'n rhoi'r gwres *mwyaf* allan fel *ceryntau darfudol* o aer cynnes yn codi. Dyna beth mae "*gwresogydd darfudol*" yn ei wneud.

Trosglwyddo Gwres ac Ynysu...

Mae llawer mwy i ynysu nag a dybiwch ar y dechrau. Mae *tair ffordd* o drosglwyddo gwres, ac felly er mwyn i wres gael ei ynysu'n effeithiol rhaid ymwneud â'r *tair ffordd.* Mae'r Fflasg Thermos yn enghraifft wych.

Cadw Adeiladau yn Gynnes

Ynysu'r llofft
Cost gychwynnol: £200
Arbediad blynyddol: £50
Amser talu'n ôl: *4 blynedd*

Siaced Tanc Dŵr Poeth
Cost gychwynnol: £10
Arbediad blynyddol: £15
Amser talu'n ôl: *1 flwyddyn*

Rheolyddion Thermostatig
Cost gychwynnol: £100
Arbediad blynyddol: £20
Amser talu'n ôl: *5 mlynedd*

Gwydro Dwbl
Cost gychwynnol: £3000
Arbediad blynyddol: £60
Amser talu'n ôl: *50 mlynedd*

Ynysu Wal Geudod
Cost gychwynnol: £500
Arbediad blynyddol: £70
Amser talu'n ôl: *7 mlynedd*

Deunydd atal drafftiau
Cost gychwynnol: £50
Arbediad blynyddol: £50
Amser talu'n ôl: *1 flwyddyn*

Nid yw Effeithiolrwydd a Chost-effeithiolrwydd yr un peth...

1) Mae'r ffigurau uchod i gyd yn gywir, ond byddant yn *amrywio* o dŷ i dŷ.
2) Mae'r dulliau *rhataf* o ynysu yn tueddu i fod yn *llawer* mwy *cost-effeithiol* na'r rhai drutaf.
3) Gellir ystyried y rhai sy'n arbed *y mwyaf o arian bob blwyddyn* fel y mwyaf "*effeithiol*", h.y. *ynysiad wal geudod*. Mae pa mor *gost-effeithiol* ydyw yn dibynnu ar y *raddfa amser* sydd gennych dan sylw.
4) Os *tynnwch* yr *arbediad blynyddol* o'r *gost gychwynnol* dro ar ôl tro, *yn y pen draw* rhaid i'r un â'r *arbediad blynyddol mwyaf* fod yr enillydd bob amser.
5) Ond efallai y byddwch yn gwerthu'r tŷ (neu'n marw) cyn i hynny ddigwydd. Os edrychwch arno dros *gyfnod o bum mlynedd* dyweder, yna bydd y dull rhataf, sef *atal drafftiau,* yn ennill. Pwy sydd i ddweud?
6) Ond *gwydro dwbl* bob amser yw'r *lleiaf cost effeithiol* o lawer, sy'n beth rhyfedd.

Gwybod sut mae Gwres yn cael ei Drosglwyddo:

1) *YNYSU WAL GEUDOD* — mae'r ewyn a roir yn y gwagle rhwng y brics yn lleihau *darfudiad* a *phelydriad* ar draws y gwagle neu'r ceudod.
2) *YNYSU'R LLOFFT* — mae haen drwchus o ffibr gwydr wedi'i gosod ar draws holl lawr y llofft yn lleihau *dargludiad* a *phelydriad* o'r nenfwd i ofod y to.
3) *DEUNYDD ATAL DRAFFTIAU* — mae stripiau o ewyn a phlastig o gwmpas drysau a ffenestri yn atal drafftiau o aer oer rhag chwythu i mewn, h.y. maent yn lleihau colled gwres trwy *ddarfudiad.*
4) *GWYDRO DWBL* — mae dwy haen o wydr gyda bwlch o aer rhyngddynt yn lleihau *dargludiad* a *phelydriad.*
5) *FALFIAU RHEIDDIADUR THERMOSTATIG* — maent yn rhwystro tŷ rhag *gorgynhesu.*
6) *SIACED TANC DŴR POETH* — mae lagio â deunydd megis ffibr gwydr yn lleihau *dargludiad* a *phelydriad* o'r tanc dŵr poeth.
7) *LLENNI TRWCHUS* — darnau mawr o ddefnydd a gaiff eu tynnu ar draws y ffenestr i atal pobl rhag edrych i mewn sydd hefyd yn lleihau'r maint o wres a gollir trwy *ddargludiad* a *phelydriad.*

Ydyn nhw'n cael problemau fel hyn yn Sbaen, dywedwch?
Cofiwch, y dull ynysu mwyaf *effeithiol* yw'r un sy'n cadw'r mwyaf o wres i mewn (yr arbediad blynyddol mwyaf). Pe na byddai to ar eich tŷ, onid rhoi to fyddai'r dull mwyaf *effeithiol*!
Ond mae *cost-effeithiolrwydd* yn dibynnu'n fawr ar y *raddfa amser* a ystyrir.

Ffynonellau Egni

Mae *deuddeg* gwahanol fath o *ffynhonnell egni*.
Maent yn perthyn i *ddau fath* ehangach: *ADNEWYDDADWY* ac *ANADNEWYDDADWY*.

Bydd Ffynonellau Egni ANADNEWYDDADWY yn Darfod rhyw Ddydd

Y ffynonellau *anadnewyddadwy* yw'r *TRI THANWYDD FFOSIL* a *NIWCLEAR*:

1) *GLO*
2) *OLEW*
3) *NWY NATURIOL*
4) *TANWYDD NIWCLEAR* (*wraniwm* a *phlwtoniwm*)

a) Byddant *I GYD YN DARFOD* rhyw ddydd.
b) Maent i gyd yn *DIFWYNO'R* amgylchedd.
c) Ond maent yn rhoi i ni y *RHAN FWYAF O'N HEGNI*.

Ni bydd Ffynonellau Egni ADNEWYDDADWY yn Darfod

Y ffynonellau *adnewyddadwy* yw:

1) *GWYNT*
2) *TONNAU*
3) *LLANW*
4) *TRYDAN DŴR*
5) *SOLAR*
6) *GEOTHERMOL*
7) *BWYD*
8) *BIOMAS (PREN)*

a) *NI BYDD* y rhain *YN DARFOD*.
b) *NID YDYNT* yn *DIFWYNO'R AMGYLCHEDD* (ac eithrio'n weladwy).
c) Y gwendid yw *NAD YDYNT YN RHOI LLAWER O EGNI* ac mae llawer ohonynt yn *ANNIBYNADWY* oherwydd eu bod yn dibynnu ar y *TYWYDD*.

YR HAUL yw'r Ffynhonnell Eithaf ar gyfer Naw o'r Ffynonellau Egni

(Yr eithriadau yw llanw, niwclear a geothermol — gweler isod)
Mae angen i chi wybod y *cadwyni trosglwyddo egni* ar gyfer *naw* ohonynt gan ddechrau o'r *Haul*.
Fodd bynnag nid oes ond *pum cadwyn egni* sylfaenol:

1) Haul ➔ egni golau ➔ planhigion ➔ ffotosynthesis ➔ BIOMAS (pren) neu FWYD.

2) Haul ➔ egni golau ➔ ffotosynthesis ➔ planhigion/anifeiliaid marw ➔ TANWYDDAU FFOSIL.

3) Haul ➔ twymo'r atmosffer ➔ yn creu GWYNTOEDD ➔ ac felly TONNAU hefyd.

4) Haul ➔ twymo dŵr y môr ➔ cymylau ➔ glaw ➔ TRYDAN DŴR.

5) Haul ➔ egni golau ➔ PŴER SOLAR.

Mae'r HAUL yn Cynhyrchu ei EGNI trwy Adweithiau Ymasiad Niwclear

1) Mae *niwclysau Hydrogen* yn ymasu â'i gilydd i ffurfio *niwclysau heliwm*.
2) Caiff yr *egni hwn* ei roi fel *tonnau EM* sy'n cyrraedd y Ddaear fel *pelydriad golau a gwres*.

NID yw Egnïon Niwclear, Geothermol a Llanw yn Tarddu yn yr Haul

1) Daw *pŵer niwclear* o'r egni sydd wedi'i *gloi* yn *niwclysau atomau*.
2) Mae *dadfeiliad niwclear* hefyd yn creu gwres *y tu mewn i'r Ddaear* ar gyfer *egni geothermol*, er bod hyn yn digwydd *yn llawer arafach* nag mewn adweithydd niwclear .
3) Achosir *llanw* gan *atyniad disgyrchiant* y *Lleuad* a'r *Haul*.

Dysgwch y gwaith hwn yn iawn...

Mae llawer o fanylion yma am ffynonellau egni — llawer iawn o fanylion. Yn yr Arholiad gallant eich profi ar unrhyw rai ohonynt, felly dysgwch nhw i gyd. Mae'n ymddangos fod y dudalen yma'n llawn rhestri, sy'n newydd. Ewch ymlaen.

Pwerdai yn Defnyddio'r Anadnewyddadwy

Caiff y *RHAN FWYAF* o'r trydan a ddefnyddiwn *ei eneradu* o bedair ffynhonnell o egni *ANADNEWYDDADWY* (*glo*, *olew*, *nwy* a *niwclear*) mewn *pwerdai mawr*, sydd i gyd *yn debyg iawn* i'w gilydd heblaw am y *boeler*. *DYSGWCH* y *ffeithiau sylfaenol* am y pwerdy nodweddiadol a ddangosir yma a hefyd yr *adweithydd niwclear*.

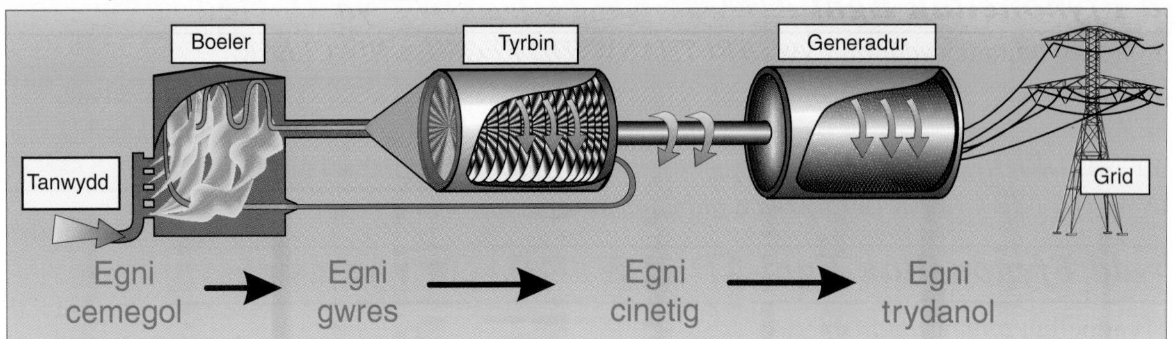

Dim ond Boeler Ffansi yw Adweithydd Niwclear

1) Mae *pwerdy niwclear* yn debyg iawn i'r un a ddangosir uchod, lle *cynhyrchir gwres* mewn *boeler* i gynhyrchu *ager* i yrru *tyrbinau* etc.
2) Mae'r unig wahaniaeth yn y *boeler*, sydd ychydig yn fwy *cymhleth*, fel y dangosir yma:

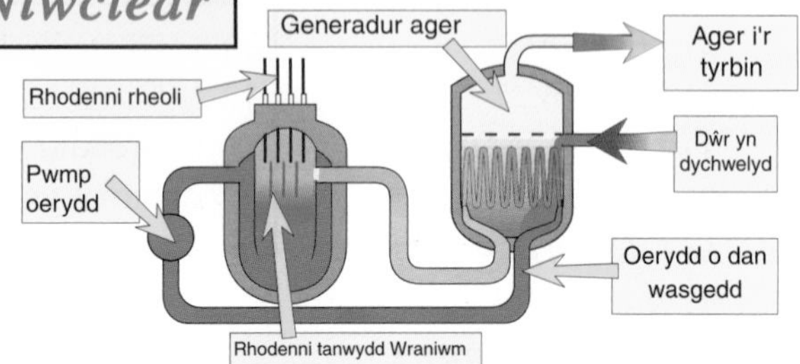

Problemau Amgylcheddol Wrth Ddefnyddio'r Anadnewyddadwy

1) *Mae'r tri thanwydd ffosil*, (glo, olew a nwy) yn gollwng CO_2 sy'n achosi *Effaith Tŷ Gwydr*.
2) Mae glo ac olew yn achosi *glaw asid*. Caiff hyn ei leihau yn awr trwy *lanhau'r allyriannau*.
3) Mae *cloddio glo* yn *anharddu'r dirwedd*, yn arbennig "*mwyngloddio brig*".
4) Mae *olew yn gollwng i'r môr* yn achosi *problemau amgylcheddol difrifol*. Er ein bod yn ceisio ei osgoi, bydd bob amser yn digwydd.
5) Mae *pŵer niwclear* yn lân ond mae *gwastraff niwclear* yn *beryglus* iawn ac yn anodd ei *waredu*.
6) Mae *tanwydd* niwclear (h.y. wraniwm) yn *rhad* ond mae *cost* pŵer niwclear yn *uchel* oherwydd cost y *pwerdy* a'r *dadgomisiynu* terfynol.
7) Mae *pŵer niwclear* bob amser yn cario risg o *ddamwain ddifrifol* megis *damwain Chernobyl*.

Rhaid Cadw'r Anadnewyddadwy

1) Pan fydd *tanwyddau ffosil ryw ddydd yn DARFOD* bydd yn *rhaid* defnyddio *ffurfiau eraill* o egni.
2) Yn bwysicach efallai, mae tanwyddau ffosil *yn ffynhonnell ddefnyddiol o gemegau,* (yn arbennig olew crai) ac mi fydd hi'n anodd cael *rhywbeth yn eu lle* pan fyddant i gyd wedi darfod.
3) I stopio tanwyddau ffosil rhag *darfod mor gyflym* mae *dau beth* y gallwn eu gwneud:

1) Defnyddio Llai o Egni trwy fod yn Fwy Effeithlon:

(i) *Ynysu* adeiladau yn well,
(ii) Troi *goleuadau a phethau eraill I FFWRDD* pan nad oes mo'u hangen,
(iii) Gwneud i bawb yrru *ceir bychain* gyda pheiriannau bychain.

2) Defnyddio Mwy o'r Ffynonellau Adnewyddadwy o Egni

fel y nodir ar y tudalennau canlynol.

Dysgwch am yr anadnewyddadwy — cyn ei bod hi'n rhy hwyr...

Gwnewch yn siŵr eich bod yn sylweddoli ein bod yn cynhyrchu'r rhan fwaf o'n trydan o'r pedair ffynhonnell anadnewyddadwy, a bod pwerdai yn debyg iawn i'w gilydd fel yn y diagram uchod. Hefyd gwnewch yn siŵr eich bod yn gwybod eu holl broblemau, a pham y dylem ddefnyddio llai ohonynt.

Pŵer Gwynt a Phŵer Trydan Dŵr

Pŵer Gwynt — Llawer o Dyrbinau Gwynt Bychain

1) Mae hyn yn golygu gosod *llawer o felinau gwynt* (tyrbinau gwynt) mewn *llefydd* agored fel *gweundiroedd* neu ar hyd yr *arfordir*.
2) Mae gan bob tyrbin gwynt ei *eneradur* ei hun oddi mewn iddo fel y caiff y trydan ei eneradu'n *union* o'r *gwynt* sy'n troi'r *llafnau*, sy'n *troi'r generadur*.
3) *Nid oes llygredd*.
4) Ond maent yn *anharddu'r olygfa*. Mae angen tua *5000 o dyrbinau gwynt* i gymryd lle *un pwerdy glo* a byddai 5000 ohonynt yn mynd â *llawer* o dir — gan anharddu'r olygfa.
5) Mae problem arall, *dim pŵer pan nad oes gwynt*, ac mae'n *amhosibl* i *gynyddu'r cyflenawd* pan fo *galw ychwanegol*.
6) Mae'r *costau cychwynnol yn uchel*, ond mae'r *costau rhedeg yn isel iawn* ac *nid oes costau tanwydd.*

Trydan Dŵr a Systemau Pwmpstorio

1) Gyda *phŵer trydan dŵr,* fel arfer bydd angen *boddi dyffryn* trwy adeiladu *argae mawr*.
2) Caiff *dŵr glaw* ei ddal a'i adael allan *trwy dyrbinau*. *Nid oes llygredd.*
3) Bydd effaith *boddi dyffryn* ar yr *amgylchedd* yn sylweddol ac mae'n bosibl y bydd rhai rhywogaethau yn *colli eu cynefin*. Gall y llynnoedd edrych yn *aflêr* pan fyddant *wedi sychu*. Mae defnyddio *dyffrynnoedd anghysbell* (yn *Yr Alban*) yn tueddu i osgoi'r problemau hyn ar y cyfan.

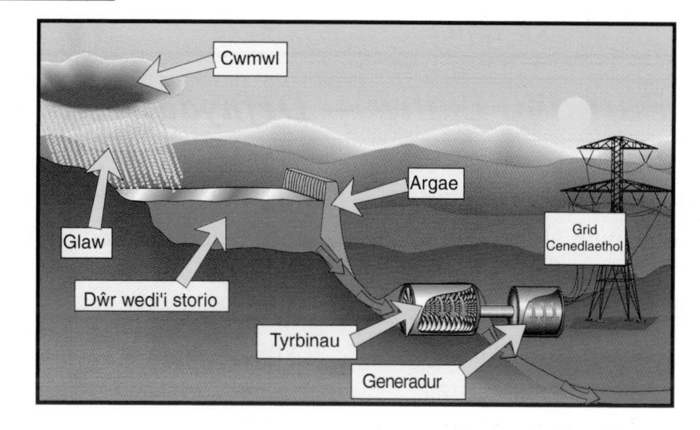

4) *Mantais fawr* yw'r gallu i *ymateb yn syth* i gynnydd yn y galw ac nid oes problem ynglŷn â *dibynadwyedd* ac eithrio ar adegau o *sychder* — ond cofiwch ein bod ni'n son yma am *Yr Alban*!
5) Mae'r *costau cychwynnol yn uchel* ond mae'r *costau rhedeg yn isel iawn* ac *nid oes costau tanwydd.*

Mae Storfa Bwmp yn rhoi Cyflenwad Ychwanegol pan fo Angen

1) Mae gan y rhan fwyaf o'r pwerdai mawr *foeleri mawr* sy'n gorfod gweithio *trwy'r nos* er nad oes *llawer o alw am drydan* bryd hynny. Mae hyn yn golygu fod *gormod* o drydan ar gael yn y nos.
2) Mae'n *anodd* dod o hyd i ffordd o *storio'r* egni hwn i'w ddefnyddio *ymhellach ymlaen*.
3) *Storfa Bwmp* yw un o'r *ffyrdd gorau o ddatrys* y broblem.
4) Mewn Storfa Bwmp caiff y *trydan a fydd yn sbâr* dros nos ei ddefnyddio i bwmpio dŵr i *gronfa uwch.*
5) Yna gellir ei *ollwng yn gyflym* yn ystod cyfnodau o *alw mawr* megis *amser te* bob nos, i ychwanegu at y *cyflenwad cyson* o'r pwerdai mawr.
6) Cofiwch, mae *storfa bwmp* yn defnyddio'r un *syniad* â Phŵer Trydan Dŵr ond *nid yw'n* ffordd o *eneradu* pŵer — mae'n ffordd o *storio egni* sydd *eisoes* wedi'i eneradu.

Dysgwch am Bŵer Gwynt...

Mae llawer o fanylion pwysig yma ar ffynonellau egni sy'n lân — trueni eu bod yn anharddu'r amgylchedd. *Tri thraethawd bach,* os gwelwch yn dda.

Pŵer Tonnau a Phŵer y Llanw

Peidiwch â chymysgu rhwng *pŵer tonnau* a *phŵer y llanw*. Maent yn *gwbl wahanol i'w gilydd.*

Pŵer Tonnau — *Llawer o Drawsnewidyddion Tonnau bychain*

1) Bydd angen llawer o *eneraduron tonnau* wedi'u gosod *ar hyd yr arfordir.*
2) Pan ddaw tonnau i'r lan maent yn rhoi *mudiant i fyny ac i lawr* y gellir ei ddefnyddio i yrru *generadur.*
3) Nid oes *llygredd.* Y problemau mwyaf yw eu bod yn *difetha'r olygfa* ac yn *beryglus i gychod.*
4) Maent *braidd yn annibynadwy* gan fod tonnau yn tueddu i ddiflannu pan fo *gwynt yn gostwng.*
5) Mae'r *costau cychwynnol yn uchel;* ond mae'r *costau rhedeg yn isel iawn* ac *nid oes costau tanwydd.* Nid yw pŵer tonnau byth yn debygol o gyflenwi egni ar *raddfa fawr* ond gall fod yn *ddefnyddiol iawn* ar *ynysoedd bychain.*

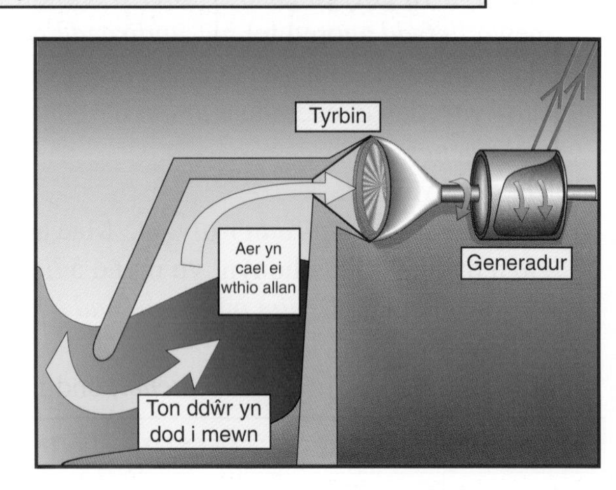

Baredau Llanw — *Defnyddio Disgyrchiant yr Haul a'r Lleuad*

1) *Argae mawr* wedi ei adeiladu ar draws *aber afon* yw *bared llanw* gyda *thyrbinau* ynddo.
2) Wrth i'r *llanw ddod i mewn* bydd yn llenwi'r aber i uchder o *sawl metr.* Yna bydd y dŵr hwn yn cael ei ollwng allan *trwy'r tyrbinau* ar fuanedd rheoledig. Bydd hefyd yn gyrru'r tyrbinau ar y ffordd i mewn.
3) *Nid oes llygredd.* Ffynhonnell yr egni yw disgyrchiant yr Haul a'r Lleuad.
4) Y prif broblemau yw *na fydd cychod yn gallu mynd a dod fel y mynnant*, *bydd yr olygfa yn cael ei difetha* ac o bosibl bydd *cynefinoedd* yn cael eu *newid* er *nad yw hyn yn sicr* gan fod y llanw yn *dod i mewn ac allan beth bynnag.*
5) Mae'r llanw *yn eithaf dibynadwy* yn yr ystyr ei fod yn digwydd *ddwywaith y dydd heb fethu*, ac i *uchder a ragfynegir* bob amser. Yr unig rwystr yw fod *uchder* y llanw yn *newidiol* fel bo llanw uchel yn rhoi *llai o egni* na llanw mawr. Ond mae baredau llanw yn *ardderchog* i *storio egni* yn barod at gyfnodau o *alw mawr.*
6) Mae'r *costau cychwynnol yn eithaf uchel* ond mae'r *costau rhedeg yn isel iawn* ac *nid oes costau tanwydd.* Er na ellir ei ddefnyddio ond mewn *ychydig* o'r *aberoedd sydd fwyaf addas,* mae gan bŵer y llanw botensial i eneradu *maint sylweddol* o egni.

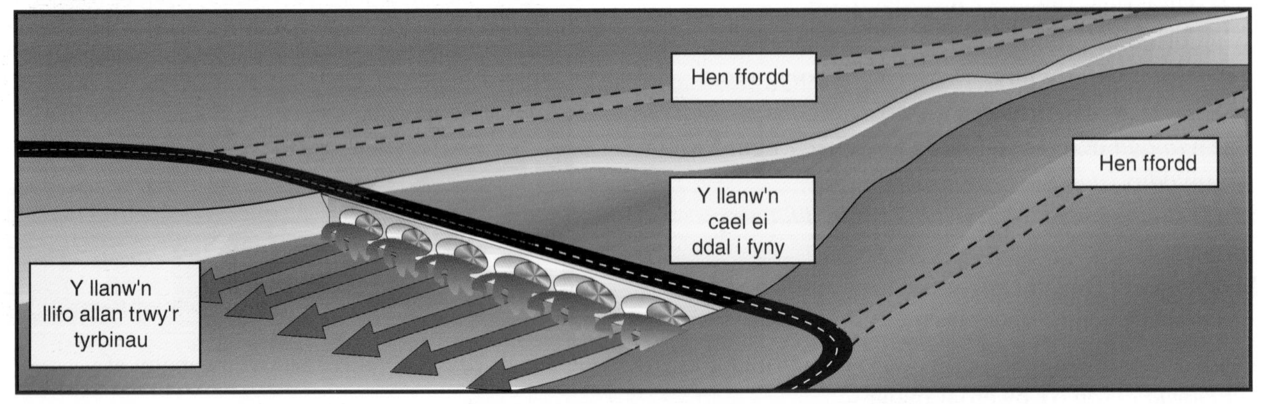

Peidiwch â chymysgu rhwng Pŵer y Llanw a Phŵer Tonnau. Maent yn gwbl wahanol i'w gilydd.

Dysgwch am Bŵer Tonnau...

Gobeithio y gwyddoch erbyn hyn y gwahaniaeth rhwng pŵer y llanw a phŵer tonnau. Mae'r ddau yn defnyddio dŵr môr yn sicr — ond dyma'r unig debygrwydd rhyngddynt.
Dysgwch y gwaith.

Egni Geothermol a Llosgi Coed

Egni Geothermol — Gwres Tanddaearol

1) Dim ond mewn *mannau arbennig* lle mae *creigiau poeth* yn agos i'r *arwyneb* y mae hyn *yn bosibl*. Ffynhonnell y rhan fwyaf o'r gwres yma yw amryw o *elfennau ymbelydrol*, gan gynnwys *wraniwn*, yn *dadfeilio'n araf* yn ddwfn y tu mewn i'r Ddaear.
2) Caiff *dŵr ei bwmpio* trwy bibellau i'r *creigiau poeth* a *daw yn ei ôl fel ager* i yrru *generadur*.
3) Dyma *egni am ddim* heb broblemau amgylcheddol.
4) Y *prif rwystr* yw'r *gost o ddrilio nifer o gilometrau* i lawr i'r creigiau poeth.
5) Yn anffodus nid oes ond *ychydig iawn o fannau* lle mae'n ymddangos fod hyn yn *ddewis economaidd* (am y tro).

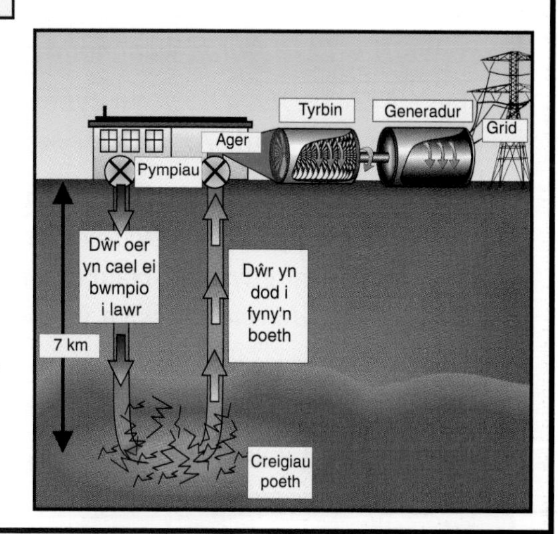

Llosgi Coed — Iawn i'r Amgylchedd

1) Gellir gwneud hyn *yn fasnachol* ar *raddfa fawr*.
2) Gellir plannu *coed sy'n tyfu'n gyflym* er mwyn eu *cynaeafu*, *eu torri* a'u *llosgi* mewn *ffwrnais* i gynhyrchu *trydan*.
3) Yn wahanol i *danwyddau ffosil*, *nid yw* llosgi coed yn achosi problem o safbwynt *Effaith y Tŷ Gwydr* oherwydd bydd unrhyw CO_2 a gynhyrchir wrth losgi'r coed wedi'i *waredu* wrth iddynt *dyfu yn y lle cyntaf*, a chan fod y coed yn tyfu *mor gyflym ag y cânt eu llosgi* ni fyddant *yn darfod byth*. *Dydy hyn ddim yn wir* am losgi *coedwigoedd glaw* lle mae'r coed yn cymryd *llawer hirach* i dyfu.

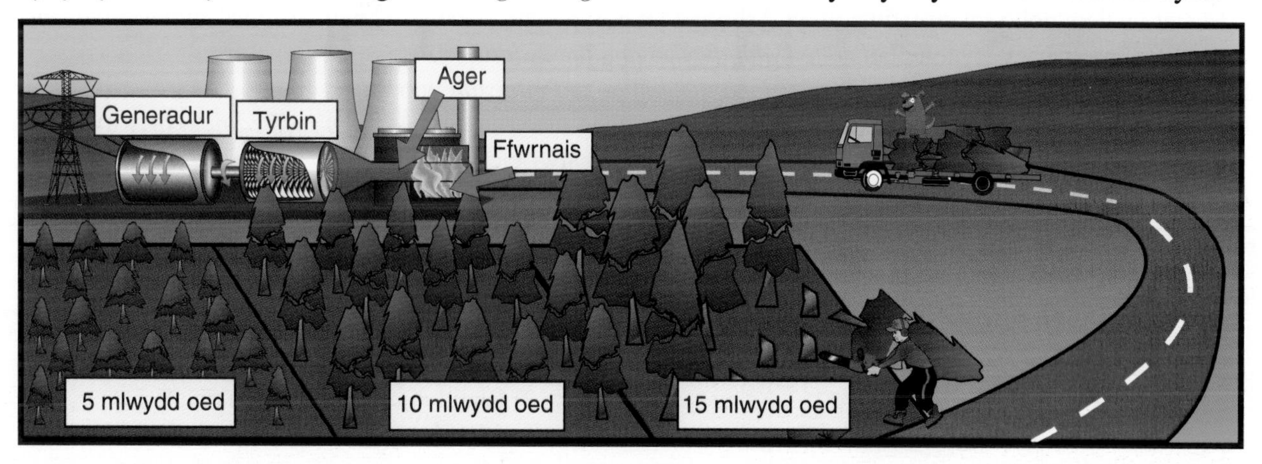

4) Y *prif rwystr* yw *defnyddio tir* i *dyfu coed*, ond os gellir troi'r coedwigoedd yn *safleoedd adloniant* yna gall hyn fod yn *fantais bositif*. Dylai'r coetiroedd yn sicr fod yn *atyniadol*, o'u cyferbynnu â 5000 o dyrbinau gwynt yn ymestyn dros filltiroedd ar filltiroedd o gefn gwlad.
5) Fel dull o gynhyrchu trydan efallai bod llosgi coed ychydig yn *hen ffasiwn,* ond os caiff digon o goed eu tyfu, gallant fod yn *ffynhonnell ddibynadwy o egni*, gyda llai o anfanteision amgylcheddol na llawer o'r ffynonellau egni eraill.
6) *Nid yw'r costau cychwynnol yn rhy uchel*, ond mae peth cost wrth *gynaeafu a phrosesu'r* coed.

Llosgi Coed i Ddatrys Argyfwng Egni?...

Bydd egni geothermol yn ffynhonnell fawr o bŵer dros y mileniwm neu ddau nesaf. Y cyfan sydd raid ei wneud yw drilio i lawr 10 km neu 20 km a dyna ni — egni rhad diderfyn.
Ewch ati i *ysgrifennu* dau *draethawd byr*.

Egni Solar

Egni Solar — Celloedd Solar, Paneli Solar and Ffwrneisi Solar

DYSGWCH y *TAIR ffordd wahanol* o harneisio egni solar:

1) Mae *CELLOEDD SOLAR* yn cynhyrchu *ceryntau trydan yn syth* o olau Haul. *Ar y cychwyn* maent yn *ddrud.*
2) Mae *PANELI SOLAR* yn llawer llai soffistigedig. O dan yr *arwyneb du* y ceir y *pibellau dŵr.* Caiff *pelydriad gwres* o'r Haul ei *amsugno* gan yr *arwyneb du* i *dwymo'r dŵr* yn y pibellau.
3) *FFWRNAIS SOLAR* yw arrae mawr o *ddrychau crwm* i gyd wedi'u *ffocysu* ar un man i gynhyrchu *tymereddau uchel iawn* fel y gellir newid dŵr yn *ager* i yrru *tyrbin.*

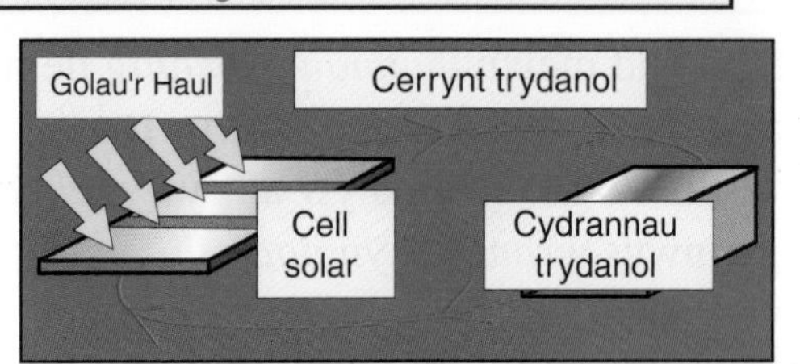

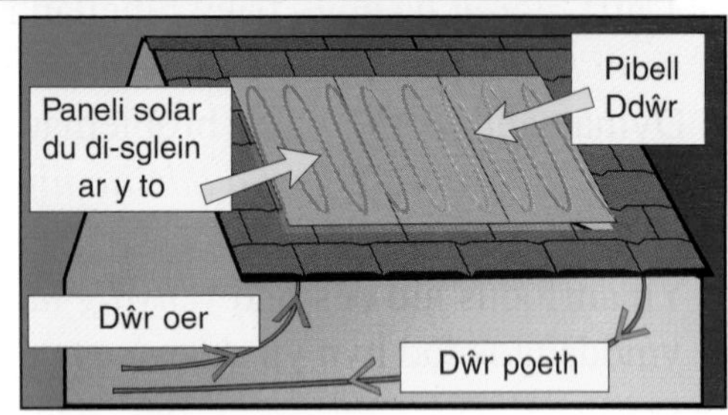

Nid oes yr un o'r tair ffordd uchod yn achosi *llygredd*. Mewn gwledydd heulog mae pŵer solar yn *ffynhonnell ddibynadwy iawn* o egni — ond dim ond yn y *dydd*. Bydd pŵer Solar yn dal i gynhyrchu *peth egni* hyd yn oed mewn *gwledydd cymylog* fel Prydain. Gall y *costau cychwynnol* fod yn *uchel* ond wedi hynny mae'r egni *am ddim* a'r *costau rhedeg bron yn ddim* (ac eithrio *ffwrneisi solar* sy'n fwy cymhleth).

Cymharu'r Adnewyddadwy a'r Anadnewyddadwy

1) Maent yn debygol o roi cwestiwn yn yr Arholiad yn gofyn i chi "*werthuso*" neu "*drafod*" *rhinweddau cymharol* generadu pŵer trwy ffynonellau *adnewyddadwy* ac *anadnewyddadwy*.
2) Y ffordd i *gael y marciau* yw trwy restru *manteision ac anfanteision* pob dull.
3) Mae'r manylion llawn ar y tudalennau olaf. Fodd bynnag mae rhai *nodweddion cyffredinol clir* y *dylech eu dysgu* i'ch helpu i ateb cwestiynau o'r fath. Gwnewch yn siŵr eich bod yn gallu *rhestru'r rhain yn hawdd oddi ar eich cof*:

Ffynonellau Anadnewyddadwy (Glo, Olew, Nwy a Niwclear):

MANTEISION:

1) Allbwn *Uchel.*
2) Allbwn *Dibynadwy.*
3) Does dim angen llawer o *dir.*

ANFANTEISION:

1) Yn achosi llawer o *lygredd..*
2) Rhaid *mwyngloddio* neu *ddrilio* i fynd at y tanwyddau, ac yna eu *cludo.*
3) Maent yn *darfod* yn gyflym.

Ffynonellau Adnewyddadwy (Gwynt, Tonnau, Solar etc.):

MANTEISION:

1) *Dim llygredd.*
2) *Dim costau tanwydd.* (er bod y costau cychwynnol yn uchel).

ANFANTEISION:

1) Angen *llawer o dir* neu ddŵr ac yn aml yn *difetha'r golygfeydd naturiol.*
2) Ddim bob amser yn cyflenwi *pan fo angen* — os nad yw'r tywydd yn iawn, er enghraifft.

Celloedd Solar...

Mae *tair* ffordd wahanol o ddefnyddio pŵer solar yn syth. *Dysgwch* y tair. Dysgwch hefyd yr holl grynodeb sy'n cymharu ffynonellau adnewyddadwy ac anadnewyddadwy.

Crynodeb Adolygu Adran 5

Mae tair rhan wahanol yn Adran Pump. Yn gyntaf mae pŵer, gwaith a wneir, effeithlonedd etc. sy'n ymwneud â llawer o fformiwlâu a chyfrifiadau. Yna mae trosglwyddo gwres, sy'n anoddach i'w feistroli nag y mae llawer yn ei gredu. Yn olaf mae deunydd ar gynhyrchu pŵer, sy'n weddol hawdd er bod llawer o fanylion i'w dysgu. Gwnewch yn siŵr eich bod yn gweld bod angen ymdrin â'r tair rhan mewn ffordd wahanol, a chanolbwyntiwch eich meddwl yn ôl yr angen.

1) Rhestrwch y deg math gwahanol o egni, a rhowch ddeuddeg o enghreifftiau gwahanol o egni'n cael ei drosglwyddo.
2) Ysgrifennwch Egwyddor Cadwraeth Egni. Pryd mae egni yn *ddefnyddiol*?
3) Brasluniwch ddiagram llif egni ar gyfer "dyfais ddefnyddiol" nodweddiadol.
4) Pa ffurfiau y mae'r egni a wastreffir bob amser yn ei gymryd?
5) Beth yw'r fformiwla am effeithlonedd? Beth yw'r tair ffurf rifiadol addas ar gyfer effeithlonedd?
6) A yw effeithlonedd yn hawdd neu yn gymhleth? Rhowch dair enghraifft wedi'u gweithio ar effeithlonedd.
7) Beth yw'r cysylltiad rhwng "gwaith a wneir" a "throsglwyddiad egni"?
8) Beth yw'r fformiwla am y gwaith a wneir? Mae ci yn llusgo cangen fawr 12 m dros lawnt pobl drws nesaf, gan dynnu â grym o 535 N. Faint o egni a drosglwyddwyd?
9) Beth yw'r fformiwla am bŵer? Beth yw unedau pŵer?
10) Mae modur trydan yn defnyddio 540 kJ o egni trydanol mewn $4^1/_2$ munud. Beth yw'r pŵer a ddefnyddir? Os yw'r effeithlonedd yn 85%, beth yw'r pŵer a allbynnir?
11) Ysgrifennwch y fformiwlâu am EC ac EP. Darganfyddwch EC dafad 78 kg sy'n symud 23 m/s.
12) Cyfrifwch y pŵer a allbynnir gan dafad 78 kg sy'n rhedeg i fyny 20 m o risiau mewn 16.5 eiliad.
13) Cyfrifwch fuanedd dafad 78 kg wrth iddi daro'r llawr o uchder 20 m.
14) Os yw'r ddafad yn bownsio'n ôl i uchder o 18 m cyfrifwch golled % o EC ar y bownsiad.
15) Beth sy'n achosi i wres lifo o un man i fan arall? Beth mae moleciwlau'n ei wneud wrth iddynt wrersogi?
16) Eglurwch yn fras y gwahaniaeth rhwng dargludiad, darfudiad a phelydriad.
17) Rhowch y gwir ddiffiniad ar gyfer dargludiad gwres a dywedwch pa ddefnyddiau sy'n ddargludwyr da.
18) Rhowch y gwir ddiffiniad ar gyfer darfudiad. Rhowch ddwy enghraifft o ddarfudiad naturiol a darfudiad gorfod.
19) Rhestrwch bum priodwedd pelydriad gwres. Pa fath o wrthrychau sy'n allyrru ac amsugno pelydriad gwres?
20) Pa arwynebau sy'n amsugno pelydriad gwres orau? Pa arwynebau sy'n ei allyrru orau?
21) Disgrifiwch ddau arbrawf i ddangos effaith gwahanol arwynebau ar wres a belydrir.
22) Disgrifiwch fesurau ynysu sy'n lleihau a) dargludiad b) darfudiad c) pelydriad.
23) Lluniwch ddiagram o Fflasg Thermos wedi'i labelu'n llawn, ac esboniwch bwrpas pob rhan.
24) Rhestrwch y saith prif ffordd o ynysu tai a dywedwch pa rai sydd fwyaf *effeithiol* a pha rai sydd fwyaf *cost-effeithiol*. Sut mae penderfynu a yw rhywbeth yn gost-effeithiol?
25) Rhestrwch bedair ffynhonnell egni anadnewyddadwy a dywedwch pam y maent yn anadnewyddadwy.
26) Rhestrwch wyth math o engi adnewyddadwy.
27) Lluniwch bum cadwyn egni sy'n cychwyn gyda'r Haul fel ffynhonnell egni.
28) Mae naw o'r deuddeg ffynhonnell egni yn tarddu yn yr Haul— pa rai ydynt?
29) Pa dair ffynhonnell egni sydd *ddim* yn tarddu yn yr Haul?
30) O ba fath o ffynonellau y cawn ni'r rhan fwyaf o'n hegni ohonynt? Brasluniwch bwerdy nodweddiadol.
31) Rhestrwch saith o anawsterau amgylcheddol gyda ffynonellau anadnewyddadwy a phedair ffordd y gallwn ddefnyddio llai ohonynt.
32) Rhowch fanylion llawn sut y gallwn ddefnyddio pŵer gwynt, gan gynnwys y manteision a'r anfanteision.
33) Rhowch fanylion llawn sut mae cynllun trydan dŵr yn gweithio. Beth yw storfa bwmp?
34) Brasluniwch eneradur tonnau ac eglurwch y pwyntiau sydd o'i blaid ac yn ei erbyn fel ffynhonnell egni.
35) Eglurwch sut i harneisio pŵer y llanw. Beth sydd o blaid ac yn erbyn y syniad hwn?
36) Eglurwch o ble mae egni geothermol yn dod. Disgrifiwch sut y gallwn ei ddefnyddio.
37) Eglurwch egwyddorion llosgi coed i gynhyrchu trydan. Rhowch y pwyntiau sydd o'i blaid ac yn ei erbyn.
38) Rhowch fanylion bras, gyda diagramau, ar gyfer y tri math o bŵer solar.
39) Rhestrwch fanteision ac anfanteision defnyddio ffynonellau egni adnewyddadwy neu anadnewyddadwy. Beth mae cwestiwn sy'n dweud "Trafodwch..." yn ei olygu?

Adeiledd Atomig ac Isotopau

Gweler y Llyfr Cemeg am ragor o fanylion am hyn.

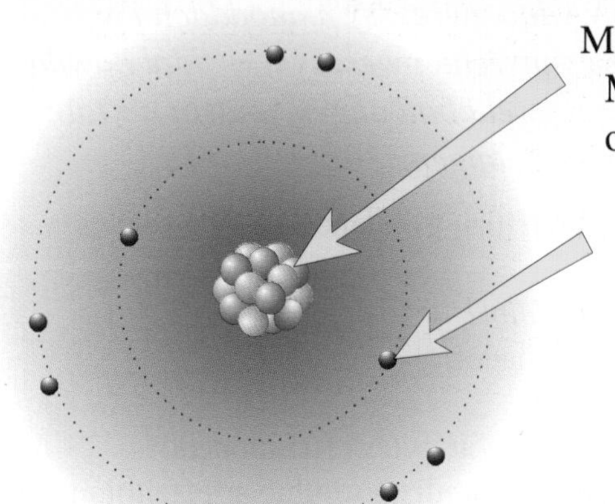

Mae'r *NIWCLEWS* yn cynnwys *protonau* a *niwtronau*. Mae'r rhan fwyaf o *FÀS* yr atom wedi'i gynnwys yn y *niwclews*, ond nid yw'n mynd â *bron dim lle* — mae'n *fychan iawn*.

Mae'r *ELECTRONAU* yn hedfan o amgylch y *tu allan*. Maent wedi'u *gwefru'n negatif* ac maent yn *fychan* iawn iawn. Maent yn *mynd â llawer o le,* a hyn sy'n rhoi *maint* i'r atom er ei fod *gan mwyaf yn wag*.

Y RHIF MÀS — Swm y Protonau a Niwtronau

Y RHIF ATOMIG — Nifer y Protonau

$^{7}_{3}\text{Li}$

Gwnewch yn siŵr eich bod yn *dysgu'r tabl hwn*:

GRONYN	MÀS	GWEFR
Proton	1	+1
Niwtron	1	0
Electron	1/2000	–1

Ffurfiau Gwahanol o'r *Un Elfen* yw *Isotopau*

1) *Isotopau* yw atomau â'r *UN nifer o brotonau* ond *NIFER GWAHANOL o niwtronau*.
2) Felly mae ganddynt *yr un rhif atomig*, ond *rhif màs gwahanol*.
3) Mae *Carbon-12 a Charbon-14* yn enghreifftiau da:
4) Mae gan y *rhan fwyaf o'r elfennau* isotopau ond fel arfer dim ond un neu ddau sydd yn *sefydlog*.
5) Mae'r isotopau eraill yn tueddu i fod yn *ymbelydrol*, sy'n golygu eu bod yn *dadfeilio* yn *elfennau eraill* ac *yn rhoi allan belydriad.* Dyma o ble daw *ymbelydredd* — *isotopau ymbelydrol ansefydlog* (radio-isotopau ansefydlog) yn goddef *dadfeiliad niwclear* ac yn rhoi allan *ronynnau o egni uchel.*

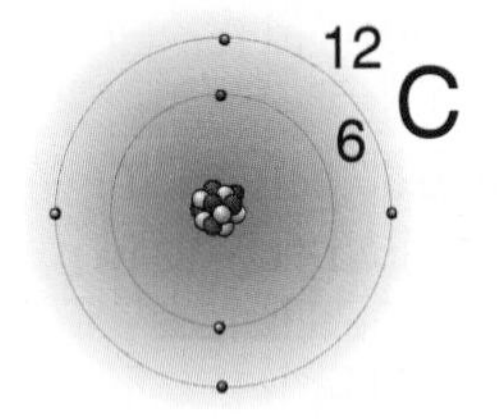

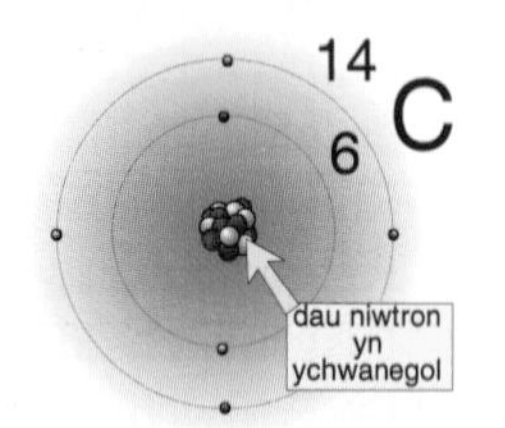

Gwasgariad Rutherford a Model y *Pwdin Dolig*

1) Yn 1804 dywedodd *John Dalton* fod mater wedi'i wneud o *sfferau solid bychain* a alwodd yn *atomau*.
2) Yn ddiweddarach darganfuwyd y gellir *tynnu* electronau o atomau. Wedyn gwelwyd atomau fel *sfferau o wefr bositif* ac electronau bychain *o'u mewn* fel cyrens mewn *pwdin dolig*.
3) Yna ceisiodd *Ernest Rutherford* a'i gyfeillion saethu *gronynnau alffa* at *ffoil aur tenau*. Aeth y rhan fwyaf *yn syth drwodd*, ond daeth ambell un *yn syth yn ôl atynt*. Roedd hyn yn peri *syndod* i Ernie a'i gyfeillion. Roedd hyn yn golygu fod *y rhan fwyaf o fàs* atom wedi'i grynhoi *yn y canol* mewn *niwclews bychan* â *gwefr bositif*. Mae hyn yn golygu fod y rhan fwyaf o atom yn *wag*, sydd hefyd *yn syndod* wrth feddwl am y peth.

Damcaniaeth y Pwdin Dolig — erbyn 1911 roeddent wedi cael gormod...

Ydy mae'n iawn — mae atom gan mwyaf yn wag. O feddwl, mae'r electronau yn ddigon o ryfeddod. Does iddynt bron dim màs, dim maint, ond mae iddynt ychydig iawn iawn o wefr –if. Electronau yn hedfan o gwmpas sy'n gwneud atomau yr hyn ydynt. Mae'n anhygoel.

Y Tri Math o Belydriad

Peidiwch â *chymysgu* rhwng *pelydriad niwclear* sy'n *beryglus* — a *phelydriad electromagnetig* sydd *ddim yn beryglus fel arfer*. Mae pelydriad gama yn perthyn i'r ddau, wrth gwrs.

Pelydriad Niwclear: Alffa, Beta a Gama (α, β a γ)

Mae angen i chi gofio *tri pheth* am *bob math o belydriad*:

1) Beth ydynt *mewn gwirionedd.*
2) Pa mor dda maen nhw'n *treiddio* i ddefnyddiau.
3) Pa mor gryf maen nhw'n *ïoneiddio'r* defnydd (h.y taro atomau gan *fwrw electronau oddi arnynt*).
   Mae patrwm: Po *bellaf* y gall pelydriad *dreiddio* cyn taro atom a dod i stop, y *lleiaf o ddifrod* fydd yn ei wneud ar ei ffordd ac felly y *lleiaf o ïoneiddio* sy'n digwydd.

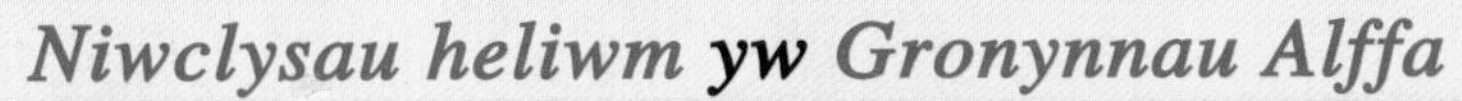

Niwclysau heliwm yw Gronynnau Alffa

1) Maent yn gymharol *fawr* a *thrwm* ac yn *symud yn araf.*
2) Felly *nid ydynt yn treiddio* i mewn i ddefnyddiau ond cânt eu *stopio'n gyflym.*
3) Oherwydd eu maint maent yn *ïoneiddio'n gryf*, sy'n golygu eu bod yn *taro llawer o atomau* gan *fwrw electronau oddi arnynt* cyn arafu. Mae hyn yn creu llawer o ïonau — ac felly'r term "*ïoneiddio*".

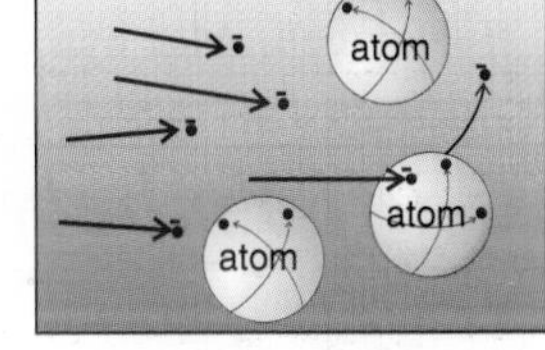

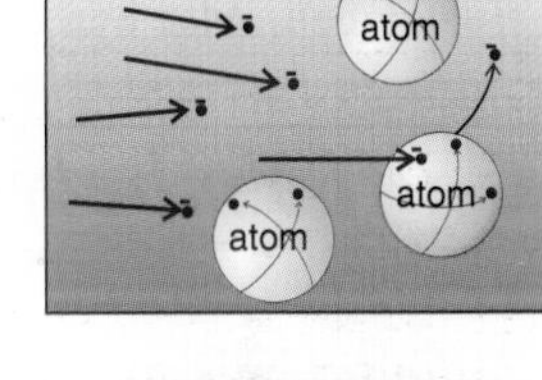

Electronau yw Gronynnau Beta

1) Yn nhermau eu *priodweddau* maent *rhwng alffa a gama.*
2) Maent yn symud *yn gyflym* ac maent yn *fychan* (electronau ydynt).
3) Maent yn *treiddio'n gymedrol* cyn taro ac maent yn *ïoneiddio'n gymedrol* hefyd.
4) Am bob *gronyn β* a allyrrir, bydd *niwtron* yn troi'n *broton* yn y niwclews.

Tonnau EM o Donfedd Fer Iawn yw Pelydrau Gama

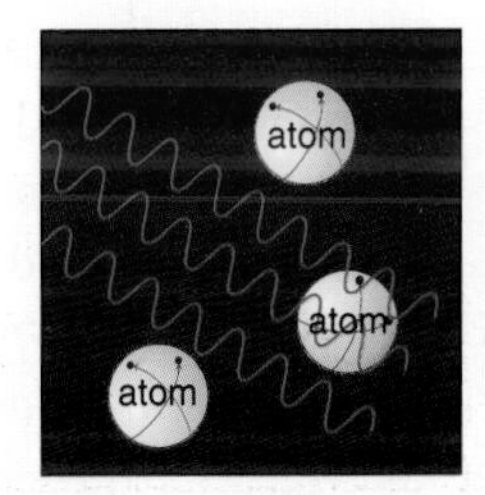

1) Mewn ffordd maent yn *groes i'r gronynnau alffa.*
2) Maent yn *treiddio'n bell iawn* i mewn i ddefnyddiau heb gael eu stopio.
3) Mae hyn yn golygu eu bod yn *ïoneiddio'n wan* gan eu bod yn tueddu *i fynd trwodd* yn hytrach na tharo atomau. Yn y diwedd maent yn *taro rhywbeth* ac yn creu *difrod.*

Cofiwch Beth sy'n Blocio'r Tri Math o Belydriad...

Gwnewch yn *siŵr eich bod yn gwybod* beth sydd ei angen i *flocio pob un o'r tri*:

Caiff *gronynnau ALFFA* eu blocio gan *bapur.*
Caiff *gronynnau BETA* eu blocio gan *alwminiwm* tenau.
Caiff *pelydrau GAMA* eu blocio gan *blwm trwchus.*
Wrth gwrs bydd unrhyw *gywerth* hefyd yn eu blocio, e.e. *croen* yn stopio *alffa*, ond *nid* y lleill; llen denau o *unrhyw fetel* yn stopio *beta*; a *choncrit tew iawn* yn stopio *gama* fel mae plwm yn ei wneud.

Mica tenau
Croen neu bapur yn stopio ALFFA
Alwminiwm tenau yn stopio BETA
Plwm tew yn stopio GAMA

Dysgwch y tri math o belydriad — mae'n hawdd fel abc...

Alffa, beta a gama. Y tair llythyren gyntaf yn yr wyddor Roeg: α, β, γ — fel a, b, c. Efallai eu bod yn swnio'n enwau cymhleth i chi, ond roedden nhw'n labeli hawdd ar y pryd. Fodd bynnag, *dysgwch yr holl ffeithiau* amdanynt — a dechreuwch *ysgrifennu*

Canfod Pelydriad

Y Tiwb Geiger-Müller a Rhifydd

1) Dyma'r *math mwyaf cyfarwydd* o *ganfodydd pelydriad.* Mae'n siŵr y gwelsoch nhw ar raglenni teledu yn gwneud sŵn *clic-clic-clic-clic*, tra bo'r gohebydd yn rhoi ei neges am y dinistr gerllaw a chyflwr argyfyngus y blaned.
2) Dyma hefyd yw'r math a ddefnyddir mewn *arbrofion labordy*, gan fod y rhifydd yn rhoi cyfle i chi gofnodi nifer y *rhifiadau y funud.*
3) Pan fo *alffa*, *beta* neu *gama* yn mynd i mewn i'r *tiwb G-M*, mae'n *ïoneiddio'r* nwy sydd y tu mewn ac yn trigro *dadwefriad trydanol* (gwreichionen) sy'n gwneud y *sŵn clicio* a hefyd yn gyrru *signalau* bychain i'r *rhifydd* electronig. Mae'n hawdd.

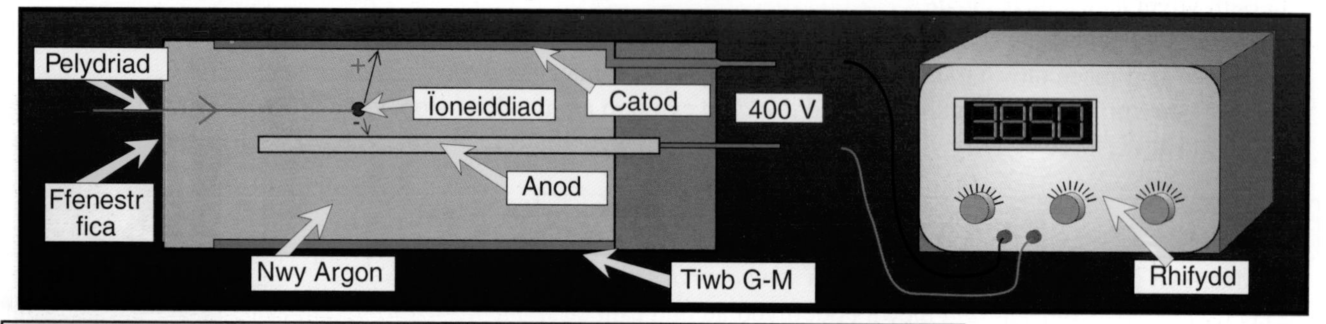

Rhaid Tynnu'r Rhifiad Cefndirol bob amser...

(Gweler t. 86)

Os ydych am ddarganfod y *gyfradd rifo* o *ffynhonnell benodol*, rhaid i chi bob amser fesur y *rhifiad cefndirol* yn gyntaf, (h.y. cymryd darlleniad *heb ffynhonnell*) ac yna *tynnu'r* gwerth hwn o *bob darlleniad* a gymerir gan ddefnyddio'r ffynhonnell. Mae hyn yn *bwysig iawn* os ydych am blotio gwerthoedd ar *graff* i ddarganfod yr *hanner oes.*

Caiff Ymbelydredd ei Fesur mewn Becquerelau, Bq

Yr *uned* a ddefnyddir i fesur *ymbelydredd* yw'r *Becquerel* (Bq). *Un Becquerel* yw *un niwclews yn dadfeilio bob eiliad.* Felly mae cyfradd rifo o *60 rhifiad y funud (60 rh.y.f.)* yn cynrychioli *1 Bq.*

Yn wir mae'n anodd mesur pa mor gryf yw ffynhonnell ymbelydredd oherwydd bod y darlleniad a gewch ar y tiwb G-M/rhifydd yn dibynnu ar ba mor agos y mae at y ffynhonnell, a pha mor fawr yw ffenestr flaen y tiwb G-M. Dim ond mesur cymharol annelwig o'r ymbelydredd sydd o'n cwmpas a gawn o ddarlleniad mewn Becquerelau. Byddai tiwb G-M mwy neu ei symud yn nes at y ffynhonnell yn rhoi darlleniad llawer mwy mewn rhifiadau yr eiliad (Bq). Fodd bynnag, os ydych yn gwybod bod *un Becquerel* yn golygu *un niwclews yn dadfeilio bob eiliad* (ar gyfartaledd), bydd popeth yn iawn yn yr Arholiad.

Mae Ffilm Ffotograffig Hefyd yn Canfod Pelydriad

1) Darganfuwyd pelydriad yn gyntaf *ar ddamwain* pan adawodd *Henri Becquerel* beth *wraniwm* ar rai *platiau ffotograffig* a ddaeth yn "*niwlog*" oherwydd hyn.
2) Y dyddiau hyn mae defnyddio *ffilm ffotograffig* yn ffordd o ganfod pelydriad.
3) Mae gweithwyr sydd mewn *diwydiant niwclear* neu sy'n defnyddio *offer pelydrau X* megis *deintyddion* a *radiograffwyr* yn gwisgo *bathodynnau glas bychain* sydd â darn o *ffilm ffotograffig* ynddynt.
4) Edrychir ar y ffilm *yn awr ac yn y man* i weld a yw'n niwlo'n *rhy gyflym*, sy'n golygu fod y person yn derbyn *gormod o ddogn* o belydriad.

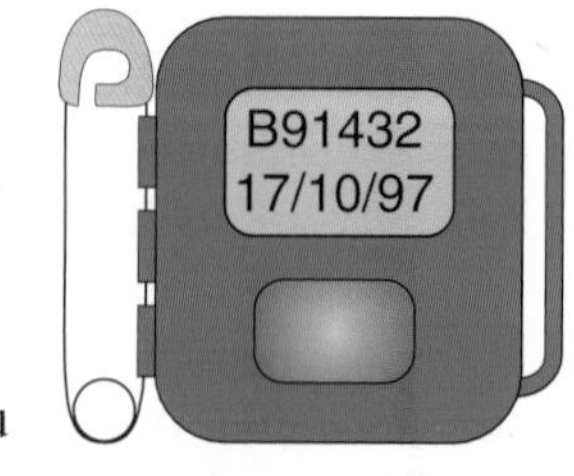

Ni allwch ei weld, ei glywed, ei arogli na'i flasu ...

Gwnewch yn siŵr eich bod yn gwybod y ddwy ffordd o fesur pelydriad: tiwb G-M a ffilm ffotograffig, a chofiwch beth yw Becquerel. Mae'r dudalen yma yn ddelfrydol ar gyfer traethawd byr. Gwnewch yn siŵr eich bod yn cofio'r pwyntiau pwysig. *Dysgwch* ac ewch ati i *ysgrifennu.*

Pelydriad Cefndirol

Hapbroses yw Ymbelydredd

Bydd *niwclysau ansefydlog* yn *dadfeilio* ac yn y broses yn *rhoi allan belydriad*. Digwydd y broses hon yn gyfan gwbl *ar hap*. Os oes gennych 1000 o niwclysau ansefydlog, ni allwch ddweud pryd *y bydd unrhyw un ohonynt* yn dadfeilio, ac ni allwch wneud unrhyw beth *i wneud i'r dadfeilio* ddigwydd.
Bydd pob niwclews yn dadfeilio'n *ddigymell* yn *ei amser ei hun*. Nid effeithir arno gan amodau *ffisegol* megis *tymheredd* neu unrhyw fath o *fondiad cemegol* etc.

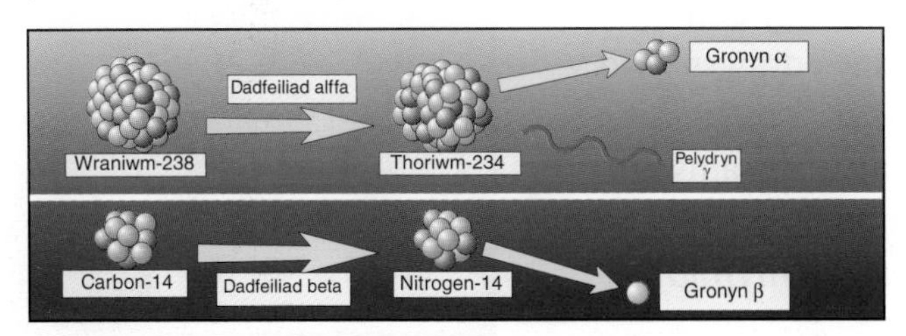

Pan fo'r niwclews *yn* dadfeilio bydd yn *rhoi allan* un neu ragor o'r tri math o belydriad, *alffa*, *beta* neu *gama*, ac yn y broses bydd y *niwclews* yn aml yn *newid* yn *elfen newydd*.

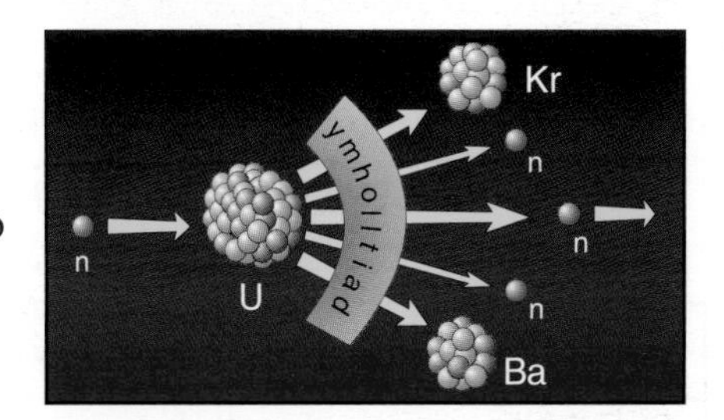

Yn ogystal â *dadfeiliad ymbelydrol naturiol*, gellir gwneud niwclysau sefydlog yn *ansefydlog* trwy eu peledu â *niwtronau*. Pan fo *niwtronau strae* yn taro niwclews sefydlog, fel arfer cânt eu *hamsugno* i mewn iddo ac yn gyffredinol bydd yn ei newid yn *isotop ansefydlog* o'r un elfen. Ceir niwtronau strae er enghraifft pan fo *niwclysau wraniwm* yn goddef *ymholltiad* ac yn hollti'n ddau, fel y dangosir:

Daw Pelydriad Cefndirol o Lawer o Ffynonellau

Daw *pelydriad cefndirol naturiol* o:

1) Ymbelydredd *isotopau ansefydlog* sydd ar gael yn naturiol *o'n hamgylch* — yn yr *aer*, mewn *bwyd*, mewn *defnyddiau adeiladu* ac yn y *creigiau* o dan ein traed.
2) Pelydriad o'r *gofod*, sef *pelydrau cosmig*. Daw'r rhain yn bennaf o'r *Haul*.
3) Pelydriad oherwydd *gweithgaredd dynol*. H.y. *alldafliad* o *ffrwydriadau niwclear* neu *wastraff niwclear wedi'i ddympio*. Ond mae hyn yn cynrychioli cyfran *fechan iawn* o'r pelydriad cefndirol cyflawn.

CYMAREBAU CYMHAROL y *pelydriad cefndirol*:

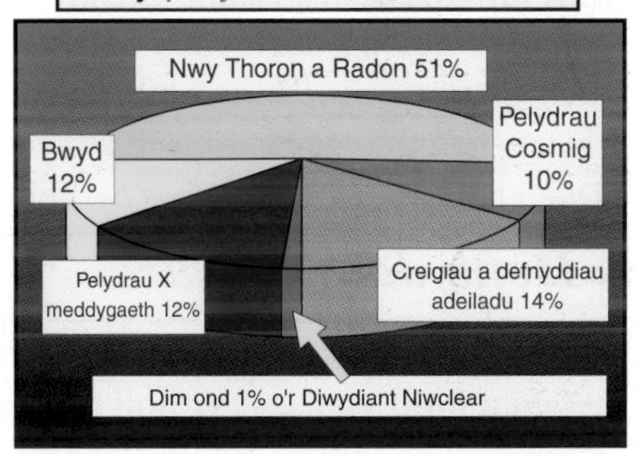

Mae Lefel Pelydriad Cefndirol yn Newid. Mae'n Dibynnu ar Ble Rydych Chi

1) Ar *uchderau mawr* (e.e. mewn *awyrennau jet*) mae'n *cynyddu* oherwydd eu bod yn fwy agored i *belydrau cosmig*.
2) *O dan y ddaear mewn mwyngloddiau*, etc. mae'n cynyddu oherwydd y *creigiau* sydd o gwmpas.
3) Gall *creigiau tanddaearol* penodol achosi lefelau uwch ar yr *arwyneb*, yn arbennig os ydynt yn rhyddau *nwy radon ymbelydrol*, sy'n tueddu i gael ei *drapio o fewn tai pobl*. Mae hyn yn amrywio'n fawr dros y Deyrnas Unedig yn ddibynnol ar y gwahanol *fathau o graig* sydd mewn gwahanol ardaloedd, fel y dangosir:

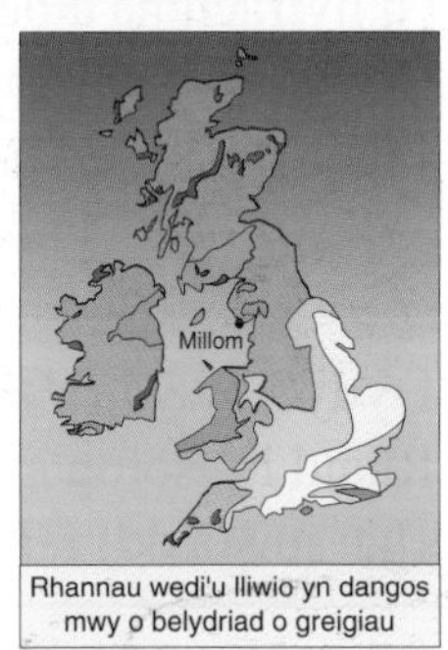

Rhannau wedi'u lliwio yn dangos mwy o belydriad o greigiau

Pelydriad Cefndirol...

Mae pelydriad yn ddiddorol iawn. Mae tipyn o ddirgelwch yn ei gylch, ond fel popeth arall, *po fwyaf y dysgwch amdano*, *mwya'n y byd* y byddwch yn ei wybod amdano. Ar y dudalen yma mae ffeithiau syml am belydriad. Bydd tri *thraethawd byr* wedi'u hymarfer ddwywaith neu dair o gymorth i chi.

Defnyddio Defnyddiau Ymbelydrol

Ar y ddwy dudalen nesaf fe welwch *saith prif faes* lle caiff isotopau ymbelydrol eu defnyddio. Y cyfan sydd raid i chi ei wneud yw eu *dysgu*! Gwnewch yn siŵr eich bod yn deall pam mae pob maes yn defnyddio *isotop ymbelydrol* (radio-isotop) *penodol* yn unol â'i *hanner oes* a'r *math o belydriad* y mae'n ei roi allan.

1) Olinyddion mewn Moddion — sy'n allyryddion γ â Hanner Oes Byr

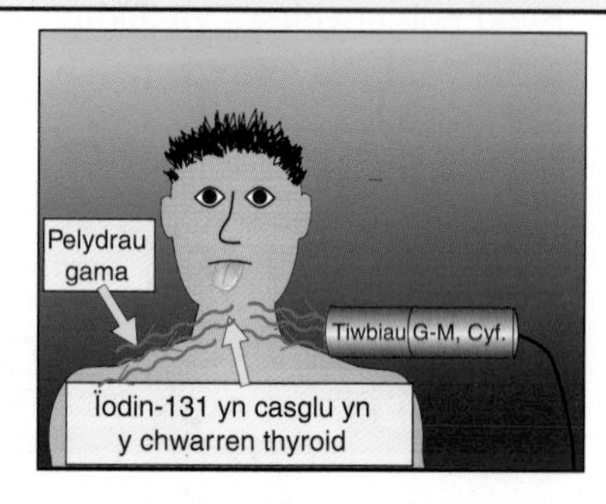

1) Gellir *chwistrellu isotopau ymbelydrol* penodol i mewn i bobl (neu gallant eu *llyncu*) a gellir dilyn eu taith *o gwmpas y corff* gan ddefnyddio *canfodydd*. Hefyd defnyddir cyfrifiadur i drawsnewid y darlleniad i *arddangosiad* teledu sy'n dangos o ble daw'r *darlleniad cryfaf*. Enghraifft adnabyddus yw defnyddio *Ïodin-131* a amsugnir gan y *chwarren thyroid*, yn union fel Ïodin-127, ond mae'n rhoi allan *belydriad* y gellir ei *ganfod* i ddangos a yw'r chwarren thyroid yn *cymryd yr ïodin i mewn* fel y dylai.
2) Rhaid i'r *holl isotopau* a gymerir i mewn *i'r corff* ddod *bob amser* o *ffynonellau GAMA*, (byth alffa na beta), fel bod y pelydriad yn *mynd allan o'r corff*. Rhaid bod iddynt *hanner oes byr* o *ychydig oriau*, fel bod yr ymbelydredd y tu mewn i'r claf yn *diflannu'n gyflym*.

2) Olinyddion mewn Diwydiant — I Ddarganfod Gollyngiadau

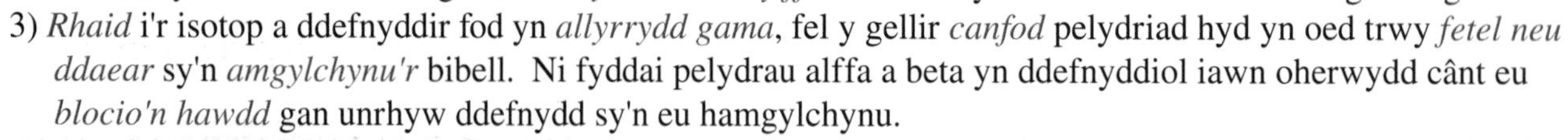

Defnyddir yr *un math o dechneg* ag a ddefnyddir gydag olinyddion meddygol.
1) Gellir defnyddio isotopau ymbelydrol i *ganfod gollyngiadau o bibellau*.
2) Dim ond ei *chwistrellu i mewn*, ac yna mynd ar hyd *y tu allan* i'r bibell â *chanfodydd* i ddarganfod mannau o ymbelydredd *uchel iawn*, sy'n dangos lle mae'r deunydd yn *gollwng*. Mae hyn yn ddefnyddiol iawn gyda phibellau *tanddaearol* neu rai sydd *wedi'u cuddio* gan arbed *tyllu hanner y ffordd* er mwyn canfod lle maen nhw'n gollwng.
3) *Rhaid* i'r isotop a ddefnyddir fod yn *allyrrydd gama*, fel y gellir *canfod* pelydriad hyd yn oed trwy *fetel neu ddaear* sy'n *amgylchynu'r* bibell. Ni fyddai pelydrau alffa a beta yn ddefnyddiol iawn oherwydd cânt eu *blocio'n hawdd* gan unrhyw ddefnydd sy'n eu hamgylchynu.
4) Dylai hefyd fod â *hanner oes byr* fel nad yw'n achosi *perygl* os yw'n casglu yn rhywle.

3) Defnyddio Pelydrau γ i Ddiheintio Bwyd ac Offer Llawfeddygol

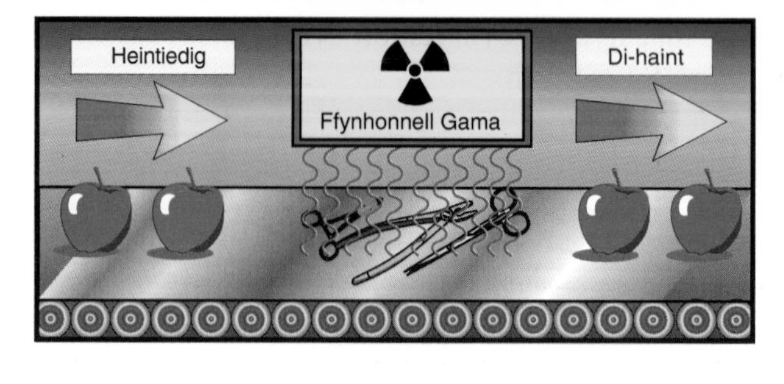

1) Gellir rhoi *bwyd* o dan *ddogn uchel* o *belydrau gama* a fydd yn *lladd* yr holl *ficrobau* a thrwy hynny yn cadw'r bwyd yn *ffres yn hirach*.
2) Gellir *diheintio offer llawfeddygol* yn yr un modd, yn hytrach na'u berwi.
3) *Mantais fwyaf arbelydru* dros ferwi yw nad oes angen *tymereddau uchel* ar ei gyfer ac felly gellir *diheintio* pethau fel *afalau ffres* neu *offer plastig* heb eu *niweidio*.
4) Dydy'r bwyd *DDIM* yn ymbelydrol ar ôl ei drin, felly mae'n *berffaith ddiogel* i'w fwyta.
5) Rhaid i'r isotop a ddefnyddir i wneud hyn allyrru *pelydrau gama* â *hanner oes gweddol hir* (o leiaf rhai misoedd) fel nad oes angen ei *adnewyddu'n* rhy aml.

4) Radiotherapi — Defnyddio Pelydrau γ i Drin Canser

1) Gan fod dognau uchel o belydrau gama yn *lladd pob cell fyw* gellir eu defnyddio i *drin canser*.
2) Rhaid i'r pelydrau gama gael eu *cyfeirio'n ofalus,* a rhaid i'r *dogn* fod yn union gywir fel ei fod yn lladd *celloedd canser* heb niweidio gormod o *gelloedd normal*.
3) Fodd bynnag, caiff *peth niwed* ei wneud yn *anochel* i *gelloedd normal* gan wneud i'r claf deimlo'n *sâl iawn*. Ond os caiff y canser *ei ladd* yn y pen draw, mae'n werth goddef hyn.

Defnyddio Defnyddiau Ymbelydrol

5) Rheoli Trwch **mewn** Diwydiant **a** Gweithgynhyrchu

Dyma faes sy'n *boblogaidd iawn mewn Arholiadau*. Mae hefyd yn syml iawn.

1) Mae gennych *ffynhonnell ymbelydrol* ac rydych yn ei chyfeirio *trwy'r deunydd sy'n cael ei wneud*, fel arfer dalen ddi-dor o *bapur* neu *gardbord* neu *fetel* etc.

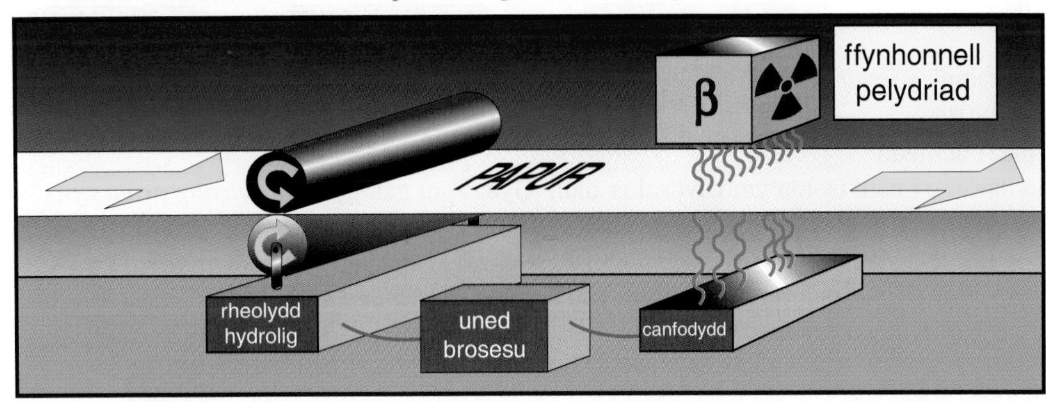

2) Mae'r *canfodydd* ar yr *ochr arall* ac wedi'i gysylltu i *uned reoli*.

3) Pan fo maint y pelydriad a ganfuwyd *yn mynd i lawr*, mae'r hyn sy'n dod allan yn *rhy dew* a bydd yr uned reoli *yn closio'r rholeri* rhyw ychydig i'w wneud yn *deneuach* eto.

4) Os yw'r darlleniad *yn mynd i fyny*, mae'n *rhy denau*, a bydd yr uned reoli *yn agor y rholeri* rhyw ychydig. Y *peth mwyaf pwysig*, fel arfer, yw'r *isotop a ddewisir*.

5) Yn gyntaf rhaid fod iddo *hanner oes hir* (o rai *blynyddoedd* o leiaf!). Fel arall byddai'r cryfder yn *gostwng yn araf* a byddai'r uned reoli yn *closio'r rholeri* i geisio *gwneud iawn* am hyn.

6) Yn ail, rhaid i'r ffynhonnell fod yn *ffynhonnell BETA* ar gyfer *papur a chardbord*, neu *ffynhonnell GAMA* ar gyfer *llenni metel*. Rhaid i'r deunydd sy'n cael ei wneud flocio'r pelydriad *YN RHANNOL*.

   Os yw'r *cyfan* (neu *ddim*) ohono yn mynd trwodd, *ni fydd y darlleniad yn newid* o gwbl wrth i'r trwch newid. Nid yw gronynnau alffa o ddefnydd yma gan y cânt *i gyd eu stopio*.

6) Defnyddio Ymbelydredd i Ddyddio Creigiau **a** Sbesimenau Archaeolegol

1) Rhoddodd darganfod ymbelydredd a'r syniad o *hanner oes* y *cyfle cyntaf* i wyddonwyr *gyfrifo'n fanwl gywir oed creigiau, ffosiliau* a *sbesimenau archaeolegol*.

2) Trwy fesur *faint* o *isotop ymbelydrol* sydd ar ôl mewn sampl, a gwybod ei *hanner oes*, gallwch gyfrifo *am ba hyd o amser* y bu mewn bodolaeth. (Gweler t. 87)

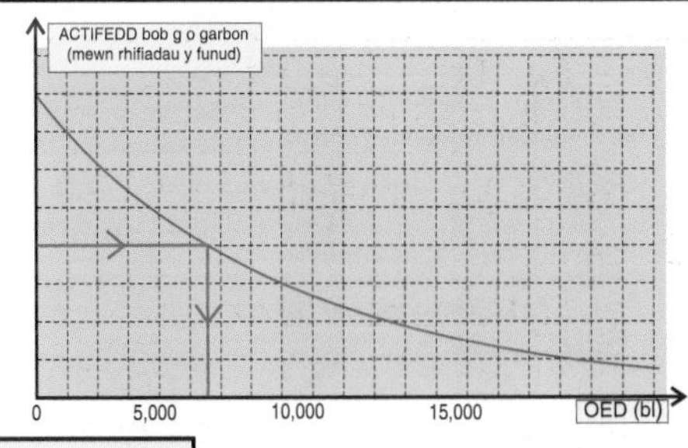

7) Cynhyrchu Pŵer o Danwydd Niwclear **(Wraniwm)**

1) Mae *dadfeiliad ymbelydrol* bob amser yn *rhoi egni allan* ar ffurf *gwres*.

2) Y dadfeiliad ymbelydrol *y tu mewn i'r Ddaear* sy'n gyfrifol am lawer o'r *gwres* i lawr yno.

3) Trwy *buro wraniwm*, gallwn greu *adwaith cadwyn* lle mae pob dadfeiliad yn achosi un arall. Fel hyn gallwn *gynyddu cyfradd yr adwaith* i gynhyrchu *llawer o wres* ac yna ei ddefnyddio i gynhyrchu *trydan*. Dyma beth mae pwerdy niwclear yn ei wneud (Gweler t. 74 a t. 89).

A fydd hyn yn eich arholiad?...

Yn gyntaf *dysgwch* y saith pennawd nes gallwch eu hysgrifennu *oddi ar eich cof*. Yna dechreuwch *ddysgu'r* holl fanylion sydd yn mynd gyda phob un. Y ffordd orau o wirio beth rydych yn ei wybod yw gwneud *traethawd byr* ar bob adran. Yna edrych yn ôl i weld pa fanylion rydych *wedi'u colli*.

Hanner Oes

Mae Ymbelydredd Sampl Bob Amser yn Lleihau Gydag Amser

1) O feddwl, mae hyn yn *amlwg*. Bob tro y bydd rhywbeth yn *dadfeilio* gan ryddhau alffa, beta neu gama, bydd un *niwclews ymbelydrol* arall yn *diflannu.*
2) Wrth i'r *niwclysau ansefydlog* i gyd ddiflannu'n gyson, bydd yr *actifedd cyfan* hefyd yn *lleihau.* Felly *po hynaf* y bydd y sampl, y *lleiaf o belydriad* fydd yn ei allyrru.

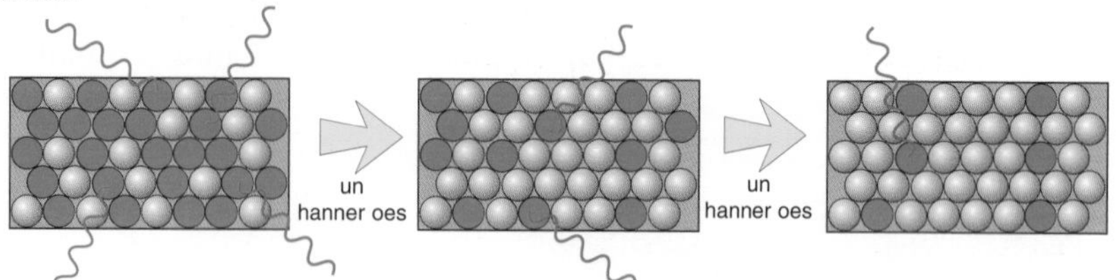

3) Mae *pa mor gyflym* y mae'r actifedd yn *lleihau* yn amrywio llawer o'r naill isotop ymbelydrol i'r llall. Gyda *rhai* gall gymryd *ychydig oriau* cyn bod bron yr holl niwclysau ansefydlog wedi *dadfeilio*, tra gall eraill bara am *filiynau o flynyddoedd.*
4) Y broblem wrth geisio *mesur* hyn yw *nad yw'r actifedd byth yn cyrraedd SERO*, a dyma pam yr ydym yn defnyddio'r syniad o *HANNER OES* i fesur pa mor gyflym y mae'r actifedd yn *lleihau.*
5) Dysgwch y *diffiniad pwysig hwn* ar gyfer *hanner oes*:

> ***HANNER OES*** **yw'r** ***AMSER A GYMERIR*** **i** ***HANNER*** **yr** ***atomau ymbelydrol*** **sydd yma nawr** ***DDADFEILIO***

Diffiniad arall o hanner oes yw: *"Yr amser a gymerir i'r actifedd (neu'r gyfradd rifo) leihau i'w hanner"*. Defnyddiwch unrhyw un.

6) Mae *hanner oes byr* yn golygu bod yr *actifedd yn lleihau'n gyflym*, oherwydd bod *llawer* o'r niwclysau yn dadfeilio'n *gyflym.*
7) Mae *hanner oes hir* yn golygu bod yr actifedd yn *lleihau'n fwy araf* oherwydd nad yw'r *mwyafrif* o'r niwclysau yn dadfeilio *am amser hir* — maent yno, *yn ansefydlog*, mewn gwirionedd yn *disgwyl eu tro.*

Defnyddio Graff i Fesur Hanner oes Sampl

1) Yr *unig ffordd* o *wneud hyn* yw trwy gael *nifer o ddarlleniadau o'r gyfradd rifo* gan ddefnyddio *tiwb G-M a rhifydd.*
2) Yna gellir *plotio'r* canlyniadau ar *graff*, a fydd *bob amser* yn edrych yn debyg i'r graff isod.
3) Ceir yr *hanner oes* o'r graff, trwy ddarganfod y *cyfwng amser* ar yr *echelin isaf* sy'n cyfateb i *haneru'r actifedd* ar yr *echelin fertigol*. Hawdd.

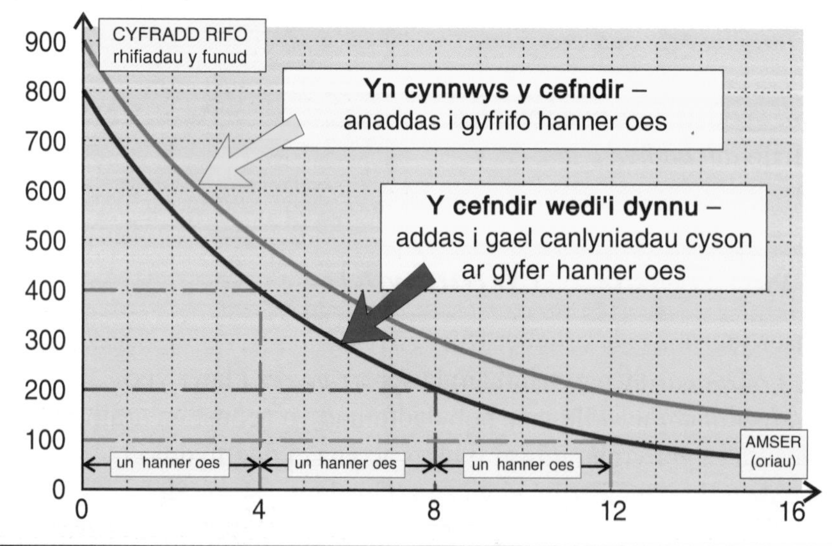

Un peth sydd raid i chi wybod amdano yw *pelydriad cefndirol*, sydd hefyd yn mynd i mewn i'r tiwb G-M gan roi *darlleniadau anghywir.* Rhaid mesur y *rhifiad cefndirol yn gyntaf* ac yna ei *dynnu* o *bob darlleniad* a gewch, cyn plotio'r canlyniadau ar *graff. Yr unig ran anodd* yw *cofio* hyn ar gyfer eich *Arholiad* os gofynnir amdano. Efallai bydd prawf ar y syniad yn cynnwys *cwestiwn cyfrifo* fel y rhai sydd ar y dudalen nesaf.

Diffiniad Hanner Oes...

Gall y syniad o hanner oes fod yn gymysglyd. Cofiwch — nid yw sampl ymbelydrol byth yn llwyr ddadfeilio oherwydd bod yr hyn sydd ar ôl yn cael ei haneru bob tro. Felly yr unig ffordd o fesur pa mor hir y bydd yn "para" yw amseru faint o amser a gymerir i'w haneru.

Cyfrifo Hanner Oes: Gam wrth Gam

Mae'r syniad o hanner oes braidd yn gymhleth, ond dylai'r cyfrifiadau y bydd angen i chi eu gwneud yn yr Arholiad fod yn *eithaf hawdd* os gwnewch nhw'n araf, GAM WRTH GAM. Fel hyn:

ENGHRAIFFT SYML: Actifedd isotop ymbelydrol (radio-isotop) yw 640 rh.y.f (rhifiad y funud). Dwy awr yn ddiweddarach mae wedi gostwng i 40 rhifiad y funud. Darganfyddwch hanner oes y sampl.

ATEB: Ewch trwy'r gwaith gan gymryd *CAMAU BYR A SYML* fel hyn:

RHIFIAD CYNTAF:		ar ôl UN hanner oes:		ar ôl DAU hanner oes:		ar ôl TRI hanner oes		ar ôl PEDWAR hanner oes
640	$(\div 2) \rightarrow$	320	$(\div 2) \rightarrow$	160	$(\div 2) \rightarrow$	80	$(\div 2) \rightarrow$	40

Sylwch ar y *dull gam wrth gam*, sy'n dweud wrthym ei bod yn cymryd *pedwar hanner oes* i'r actifedd ddisgyn o 640 i 40. Felly mae *dwy awr* yn cynrychioli pedwar hanner oes a'r *hanner oes* yw 30 munud.

Cyfrifiadau Carbon-14 — neu Ddefnyddio Carbon Ymbelydrol i Ddyddio

Carbon-14 yw tua 1/10 000 000 (Un *deg-miliynfed*) rhan o'r carbon sydd yn yr *aer*. Mae'r lefel hon *yn aros yn weddol gyson* yn yr *atmosffer*. Ceir yr un gyfrannedd o C-14 hefyd mewn *pethau byw*. Fodd bynnag, pan fyddant *farw*, caiff y C-14 ei *drapio o fewn* y coed neu'r gwlân neu beth bynnag, ac mae'n *dadfeilio'n araf* gyda *hanner oes* o *5,600 o flynyddoedd*. Trwy *fesur y gyfrannedd* o C-14 sydd mewn hen *goes bwyell*, *amdo*, etc. gallwch gyfrifo'n hawdd *pa mor bell yn ôl* roedd yr eitem yn *ddefnydd byw* gan ddefnyddio'r *hanner oes* sy'n hysbys.

ENGHRAIFFT: Cafwyd bod coes bwyell yn cynnwys 1 rhan mewn 40 000 000 o Garbon-14. Cyfrifwch oed y fwyell.

ATEB: Roedd y C-14 yn wreiddiol yn *1 rhan mewn 10 000 000*. Ar ôl *un hanner oes* byddai wedi gostwng i *1 rhan mewn 20 000 000*. Ar ôl *dau hanner oes* byddai wedi gostwng i *1 rhan mewn 40 000 000*.
Oed coes y fwyell yw *dau hanner oes C-14*, h.y. $2 \times 5{,}600 =$ *11,200 o FLYNYDDOEDD*.
Sylwch ar yr un hen *ddull gam wrth gam*, yn gostwng un hanner oes ar y tro.

Cyfrifiadau Cyfraneddau Cymharol — Hawdd, os Dysgwch y Gwaith

Mae gan *Isotopau Wraniwm hanner oes hir iawn* ac maent yn dadfeilio trwy *gyfres* o ronynnau byrhoedlog i gynhyrchu *isotopau plwm sefydlog*. Gellir defnyddio *cyfraneddau cymharol* o wraniwm ac isotopau plwm sydd mewn sampl o *graig igneaidd* i *ddyddio'r* graig, gan ddefnyddio *hanner oes hysbys* Wraniwm. Mae'n hawdd:

CYCHWYN:	*Ar ôl un hanner oes*	*Ar ôl dau hanner oes:*	*Ar ôl tri hanner oes:*
100% Wraniwm	50% Wraniwm	25% Wraniwm	12.5% Wraniwm
0% plwm	50% plwm	75% plwm	87.5% plwm

Cymhareb Wraniwm i blwm: (hanner oes Wraniwm-238 = 4.5 biliwn o flynyddoedd)

Cychwyn	Ar ôl *un hanner oes*	Ar ôl *dau hanner oes*	Ar ôl *tri hanner oes*
1:0	1:1	1:3	1:7

Yn yr un modd, gellir defnyddio cyfraneddau *potasiwm-40* a'i gynnyrch dadfeiliad sefydlog *argon-40* hefyd i *ddyddio creigiau igneaidd*, cyn belled nad yw'r *nwy argon* wedi gallu *dianc*. Bydd y *cyfraneddau cymharol* yn union *yr un peth* ag ar gyfer yr enghraifft wraniwm a phlwm uchod. *Dysgwch y cymarebau*:

Cychwyn:	*Ar ôl un hanner oes*:	*Ar ôl dau hanner oes*:	*Ar ôl tri hanner oes*:
100% : 0%	50% : 50%	25% : 75%	12.5% : 87.5%
1:0	1:1	1:3	1:7

Dysgwch am Hanner Oes...

Mae'r cyfrifiadau hanner oes hyn yn hawdd. Rhowch gynnig ar y rhain:

1) Hanner oes isotop yw 12 munud. Faint o amser a gymer i ostwng o 840 rh.y.f. i 210 rh.y f?

2) Mae sampl o graig yn cynnwys Wraniwm a phlwm yn y gymhareb 75:525. Faint yw oed y graig?

Peryglon Pelydriad a Diogelwch

Mae Pelydriad yn Niweidio Celloedd Byw

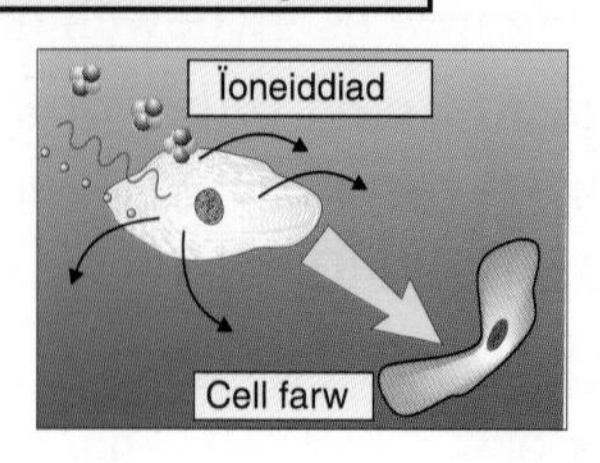

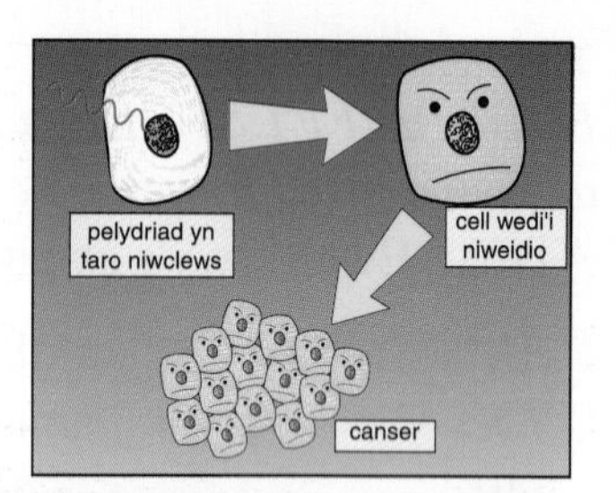

1) Bydd pelydriad *alffa*, *beta* a *gama* yn *mynd i mewn i gelloedd byw* ac yn *gwrthdaro â moleciwlau.*
2) Bydd y gwrthdrawiadau hyn yn achosi *ïoneiddiad*, sy'n *niweidio neu'n dinistrio'r moleciwlau.*
3) Bydd *dognau llai* yn tueddu i achosi *niwed bychan* heb *ladd* y gell.
4) Gall hyn arwain at greu *celloedd mwtant* sy'n *rhannu'n ddireol.* Dyma *ganser.*
5) Bydd *dognau mwy* yn tueddu i *ladd celloedd yn llwyr*, gan achosi *salwch ymbelydredd* os caiff llawer o gelloedd y corff *eu taro i gyd yn sydyn.*
6) Mae *maint* yr effeithiau niweidiol yn dibynnu ar *ddau beth*:
   a) *Lefel y pelydriad* y bu'r celloedd yn agored iddo.
   b) *Egni a threiddiad* y pelydriad a allyrrwyd, gan fod *rhai mathau* yn *fwy peryglus* na'i gilydd wrth reswm.

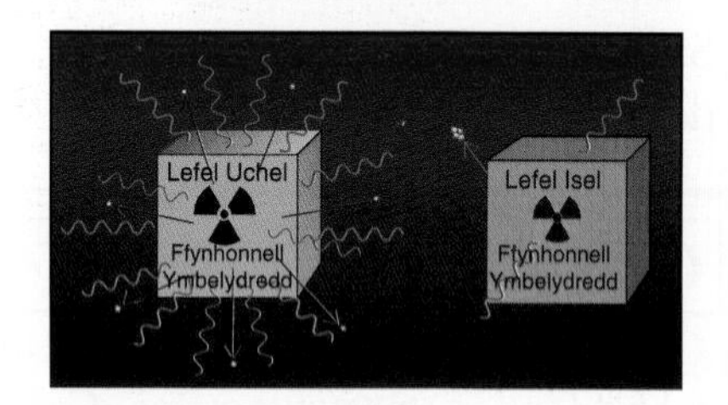

Y tu Allan i'r Corff, Ffynonellau β a γ yw'r Mwyaf Peryglus

Oherwydd gall *beta a gama* fynd *i mewn i organau,* ond mae alffa yn llawer llai peryglus oherwydd *ni all dreiddio trwy'r croen.*

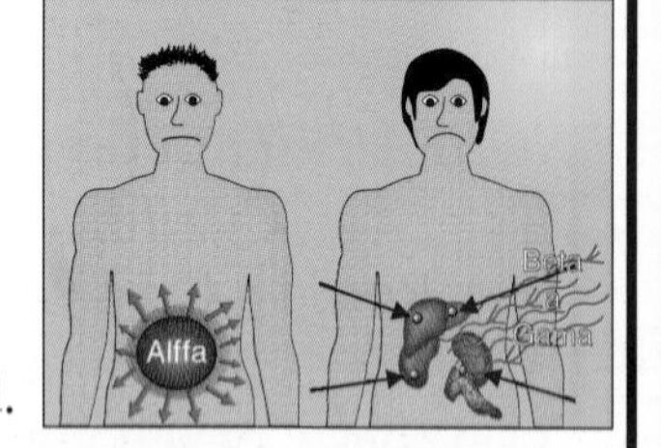

Y tu Mewn i'r Corff, Ffynhonnell α yw'r Mwyaf Peryglus

Y tu mewn i'r corff bydd ffynonellau alffa yn gwneud niwed i *ardaloedd bychain o'u cwmpas.* Mae ffynonellau beta a gama ar y llaw arall *yn llai peryglus* y tu mewn i'r corff oherwydd eu bod gan mwyaf *yn mynd yn syth drwodd* heb wneud llawer o niwed.

Mae Angen i chi Ddysgu Am y Rhagofalon Diogelwch Hyn

Os nad ydych *yn gwybod eisoes* fod yn rhaid trin defnyddiau ymbelydrol *yn ofalus*, gofalwch eich bod yn cofio o hyn ymlaen. Yn yr Arholiad efallai y gofynnir i chi am *rai rhagofalon penodol* y dylid eu cymryd cyn *trin defnyddiau ymbelydrol.* Os ydych am gael *marciau hawdd* dysgwch y rhain:

Yn Labordy'r Ysgol:

1) *Peidiwch byth* â chaniatáu *i'r croen gyffwrdd* â ffynhonnell. Defnyddiwch *efel* bob amser.
2) Cadwch y ffynhonnell *hyd braich* i ffwrdd fel ei bod *mor bell* o'r corff *â phosibl.*
3) Gofalwch fod y ffynhonnell wedi'i *chyfeirio i ffwrdd* o'r corff ac *osgowch edrych yn union arni.*
4) Cadwch y ffynhonnell *bob amser* mewn *bocs plwm* a rhowch hi'n ôl *cyn gynted* ag y gallwch pan yw'r arbrawf *wedi'i orffen.*

Rhagofalon Ychwanegol ar gyfer Gweithwyr Diwydiant Niwclear:

1) Gwisgo *siwtiau amddiffyn llawn* i rwystro *gronynnau bach ymbelydrol* rhag cael eu *hanadlu* neu rhag aros *ar y croen* neu fynd *o dan ewinedd* etc.
2) Defnyddio *siwtiau leinin plwm* a *rhwystrau plwm/concrit* a *ffenestri plwm tew* i'w diogelu rhag *pelydrau γ* o fannau wedi'u difwyno. (Caiff α a β eu hatal *yn llawer rhwyddach.*)
3) Defnyddio *breichiau robot a reolir o bell* mewn mannau wedi'u difwyno'n fawr gan ymbelydredd.

Salwch ymbelydredd...

Mae manylion pwysig yma. Mae'n hawdd i chi feddwl nad oes angen gwybod y manylion hyn. Ond mae'n *rhaid i chi wybod y cyfan* ac nid oes ond un ffordd o sicrhau eich bod yn gwybod y cyfan neu ddim. Ysgrifennwch *draethodau byr* yn cynnwys yr holl fanylion.

Ymholltiad Niwclear a Hafaliadau Niwclear

Ymholltiad Niwclear — Hollti **Atomau Wraniwm**

Caiff *pwerdai niwclear* a *llongau tanfor niwclear* eu pweru gan *adweithyddion niwclear.*
Mewn adweithydd niwclear, mae *adwaith cadwyn rheoledig* yn digwydd lle caiff *atomau wraniwm eu hollti* a *rhyddhau egni* ar ffurf *gwres*. Defnyddir y gwres i *wresogi dŵr* i yrru *tyrbin ager*. Felly nid yw adweithyddion niwclear ond *peiriannau ager soffistigedig!*

Adwaith Cadwyn:

$$^{235}_{92}\mathrm{U} + ^{1}_{0}\mathrm{n} \longrightarrow ^{90}_{36}\mathrm{Kr} + ^{143}_{56}\mathrm{Ba} + 3(^{1}_{0}\mathrm{n})$$

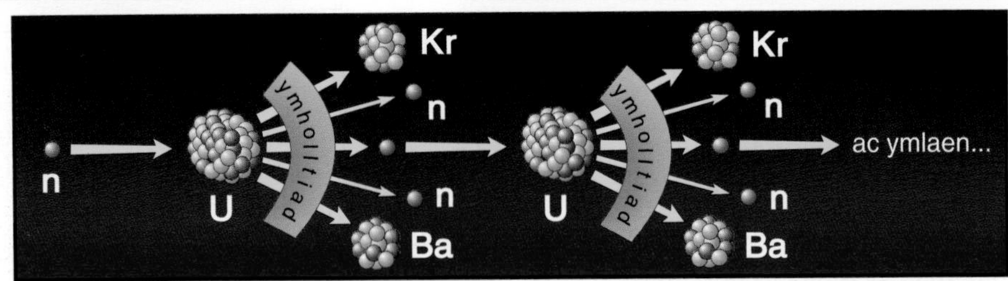

1) Bob tro mae *atom wraniwm yn hollti*, mae'n allyrru *dau neu dri newtron*, ac mae un o'r rhain yn taro niwclews wraniwm *arall*, gan achosi iddo yntau *hollti* hefyd. Bydd hyn yn ei dro yn cadw'r *adwaith cadwyn* i fynd.
2) Pan fydd atom wraniwm yn hollti'n ddau bydd yn ffurfio *dwy elfen newydd ysgafnach.* Mae'r niwclysau newydd hyn fel arfer yn *ymbelydrol* oherwydd bod nifer "*anghywir*" o newtronau ynddynt.
Dyma *broblem fawr* pŵer niwclear — mae'n cynhyrchu *llawer iawn o ddefnydd ymbelydrol* sy'n *anodd* a *chostus* i'w waredu'n ddiogel.
3) Mae pob niwclews sy'n *hollti* (a elwir yn *ymholltiad*) yn creu *llawer o egni* — llawer mwy o egni nag a geir mewn *bondiad cemegol* rhwng dau atom. Cofiwch hyn. Mae *prosesau niwclear* yn rhyddhau *llawer mwy o egni* nag a wna prosesau cemegol. Dyna pam mae *bomiau niwclear* yn *llawer* mwy pwerus na bomiau cyffredin (sy'n dibynnu ar adweithiau *cemegol*).

Hafaliadau niwclear — **Dim** *Hanner mor Ddrwg â Hynny*

Mae hafaliadau niwclear yn iawn. Dim ond gofalu bod *rhifau màs* a *rhifau atomig yn GYTBWYS ar y ddwy ochr*. Y gwaith anoddaf yw *cofio rhifau màs a rhifau atomig y gronynnau* α, β *a* γ, a *niwtronau* hefyd.
Gwnewch yn siŵr eich bod yn gallu gwneud y rhain yn *rhwydd*:

1) ALLYRIAD ALFFA: Yn syml, *gronyn* α yw *niwclews heliwm*, màs 4 a gwefr +2: $^{4}_{2}\mathrm{He}$

Allyriad alffa nodweddiadol:

$$^{226}_{88}\mathrm{Ra} \rightarrow ^{222}_{86}\mathrm{Rn} + ^{4}_{2}\mathrm{He}$$

2) ALLYRIAD BETA: Yn syml, *gronyn* β yw *electron*, heb fàs a gwefr –1: $^{0}_{-1}\mathrm{e}$

Allyriad beta nodweddiadol:

$$^{14}_{6}\mathrm{C} \rightarrow ^{14}_{7}\mathrm{N} + ^{0}_{-1}\mathrm{e}$$

3) ALLYRIAD GAMA: *Pelydryn* γ yw *ffoton* heb fàs a dim gwefr : $^{0}_{0}\gamma$

Wedi *allyriad alffa neu beta* weithiau bydd gan y niwclews *egni ychwanegol i'w waredu.* Mae'n gwneud hyn trwy allyrru *pelydryn gama.* Nid yw allyriad gama *byth yn newid rhif atomig a rhif màs* y niwclews.

Allyriad cyfunol α *a* γ nodweddiadol:

$$^{238}_{92}\mathrm{U} \rightarrow ^{234}_{90}\mathrm{Th} + ^{4}_{2}\mathrm{He} + ^{0}_{0}\gamma$$

Gall alffa arwain at ambell i gamgymeriad...

Dysgwch y manylion am ymholltiad niwclear, a'r rheol syml am hafaliadau niwclear. Yna:
1) Ysgrifennwch yr hafaliad niwclear ar gyfer dadfeiliad alffa a) $^{234}_{92}\mathrm{U}$ a b) $^{230}_{90}\mathrm{Th}$.
2) Ysgrifennwch yr hafaliad niwclear ar gyfer dadfeiliad beta/gama a) $^{234}_{90}\mathrm{Th}$ a b) $^{234}_{91}\mathrm{Pa}$.

Crynodeb Adolygu Adran 6

Mae llawer iawn i'w ddysgu — gwaith, gwaith, gwaith. Ewch dros y cwestiynau hyn dro ar ôl tro nes gallwch eu hateb yn gywir heb drafferth.

1) Brasluniwch yr atom. Rhowch dri manylyn am y niwclews a'r electronau.
2) Lluniwch dabl bychan yn rhoi manylion am fàs a gwefr y tri gronyn isatomig sylfaenol.
3) Eglurwch beth mae rhif màs a rhif atomig atom yn eu cynrychioli.
4) Eglurwch beth yw isotopau. Rhowch enghreifftiau. A yw'r rhan fwyaf o'r isotopau yn sefydlog neu'n ansefydlog?
5) Beth oedd y Model Pwdin Dolig? Syniad pwy oedd hwn?
6) Disgrifiwch Arbrawf Gwasgariad Rutherford gyda diagram a nodwch beth ddigwyddodd.
7) Beth oedd y casgliad oedd i'w dynnu o'r arbrawf?
8) Beth yw'r prif wahaniaeth rhwng pelydriad EM a phelydriad niwclear?
9) Disgrifiwch yn fanwl natur a phriodwedddau y tri math hyn o belydriad: α, β, a γ.
10) Sut mae'r tri math yn cymharu yn eu pŵer treiddio a phŵer ïoneiddio?
11) Rhestrwch amryw o bethau sy'n blocio pob un o'r tri math.
12) Lluniwch ddiagram wedi'i labelu o'r tiwb Geiger-Müller ac eglurwch beth yw ei bwrpas a sut mae'n gweithio.
13) Beth yw'r unedau i fesur ymbelydredd? Sawl un o'r rhain sy'n hafal i 120 rhifiad y funud?
14) Beth yw'r ddau ddull cyffredin o ganfod ymbelydredd? P'un yw'r symlaf?
15) Mae dadfeiliad ymbelydrol yn broses sy'n digwydd yn gyfan gwbl ar hap. Eglurwch beth mae hyn yn ei olygu.
16) A fyddai unrhyw beth yn gwneud i niwclews ddadfeilio'n ymbelydrol? Beth am ymholltiad niwclear?
17) Lluniwch siart cylch gweddol gywir yn dangos chwe phrif ffynhonnell pelydriad cefndirol.
18) Rhestrwch dri man lle caiff lefel y pelydriad cefndirol ei gynyddu ac eglurwch pam.
19) Disgrifiwch yn fanwl sut y caiff isotopau ymbelydrol eu defnyddio ym mhob un o'r canlynol:
    a) olinyddion mewn meddygaeth b) olinyddion mewn diwydiant c) diheintio ch) rheoli trwch
    d) trin canser dd) dyddio samplau o graig e) cynhyrchu pŵer.
20) Brasluniwch ddiagram yn dangos sut mae actifedd sampl yn dal i haneru.
21) Rhowch ddiagram cywir o hanner oes. Pa mor hir neu fyr y gall hanner oes fod?
22) Brasluniwch graff nodweddiadol actifedd yn erbyn amser. Dangoswch sut i gael yr hanner oes.
23) Beth yw'r un peth pwysig i'w gofio wrth wneud cyfrifiadau yn ymwneud â hanner oes?
24) Cafwyd bod gan ddarn o hen ddefnydd 1 atom o C-14 i 80,000,000 atom o C-12.
    Gan ddefnyddio'r wybodaeth sydd ar dudalen 87, cyfrifwch oed y darn o ddefnydd.
25) Mae craig yn cynnwys 238 atom o Wraniwm-238 ac atomau plwm sefydlog yn y gymhareb 1:3.
    Os hanner oes Wraniwm-238 yw 4.5×10^9 blwyddyn, beth yw oed y graig?
26) Beth yn union yw'r math o niwed a wneir i gelloedd y tu mewn i'r corff?
27) Pa niwed y mae dognau bychain yn ei wneud? Pa effaith y mae dognau mwy yn ei gael?
28) Pa fath o ffynonellau sydd fwyaf peryglus a) y tu mewn i'r corff b) y tu allan i'r corff?
29) Rhestrwch bedwar rhagofal diogelwch ar gyfer labordy ysgol, a thri ychwanegol ar gyfer gweithwyr niwclear.
30) Lluniwch ddiagram i ddangos ymholltiad wraniwm ac eglurwch sut mae'r adwaith cadwyn yn gweithio.
31) Rhowch yr hafaliadau niwclear ar gyfer y rhain: a) dadfeiliad alffa ${}^{226}_{88}Ra$ b) dadfeiliad beta ${}^{14}_{6}C$.

Atebion

T.20 Cr Ad 19) a) 0.125 A **b)** 240 C **c)** 37.4 kg **d)** 321 W **e)** 14 Ω
T.34 Cr Ad 11) 7.5 m/s^2 **12)** 5.7 kg **16)** 0.09 m/s, 137 m **18)** 35 m/s^2 **40)** 3120 cm^3 **P.39 1)** 330 m/s
2) 200 kHz **T.40 1)** 198 m **2)** 490 m **T.50 Cr Ad 17) a)** 500,000 Hz **b)** 0.35 m **c)** 4,600,000 Hz **ch)** 0.04 m/s
d) 150 s **18)** 150 m/s **19)** 5×10^{-6} s **21)** 1980 m **22)** 0.86 s **T.60 Cr Ad 24)** 9.5×10^{12} km **25)** 228,000 bl
37) Dirgel iawn, Y Tyrbo Bentley **T.79 Cr Ad 8)** 6420 J **10)** 2000 W, 1700 W **11)** 20,631 J **12)** 945 W
13) 20 m/s **14)** 10% **T.87 1)** 24 mun **2)** 13.5 biliwn o fl **T.89 1) a)** ${}^{234}_{92}U \rightarrow {}^{230}_{90}Th + {}^{4}_{2}He$ **b)** ${}^{230}_{90}Th \rightarrow {}^{226}_{88}Ra + {}^{4}_{2}He$
2) a) ${}^{234}_{90}Th \rightarrow {}^{234}_{91}Pa + {}^{0}_{-1}e + {}^{0}_{0}\gamma$ **b)** ${}^{234}_{91}Pa \rightarrow {}^{234}_{92}U + {}^{0}_{-1}e + {}^{0}_{0}\gamma$ **T.90 Cr Ad 24)** 16,800 bl **25)** 9×10^9 bl

Indecs

Indecs